1984

GEORGE ORWELL
1984

CONHEÇA NOSSOS LIVROS ACESSANDO AQUI!

Copyright da tradução e desta edição ©2021 por Fabio Kataoka

Título original: Nineteen Eighty-Four
Textos originais de domínio público. Reservados todos os direitos desta tradução e produção.

Direitos reservados e protegidos pela lei 9.610 de 19.2.1998.
Nenhuma parte deste livro pode ser reproduzida, arquivada em sistema de busca ou transmitida por qualquer meio, seja ele eletrônico, xérox, gravação ou outros, sem prévia autorização do detentor dos direitos, e não pode circular encadernada ou encapada de maneira distinta daquela em que foi publicada, ou sem que as mesmas condições sejam impostas aos compradores subsequentes.
2ª Impressão 2022

Presidente: Paulo Roberto Houch
MTB 0083982/SP

Coordenação Editorial: Priscilla Sipans
Coordenação de Arte: Rubens Martim (capa)
Tradução e preparação de texto: Fábio Kataoka
Revisão: Valéria Paixão
Apoio de revisão: Lilian Rozati
Diagramação: Rogério Pires

Vendas: Tel.: (11) 3393-7727 (comercial2@editoraonline.com.br)

Impresso no Brasil.
Foi feito o depósito legal.

Direitos reservados ao
IBC — Instituto Brasileiro de Cultura LTDA
CNPJ 04.207.648/0001-94
Avenida Juruá, 762 — Alphaville Industrial
CEP. 06455-010 — Barueri/SP
www.editoraonline.com.br

SUMÁRIO

Parte 1

I	7
II	20
III	26
IV	32
V	39
VI	49
VII	54
VIII	62

Parte 2

I	78
II	86
III	93
IV	100
V	107
VI	114
VII	116
VIII	121
IX	129

Parte 3

I	162
II	172
III	187
IV	196
V	202
VI	205

APÊNDICE 214

Parte 1

I

Era um dia claro e frio de abril, e os relógios marcavam treze horas. Winston Smith, com o queixo aninhado no peito em um esforço para escapar do vento insuportável, passou rapidamente pelas portas de vidro das Mansões Vitória, embora não rápido o suficiente para evitar que um redemoinho de poeira entrasse junto com ele.

O corredor cheirava a repolho cozido e tapetes velhos de trapos. Em uma das extremidades, um pôster colorido, grande demais para ser exibido em ambientes internos, havia sido pregado na parede. Retratava simplesmente um rosto enorme, com mais de um metro de largura: o rosto de um homem de cerca de quarenta e cinco anos, com um bigode preto pesado e traços robustos e bonitos. Winston dirigiu-se às escadas. Não adiantava tentar o elevador. Mesmo nas melhores épocas, raramente funcionava, e atualmente a corrente elétrica era cortada durante o dia. Fazia parte da campanha econômica em preparação para a Semana do Ódio. O apartamento ficava sete andares acima, e Winston, que tinha 39 anos e uma úlcera varicosa acima do tornozelo direito, subia devagar, descansando várias vezes no caminho. Em cada patamar, em frente ao poço do elevador, o com o rosto enorme do cartaz da parede o observava. Era um daqueles retratados feitos de tal modo que os olhos seguem as pessoas quando elas se movem.

O Grande irmão está vigiando você, dizia a legenda.

Dentro do apartamento, uma voz agradável lia uma lista de números que tinham algo a ver com a produção de ferro-gusa. A voz vinha de uma placa metálica oblonga como um espelho fosco que formava parte da superfície da parede do lado direito. Winston girou um interruptor e a voz baixou um pouco, embora as palavras ainda fossem distinguíveis. O instrumento (a teletela, como se chamava) podia ser regulado, mas não havia como desligá-lo completamente. Aproximou-se da janela: uma figura miúda e frágil, a magreza de seu corpo realçada pelo macacão azul que era o uniforme do Partido. Seu cabelo era muito claro, seu rosto naturalmente otimista, sua pele áspera por sabão grosso e lâminas de barbear sem corte e o frio do inverno que acabara de terminar.

Lá fora, mesmo através da vidraça fechada, o mundo parecia frio. Na rua, pequenos redemoinhos de vento giravam poeira e papel rasgado em espirais, e embora o sol estivesse brilhando e o céu de um azul áspero, parecia não haver cor em nada, exceto nos pôsteres que estavam colados por toda parte. O rosto de bigode preto olhava para baixo, para todos os cantos. Havia um cartaz na casa imediatamente em frente. *O GRANDE IRMÃO ESTÁ VIGIANDO VOCÊ*, dizia a legenda, enquanto os olhos escuros olhavam profundamente nos de Winston. No nível da rua, outro cartaz, rasgado em um canto, balançava irregularmente ao vento, cobrindo e descobrindo alternadamente a única palavra: Socing. Ao longe, um helicóptero desceu por entre os telhados, pairou por um instante como uma libélula e disparou novamente com um voo curvo. Era a Patrulha da Polícia, bisbilhotando as janelas das pessoas. As patrulhas não importavam, no entanto. Apenas a Polícia do Pensamento importava.

Atrás de Winston, a voz da teletela ainda balbuciava sobre o ferro-gusa e o cumprimento excessivo do Nono Plano Trienal. A teletela recebia e transmitia simultaneamente. Qualquer som que Winston fizesse, acima do nível de um sussurro muito baixo, seria captado pelo aparelho; além disso, enquanto permanecesse dentro do campo de visão que a placa de metal ordenava, ele poderia ser visto e ouvido. É claro que não havia como saber se você estava sendo observado em dado momento, com que frequência ou em qual sistema, já que a Polícia do Pensamento se conectava a qualquer fio individual. Era até provável que eles observassem todo mundo o tempo todo. Mas, de qualquer forma, eles poderiam conectar seu fio sempre que quisessem. Você tinha que viver — e vivia em decorrência do hábito transformado em instinto — acreditando que todo som que fizesse seria ouvido e, se a escuridão não fosse completa, todo movimento examinado meticulosamente.

Winston ficou de costas para a teletela. Era mais seguro; embora, como ele bem sabia, até as costas podiam ser reveladoras. A um quilômetro de distância, o Ministério da Verdade, seu local de trabalho, erguia-se vasto e branco acima da paisagem encardida. Isso, pensou com uma espécie de desgosto vago, era Londres, a principal cidade da Pista de Pouso Um, a terceira mais populosa das províncias da Oceania. Ele tentou recordar alguma memória de infância que deveria lhe dizer se Londres sempre havia sido assim. Sempre existiram essas casas apodrecidas do século XIX, as laterais escoradas com tocos de madeira, as janelas remendadas com papelão e os telhados com chapas de ferro corrugado, as paredes do jardim caindo em todas as direções? E os locais bombardeados onde o pó de gesso rodopiava no ar e a erva de salgueiro se espalhava sobre os montes de escombros; e os lugares onde as bombas limparam um trecho maior e lá surgiram colônias sórdidas de casas de madeira como galinheiros? Mas não adiantou, ele não conseguia se lembrar: nada restou de sua infância, exceto uma série de quadros iluminados, que surgiam contra um fundo branco, essencialmente ininteligíveis.

O Ministério da Verdade — Miniver, em Novilíngua[1] — era surpreendentemente diferente de qualquer outro objeto à vista. Era uma enorme estrutura piramidal de concreto branco brilhante, subindo, terraço após terraço, trezentos metros no ar. De onde Winston conseguia ler, em letras elegantes, os três lemas do Partido:

GUERRA É PAZ
LIBERDADE É ESCRAVIDÃO
IGNORÂNCIA É FORÇA

O Ministério da Verdade continha, dizia-se, três mil quartos acima do nível do solo e ramificações correspondentes abaixo. Espalhados por Londres havia apenas três outros edifícios de aparência e tamanho semelhantes. Do telhado das Mansões Vitória você podia ver todos os quatro simultaneamente. Eram as casas dos quatro Ministérios, entre os quais se dividia todo o aparato de governo: o Ministério da Verdade, que se ocupava de notícias, entretenimento, educação e belas artes; o Ministério da Paz, que se preocupava com a guerra; o Ministério do Amor, que mantinha a lei e a ordem; e o Ministério da Abundância, que era responsável pelos assuntos econômicos. Seus nomes, em Novilíngua: Miniver, Minipaz, Miniamor e Minifartura.

O Ministério do Amor era o mais assustador. Não havia janelas nele. Winston nunca estivera dentro do Ministério do Amor, nem a meio quilômetro dele. Era um lugar impossível de entrar a não ser em negócios oficiais, e mesmo assim apenas atravessando um labirinto de emaranhados de arame farpado, portas de aço e ninhos de metralhadoras escondidos. Até as ruas que levavam às barreiras externas eram percorridas por guardas com cara de gorilas em uniformes pretos, armados com cassetetes articulados.

Winston virou-se abruptamente. Ele havia definido suas feições na expressão de otimismo silencioso que era aconselhável usar diante da teletela. Atravessou a sala para a pequena cozinha. Ao deixar o Ministério a essa hora do dia, ele havia sacrificado seu almoço na cantina e estava ciente de que não havia comida na cozinha, exceto um pedaço de pão escuro que precisava ser guardado para o café

---

1. Idioma fictício criado pelo governo autoritário, de George Orwell. A novilíngua era desenvolvida não pela criação de novas palavras, mas pela condensação ou eliminação delas ou de alguns de seus sentidos, com o objetivo de restringir o escopo do pensamento. No apêndice o leitor poderá encontrar detalhes sobre a etimologia e estrutura desse idioma.

da manhã do dia seguinte. Ele tirou da prateleira uma garrafa de líquido incolor com um rótulo branco onde se lia *Gim Vitória*. Exalava um cheiro enjoativo e oleoso, como de aguardente que lembrava arroz chinês. Winston serviu quase uma xícara de chá, preparou-se para um choque e a engoliu como se fosse uma dose de remédio.

Instantaneamente seu rosto ficou escarlate e lágrimas escorreram de seus olhos. A coisa era como ácido nítrico e, além disso, ao engoli-la, tinha a sensação de ser atingido na parte de trás da cabeça com um porrete de borracha. No momento seguinte, no entanto, a queimação em sua barriga diminuiu e o mundo começou a parecer mais alegre. Ele tirou um cigarro de um maço amassado com a inscrição *Cigarros Vitória* e o segurou na vertical, fazendo com que o tabaco caísse no chão. Com o próximo ele foi mais bem-sucedido. Voltou para a sala de estar e sentou-se em uma pequena mesa que ficava à esquerda da teletela. Da gaveta da mesa, tirou um porta-penas, um tinteiro e um livro grosso em branco do formato *in-quarto,* com verso vermelho e capa marmorizada.

Por alguma razão, a teletela da sala estava em uma posição incomum. Em vez de ser colocada, como era normal, na parede de fundo, onde podia comandar toda a sala, estava na parede mais comprida, oposta à janela. De um lado havia um canto no qual Winston estava sentado e que, quando os apartamentos foram construídos, provavelmente tinha a intenção de abrigar estantes de livros. Ao sentar-se no canto e manter-se bem atrás, Winston foi capaz de permanecer fora do alcance da teletela, até onde a visão ia. Ele podia ser ouvido, é claro, mas enquanto permanecesse naquela posição, não podia ser visto. Foi em parte a geografia incomum da sala que lhe sugeriu o que estava prestes a fazer.

Mas também havia sido sugerido pelo livro que ele acabara de tirar da gaveta. Era um livro particularmente bonito. Seu papel macio e cor de creme, um pouco amarelado pelo tempo, era de um tipo que não se fabricava há pelo menos quarenta anos. Dava para imaginar, no entanto, que o livro era muito mais antigo do que isso. Ele o tinha visto na vitrine de uma lojinha desmazelada em um bairro pobre da cidade (exatamente em qual bairro, ele não se lembrava) e foi imediatamente acometido por um desejo irresistível de possuí-lo. Os membros do partido não deveriam entrar em lojas comuns ("negociar no mercado livre", como se chamava), mas a regra não era rigorosamente cumprida porque havia várias coisas, como cadarços e lâminas de barbear, que era impossível obter de qualquer outra forma. Ele deu uma rápida olhada para cima e para baixo na rua e depois entrou e comprou o livro por dois dólares e cinquenta. Na época, ele não estava consciente de adquiri-lo para qualquer propósito específico. Ele o levara com culpa para casa em sua maleta. Mesmo sem nada escrito nele, era uma posse comprometedora.

A única coisa que ele estava prestes a fazer era começar um diário. Isso não era ilegal (nada era ilegal, já que não havia mais leis), mas se detectado era razoavelmente certo que seria punido com a morte, ou pelo menos com vinte e cinco anos em um campo de trabalhos forçados. Winston encaixou uma pena no porta-penas e sugou-o para tirar a graxa. A pena era um instrumento arcaico, raramente usado mesmo para assinaturas, e ele a conseguira, furtivamente e com alguma dificuldade, simplesmente por sentir que o belo papel creme merecia ser escrito com uma pena de verdade em vez de ser riscado com uma caneta. Na verdade, ele não estava acostumado a escrever à mão. Além de notas muito curtas, era comum ditar tudo para o transcritor, o que era obviamente impossível para o seu propósito atual. Ele mergulhou a pena na tinta e depois hesitou por apenas um segundo. Um tremor passou por suas entranhas. Marcar o papel foi o ato decisivo. Em pequenas letras desajeitadas, ele escreveu:

4 DE ABRIL DE 1984

Ele se sentou. Uma sensação de completo desamparo se abateu sobre ele. Para começar, ele não sabia com certeza se era mesmo 1984. Devia ser por volta dessa data, pois ele estava quase certo de que tinha trinta e nove anos e acreditava ter nascido em 1944 ou 1945; mas não era possível definir qualquer data no intervalo de um ou dois anos.

Para quem, de repente lhe ocorreu perguntar, ele estava escrevendo este diário? Para o futuro, para os ainda não nascidos. Sua mente pairou por um momento em torno da data duvidosa na página, e então voltou com um choque contra a palavra *duplipensamento* em Novilíngua. Pela primeira vez, a magnitude do que havia empreendido lhe veio à mente. Como seria possível se comunicar com o futuro? Era, por sua natureza, impossível. Ou o futuro se assemelharia ao presente, assim sendo, não lhe dariam ouvidos, e sua situação não teria sentido.

Por algum tempo ele ficou olhando estupidamente para o papel. A teletela havia mudado para uma música militar estridente. Era curioso que ele parecesse não apenas ter perdido o poder de se expressar, mas até mesmo ter esquecido o que originalmente pretendia dizer. Durante semanas ele esteve se preparando para este momento, e nunca passou pela sua cabeça que algo seria necessário além de coragem. A escrita real seria fácil. Tudo o que ele tinha que fazer era transferir para o papel o monólogo inquieto e interminável que estava correndo dentro de sua cabeça, literalmente por anos. Nesse momento, porém, até o monólogo havia secado. Além disso, sua úlcera varicosa começou a coçar insuportavelmente. Ele não ousou coçá-lo, porque se o fizesse, inflamaria.

Os segundos estavam passando. Ele não tinha consciência de nada, exceto do vazio da página à sua frente, da coceira na pele acima do tornozelo, do barulho da música e de uma leve embriaguez causada pelo gim. De repente, ele começou a escrever em pânico, sem ter plena consciência do que estava escrevendo. Sua caligrafia pequena e infantil seguia inconstante pela página, abandonando primeiro as letras maiúsculas e, então, até os pontos finais:

4 de abril de 1984. Ontem à noite fui ao cinema. Só filmes de guerra. Um muito bom de um navio cheio de refugiados sendo bombardeado em algum lugar do Mediterrâneo. O público se divertiu muito com as fotos de um homem enorme e gordo tentando nadar para longe com um helicóptero atrás dele; primeiro apareceu chafurdando na água como uma toninha, depois foi mostrado na mira do helicóptero, então ficou cheio de buracos, o mar ao redor ficou rosa e ele afundou repentinamente, como se os buracos tivessem deixado entrar água. A plateia gritava de tanto rir quando ele afundou. Naquele momento apareceu um bote salva-vidas cheio de crianças com um helicóptero pairando sobre ele. Havia uma mulher de meia-idade que poderia ser uma judia sentada na proa com um garotinho de cerca de três anos nos braços. O garotinho gritava de medo e escondia a cabeça entre os seios dela, como se estivesse tentando se enterrar nela, e a mulher colocava os braços em volta dele e o confortava, embora ela mesma estivesse azul de medo, o tempo todo cobrindo-o o máximo possível, como se ela pensasse que seus braços poderiam manter as balas longe dele. Então o helicóptero largou uma bomba de vinte quilos no meio deles, um clarão terrível e o navio parecia um monte de palitos de fósforos. Então houve uma tomada maravilhosa de um braço de criança subindo no ar, um helicóptero com uma câmera frontal deve ter filmado, e houve muitos aplausos dos assentos do Partido, mas uma mulher sentada no meio dos proletas de repente começou a fazer barulho e a gritar que eles não deviam ter mostrado aquilo, não na frente das crianças, que eles não tinham o direito, não na frente das crianças, até que a polícia a colocou para fora, e eu acho que nada aconteceu com ela, afinal, ninguém se importa com o que os proletas dizem. Aliás, a reação típica do proletas porque eles nunca...

Winston parou de escrever, em parte porque sofria de cãibra. Ele não sabia o que o fizera despejar esse fluxo de lixo. Mas o curioso é que, enquanto fazia isso, uma lembrança totalmente diferente se tornou nítida em sua mente, a ponto de sentir à vontade para escrevê-la. Foi quando percebeu que foi por causa desse outro incidente que ele decidira, de repente, voltar para casa e começar o diário.

Algo havia acontecido naquela manhã no Ministério, se é que se pode dizer que algo tão nebuloso tivesse acontecido.

Eram quase onze horas, e no Departamento de Registros, onde Winston trabalhava, eles estavam arrastando as cadeiras para fora dos cubículos e agrupando-as no centro do salão, em frente à grande teletela, em preparação para os Dois Minutos de Ódio. Winston estava tomando seu lugar em uma das fileiras do meio quando, duas pessoas que ele conhecia de vista, mas com quem nunca havia falado, entraram inesperadamente na sala. Uma delas era uma garota com quem ele cruzava com frequência nos corredores. Ele não sabia o nome dela, mas sabia que ela trabalhava no Departamento de Ficção. Possivelmente — já que ele a vira algumas vezes com as mãos oleosas e carregando uma chave inglesa — ela tinha algum trabalho mecânico em uma das máquinas de escrever romances. Ela era uma garota de aparência ousada de cerca de vinte e sete anos, com cabelos escuros e grossos, rosto sardento e movimentos rápidos e atléticos. Uma estreita faixa escarlate, emblema da Liga Júnior Antissexo, foi enrolada várias vezes na cintura de seu macacão, o suficiente para realçar a forma de seus quadris. Winston não gostou dela desde o primeiro momento em que a viu. Ele sabia o motivo. Era por causa da atmosfera de campos de hóquei e banhos frios e caminhadas comunitárias e de higiene mental generalizada que ela conseguia carregar consigo. Ele não gostava de quase todas as mulheres, especialmente das jovens e bonitas. Eram sempre as mulheres, e sobretudo as jovens, as mais fanáticas adeptas do Partido, engolidoras de slogans, espiãs amadores e farejadoras da heterodoxia. Mas essa garota em particular lhe dava a impressão de ser mais perigosa que a maioria. Certa vez, quando passaram no corredor, ela lhe lançou um rápido olhar de soslaio que pareceu penetrá-lo e por um momento o encheu de terror. A ideia de que ela poderia ser uma agente da Polícia do Pensamento até passou por sua cabeça. Se fosse verdade, seria bem improvável. Ainda assim, ele continuou a sentir uma inquietação peculiar, que misturava medo e hostilidade, sempre que ela estava perto dele.

 A outra pessoa era um homem chamado O'Brien, membro do Partido Interno e detentor de um cargo tão importante e remoto que Winston tinha apenas uma vaga ideia de sua natureza. Um silêncio momentâneo passou pelo grupo de pessoas ao redor das cadeiras quando viram o macacão preto de um membro do Partido Interno se aproximando. O'Brien era um homem grande e corpulento com um pescoço grosso e um rosto rude, bem-humorado e brutal. Apesar de sua aparência formidável, ele tinha um certo charme. Seu jeito de ajustar os óculos no nariz era curiosamente desconcertante — de uma maneira indefinível, parecia admiravelmente civilizado. Era um gesto que, se alguém ainda pensasse nesses termos, poderia lembrar um nobre do século XVIII oferecendo sua caixa de rapé. Winston tinha visto O'Brien talvez uma dúzia de vezes ao longo de um número quase igual de anos. Sentia-se profundamente atraído por ele, e não apenas porque estava intrigado com o contraste entre o modo cortês de O'Brien e o seu físico de boxeador. Era muito mais foi por causa de uma crença secreta — ou talvez nem mesmo uma crença, apenas uma esperança — de que a ortodoxia política de O'Brien seria perfeita. Algo em seu rosto sugeria isso de uma maneira irresistível. E, novamente, talvez nem fosse a heterodoxia que estava escrita em seu rosto, mas simplesmente inteligência. De qualquer forma, ele tinha a aparência de ser uma pessoa com quem se podia conversar, se de alguma forma fosse possível enganar a teletela e pegá-lo sozinho. Winston nunca fizera o menor esforço para verificar essa suposição; na verdade, não havia como fazê-lo. Neste momento O'Brien olhou para seu relógio de pulso, viu que eram quase onze horas, e evidentemente decidiu ficar no Departamento de Registros até que os Dois Minutos de Ódio terminassem. Ele ocupou uma cadeira na mesma fileira de Winston, a alguns lugares de distância. Uma mulher pequena de cabelos cor de areia que trabalhava no cubículo ao lado de Winston estava entre eles. A garota de cabelo escuro estava sentada logo atrás.

No momento seguinte, um discurso horrível e áspero, como o de uma máquina monstruosa funcionando sem óleo, irrompeu da grande teletela no final da sala. Era um barulho que fazia os dentes rangerem e arrepiava os pelos da nuca. O Ódio havia começado.

Como sempre, o rosto de Emmanuel Goldstein, o Inimigo do Povo, apareceu na tela. Houve assobios aqui e ali entre a plateia. A pequena mulher de cabelos grisalhos soltou um grito de medo e desgosto misturados. Goldstein era o renegado e desviado que uma vez, há muito tempo (há quanto tempo, ninguém se lembrava), foi uma das principais figuras do Partido, quase no mesmo nível do próprio Grande Irmão, e depois se envolveu em atividades contrarrevolucionárias, fora condenado à morte, e havia misteriosamente escapado e desaparecido. O programa do Dois Minutos de Ódio variava de dia para dia, mas não havia nenhum em que Goldstein não fosse a figura principal. Ele foi o traidor primordial, o primeiro profanador da pureza do Partido. Todos os crimes subsequentes contra o Partido, todas as traições, atos de sabotagem, heresias, desvios, surgiram diretamente de seus ensinamentos. Em algum lugar ele ainda estava vivo e tramando suas conspirações: talvez em algum lugar além do mar, sob a proteção de seus financiadores estrangeiros; talvez até — dizia-se ocasionalmente — em algum esconderijo na própria Oceania.

O diafragma de Winston estava contraído. Ele nunca poderia ver o rosto de Goldstein sem uma dolorosa mistura de emoções. Era um rosto judaico magro, com uma grande auréola difusa de cabelos brancos e um pequeno cavanhaque — um rosto inteligente, mas de alguma forma, inerentemente desprezível, com uma espécie de tolice senil no nariz comprido e fino, em cuja ponta um par de óculos estava empoleirado. Assemelhava-se ao rosto de uma ovelha, e a voz também tinha uma qualidade de ovelha. Goldstein estava lançando seu habitual ataque venenoso às doutrinas do Partido — um ataque tão exagerado e perverso que não enganaria nem uma criança, e ainda assim plausível o suficiente para alarmar alguém de que outros menos equilibrados do que ele pudessem se deixar enganar. Insultava o Grande Irmão, denunciava a ditadura do Partido, exigia a conclusão imediata da paz com a Eurásia, defendia a liberdade de expressão, a liberdade de imprensa, a liberdade de reunião, a liberdade de pensamento, gritava histericamente que a revolução havia sido traída — e tudo isso em um rápido discurso polissilábico que era uma espécie de paródia do estilo habitual dos oradores do Partido, e continha até palavras em Novilíngua: mais palavras em Novilíngua, de fato, do que qualquer membro do Partido normalmente usaria na vida real. E o tempo todo, para que não houvesse dúvidas quanto à realidade que a ilusória falácia de Goldstein encobria, atrás de sua cabeça na teletela marchavam as intermináveis colunas do exército eurasiano — fileira após fileira de homens de aparência sólida com rostos asiáticos inexpressivos, que emergiam até a superfície da tela e desapareciam, para ser substituído por outros exatamente semelhantes. O ritmo maçante das botas dos soldados formava uma cortina sonora para os balidos de Goldstein.

Antes que o Ódio tivesse prosseguido por trinta segundos, exclamações incontroláveis de raiva estavam saindo de metade das pessoas na sala. O rosto de ovelha satisfeito consigo mesmo na tela e o poder aterrorizante do exército eurasiano por trás dele eram demais para suportar; além disso, a visão ou mesmo o pensamento de Goldstein produziam medo e raiva automaticamente. Ele era um objeto de ódio mais constante do que a Eurásia ou a Lestásia, pois quando a Oceania estava em guerra com um desses poderes, geralmente estava em paz com o outro. Mas o que o estranho era que, embora Goldstein fosse odiado e desprezado por todos, embora todos os dias, e mil vezes por dia, nas plataformas, nas teletelas, nos jornais, nos livros, suas teorias fossem refutadas, esmagadas, ridicularizadas, sustentadas ao olhar geral para o lixo lamentável que eram — apesar de tudo isso, sua influência nunca pareceu diminuir. Sempre havia novos tolos esperando para serem seduzidos por ele. Não passava um dia em que espiões e sabotadores agindo sob suas ordens não fossem desmascarados pela Polícia do Pensamento. Ele era o comandante de um vasto exército sombrio, uma rede subterrânea de conspiradores dedicados à derrubada do Estado. A Irmandade, era supostamente seu nome. Havia também histórias sussurradas de um livro terrível, um compêndio de todas as heresias, do qual Goldstein era o autor e que circulava clandestinamente aqui e ali. Era um livro sem título. As pessoas se referiam a ele, se é que o faziam, simplesmente como O LIVRO. Mas só se sabia dessas coisas por meio de vagos rumores. Nem a Irmandade nem O LIVRO eram um assunto que qualquer membro comum do Partido mencionaria se houvesse uma maneira de evitá-lo.

Em seu segundo minuto, o Ódio atingiu um frenesi. As pessoas estavam pulando em seus lugares e gritando a plenos pulmões em um esforço para abafar a voz enlouquecedora que vinha da tela. A pequena mulher de cabelos grisalhos adquirira um tom de rosa brilhante na face, e sua boca estava abrindo e fechando como a de um peixe desembarcado. Até o semblante pesado de O'Brien estava corado. Ele estava sentado muito ereto em sua cadeira, seu peito poderoso inchando e tremendo como se estivesse de pé para enfrentar o ataque de uma onda. A garota de cabelos escuros atrás de Winston começou a gritar "Porco! Porco! Porco!", e de repente ela pegou um pesado dicionário de Novilíngua e o jogou na tela. O livro acertou o nariz de Goldstein e ricocheteou, a voz continuou inexoravelmente. Em um momento de lucidez, Winston percebeu que estava gritando com os outros e chutando o calcanhar violentamente contra o degrau de sua cadeira. A coisa horrível sobre Dois Minutos de Ódio não era o fato de alguém ser obrigado a desempenhar um papel, mas que era impossível evitar participar. Após trinta segundos, qualquer fingimento era sempre desnecessário. Um êxtase hediondo de medo e vingança, um desejo de matar, de torturar, de esmagar rostos com uma marreta, parecia fluir por todo o grupo de pessoas como uma corrente elétrica, transformando as pessoas, mesmo contra a vontade, em meros lunáticos a gritar, com rostos transfigurados pela fúria. E, no entanto, a raiva que se sentia era uma emoção abstrata e não direcionada que podia ser mudada de um objeto para outro como a chama de um maçarico. Assim, em um momento o ódio de Winston não se voltou contra Goldstein, mas, ao contrário, contra o Grande Irmão, o Partido e a Polícia do Pensamento; e nesses momentos seu coração se compadecia com o herege solitário e ridicularizado na tela, único guardião da verdade e da sanidade em um mundo de mentiras. E, no entanto, no instante seguinte, ele estava de acordo com as pessoas ao seu redor, e tudo o que se dizia de Goldstein parecia-lhe verdade. Nesses momentos, seu ódio secreto pelo Grande Irmão transformou-se em adoração, e o Grande Irmão parecia se erguer, um protetor invencível e destemido, de pé como uma rocha contra as hordas da Ásia e Goldstein, apesar de seu isolamento, do desamparo e da dúvida que pairava sobre sua própria existência; parecia algum sinistro encantador, capaz, pelo mero poder de sua voz, de destruir a estrutura da civilização.

Era até possível, em alguns momentos, mudar o ódio de um jeito ou de outro por um ato voluntário. De repente, assim como no esforço violento com que se arranca a cabeça do travesseiro em um pesadelo, Winston conseguiu transferir seu ódio do rosto na tela para a garota de cabelos escuros atrás dele. Vívidas e belas alucinações passaram por sua mente. Ele a açoitaria até a morte com um cassetete de borracha. Ele a amarraria nua a uma estaca e lhe atravessaria muitas flechas como fizeram a São Sebastião. Ele a violentaria e cortaria sua garganta no momento do clímax. Agora ele percebeu POR QUE a odiava. Ele a odiava porque ela era jovem e bonita e assexuada, porque ele queria ir para a cama com ela e nunca o faria, porque em volta de sua doce cintura flexível, que parecia pedir para ser envolvida com o braço, havia apenas a faixa escarlate odiosa, símbolo agressivo de castidade.

O ódio atingiu seu clímax. A voz de Goldstein tornou-se um verdadeiro balido de ovelha, e por um instante o rosto mudou para o de uma ovelha. Então o rosto de ovelha se fundiu na figura de um soldado eurasiano que parecia estar avançando, enorme e terrível, metralhadora rugindo e parecendo saltar da superfície da tela, de modo que algumas das pessoas na primeira fila realmente se encolheram para trás em seus assentos. Mas no mesmo momento, arrancando um profundo suspiro de alívio de todos, a figura hostil se derreteu no rosto do Grande Irmão, de cabelos pretos, bigode preto, cheio de poder e misteriosa calma, e tão vasto que quase encheu a tela. Ninguém ouviu o que o Grande Irmão estava dizendo. Foram apenas algumas palavras de encorajamento, do tipo que são pronunciadas no clamor da batalha, não distinguíveis individualmente, mas restaurando a confiança pelo fato de serem pronunciadas. Então o rosto do Grande Irmão desapareceu novamente e, em vez disso, os três slogans do Partido se destacaram em letras maiúsculas, em negrito:

GUERRA É PAZ
LIBERDADE É ESCRAVIDÃO
IGNORÂNCIA É FORÇA

Mas o semblante do Grande Irmão pareceu persistir por vários segundos na tela, como se o impacto que causara nos globos oculares de todos fosse vívido demais para desaparecer imediatamente. A pequena mulher de cabelos ruivos se jogou sobre o encosto da cadeira à sua frente. Com um murmúrio trêmulo que soava como "Meu Salvador!", ela estendeu os braços em direção à tela. Então ela enterrou o rosto nas mãos. Era evidente que ela estava proferindo uma oração.

Nesse momento, todo o grupo irrompeu em um canto profundo, lento e rítmico de "GI!... GI!... GI!", repetidas vezes, muito lentamente, com uma longa pausa entre o "G" e o "I" —, um som pesado, murmurante, de alguma forma curiosamente selvagem, no fundo do qual parecia ouvir o bater de pés descalços e o rufar de tambores. Por talvez até trinta segundos, eles mantiveram o ritmo. Era um refrão muitas vezes ouvido em momentos de emoção avassaladora. Em parte, era uma espécie de hino à sabedoria e majestade do Grande Irmão, mais do que isso: era um ato de auto-hipnose, um afogamento deliberado da consciência por meio de ruído rítmico. As entranhas de Winston pareceram esfriar. Nos Dois Minutos de Ódio ele não pôde deixar de compartilhar o delírio geral, mas este canto subumano de "GI!... GI!", sempre o enchia de horror. Claro que ele cantou com o restante das pessoas: era impossível fazer o contrário. Dissimular seus sentimentos, controlar seu semblante, fazer o que todo mundo estava fazendo eram reações instintivas. Mas houve um espaço de alguns segundos durante o qual a expressão em seus olhos poderia concebivelmente tê-lo traído. E foi exatamente nesse momento que a coisa significativa aconteceu, se é que de fato aconteceu.

Momentaneamente ele chamou a atenção de O'Brien. O'Brien se levantou. Ele havia tirado os óculos e estava prestes a recolocá-los no nariz com seu gesto característico. Mas houve uma fração de segundo em que seus olhos se encontraram, e enquanto isso acontecia, Winston sabia — sim, ele sabia! — que O'Brien estava pensando a mesma coisa que ele. Uma mensagem inconfundível fora transmitida. Era como se suas duas mentes tivessem se aberto e os pensamentos estivessem fluindo de um para o outro através de seus olhos. "Estou com você", O'Brien parecia estar dizendo a ele. "Eu sei exatamente o que você está sentindo. Eu sei tudo sobre seu desprezo, seu ódio, seu desgosto. Mas não se preocupe, estou do seu lado!" E então o flash de inteligência se foi, e o rosto de O'Brien' voltou a ser tão impenetrável quanto os de todos os outros.

Isso era tudo, e ele já não tinha certeza se aquilo tinha acontecido. Tais incidentes nunca tiveram nenhuma continuidade. Tudo o que fizeram foi manter viva nele a crença, ou esperança, de que outros além dele eram inimigos do Partido. Talvez os rumores de vastas conspirações subterrâneas fossem verdadeiros, afinal, talvez a Irmandade realmente existisse! Era impossível, apesar das interminabilidade prisões, confissões e execuções, ter certeza de que a Irmandade não era apenas um mito. Alguns dias ele acreditava nisso, outros não. Não havia provas, apenas vislumbres fugazes que podiam significar alguma coisa ou nada: fragmentos de conversas entreouvidas, rabiscos tênues nas paredes do banheiro — uma vez, até mesmo, quando dois estranhos se encontraram, houve um pequeno movimento das mãos que parecia sinal de reconhecimento. Eram apenas hipóteses; muito provavelmente ele tinha imaginado tudo. Ele voltou para seu cubículo sem olhar para O'Brien novamente. A ideia de seguir com aquele contato momentâneo mal passou pela sua cabeça. Teria sido inconcebivelmente perigoso, mesmo que ele soubesse como fazê-lo. Por um segundo, ou dois, eles trocaram um olhar equívoco, e esse foi o fim da história. Mas mesmo isso era um evento memorável, na solidão trancada em que se tinha que viver.

Winston se levantou e se endireitou. Soltou um arroto. O gim estava subindo de seu estômago.

Seus olhos voltaram a focalizar a página. Ele descobriu que enquanto estava sentado, impotente, meditando, também estava escrevendo, como se por ação automática. E não era mais a mesma caligrafia desajeitada e apertada de antes. Sua pena havia deslizado voluptuosamente sobre o papel liso, imprimindo em grandes letras maiúsculas, repetidas vezes, preenchendo meia página:

ABAIXO O GRANDE IRMÃO
ABAIXO O GRANDE IRMÃO
ABAIXO O GRANDE IRMÃO
ABAIXO O GRANDE IRMÃO
ABAIXO O GRANDE IRMÃO

Ele não conseguiu evitar sentir uma pontada de pânico. Era um absurdo, pois escrever aquelas palavras em particular não era mais perigoso do que o ato de iniciar um diário; mas por um momento sentiu-se tentado a arrancar as páginas usadas e abandonar a empreitada por completo.

Ele não o fez, porém, porque sabia que era inútil. Se ele escreveu *ABAIXO O GRANDE IRMÃO*, ou se ele se absteve de escrevê-lo, era indiferente. Se ele continuasse com o diário, ou se não continuasse, não fazia diferença. A Polícia do Pensamento iria pegá-lo do mesmo jeito. Ele havia cometido — ainda teria cometido, mesmo que nunca tivesse posto a caneta no papel — o crime essencial que continha todos os outros em si. "Pensamento-crime", eles chamavam. "Pensamento-crime" não era algo que pudesse ser escondido para sempre. Você pode se esquivar com sucesso por um tempo, até mesmo por anos, mas mais cedo ou mais tarde eles acabariam pegando você.

Era sempre à noite — as prisões aconteciam invariavelmente à noite. O despertar repentino do sono, a mão áspera sacudindo seu ombro, as luzes brilhando em seus olhos, o círculo de semblantes rígidos ao redor da cama. Na grande maioria dos casos não houve julgamento, nenhum boletim de ocorrência. As pessoas simplesmente desapareciam, sempre durante a noite. Seu nome era removido dos registros, todos os registros de tudo que você já fez eram apagados, sua existência era negada e depois esquecida. Você era abolido, aniquilado: PULVERIZADO era a palavra usual.

Por um momento ele foi tomado por uma espécie de histeria. Então, começou a escrever em um rabisco desordenado e apressado:

eles vão atirar em mim eu não me importo eles vão atirar na minha nuca eu não me importo abaixo o grande irmão eles sempre atiram na sua nuca eu não me importo abaixo o grande irmão...

Ele se recostou na cadeira, um pouco envergonhado de si mesmo, e largou a pena. No momento seguinte, pulou violentamente. Houve uma batida na porta.

Já!? Ficou sentado imóvel como um rato, na vã esperança de que a pessoa fosse embora depois de uma única tentativa. Mas não, as batidas foram repetidas. O pior de tudo seria demorar. Seu coração batia como um tambor, mas seu rosto, por um longo hábito, provavelmente estava inexpressivo. Ele se levantou e se moveu pesadamente em direção à porta.

II

Ao colocar a mão na maçaneta, Winston percebeu que ele havia deixado o diário aberto sobre a mesa. *ABAIXO O GRANDE IRMÃO* estava escrito por toda parte, em letras quase grandes o suficiente para serem legíveis do outro lado da sala. Era uma coisa inconcebivelmente estúpida de se fazer. Mesmo em pânico, ele não queria manchar o papel cor de creme fechando o livro enquanto a tinta estava fresca.

Ele respirou fundo e abriu a porta. Instantaneamente uma onda quente de alívio fluiu através dele. Uma mulher pálida, de aparência debilitada, com cabelos ralos e rosto enrugado, estava do lado de fora.

— Ah, camarada — ela começou com uma voz triste e chorosa —, eu pensei ter ouvido você entrar. Você acha que poderia vir e dar uma olhada na pia da nossa cozinha? Ela está entupida e...

Era a Sra. Parsons, a esposa de um vizinho do mesmo andar. ("Sra." era uma palavra um tanto desaprovada pelo Partido — você deveria chamar todo mundo de "camarada" — mas com algumas mulheres era usado instintivamente.) Era uma mulher de cerca de trinta anos, mas parecia muito mais velha. Tinha-se a impressão de que havia poeira nas rugas de seu rosto. Winston a seguiu pelo corredor. Esses trabalhos de reparo amador eram uma irritação quase diária. As Mansões Vitória eram apartamentos antigos, construídos em 1930 ou por aí, e estavam caindo aos pedaços. O reboco lascava constantemente nos tetos e nas paredes, os canos estouravam a cada geada forte, o telhado vazava sempre que havia neve, o sistema de aquecimento geralmente funcionava a meio vapor quando não era totalmente desligado por motivos de economia. Reparos, exceto o que a pessoa poderia fazer por si, dependiam da sanção de remotos comitês, capazes de adiar por anos a substituição de uma vidraça quebrada.

— Claro que estou solicitando sua ajuda só porque Tom não está em casa — disse a Sra. Parsons.

O apartamento dos Parsons era maior que o de Winston, e sombrio de uma maneira diferente. Tudo tinha um aspecto surrado, pisoteado, como se o lugar tivesse acabado de ser visitado por algum grande animal violento. Os acessórios esportivos — tacos de hóquei, luvas de boxe, uma bola de futebol estourada, um par de bermudas suadas virados do avesso — estavam espalhados por todo o chão, e sobre a mesa havia uma pilha de pratos sujos e cadernos malconservados. Nas paredes havia estandartes escarlates da Liga da Juventude e dos Espiões, e um pôster em tamanho real do Grande Irmão. Havia o cheiro habitual de repolho cozido, comum a todo o prédio, mas era permeado por um fedor mais forte de suor, que — a gente sabia disso à primeira cheirada, embora fosse difícil dizer como — era o suor de alguma pessoa ausente no momento.

— São as crianças — disse a Sra. Parsons, lançando um olhar meio apreensivo para a porta. — Eles não saíram hoje. E é claro...

Ela tinha o hábito de interromper suas frases no meio. A pia da cozinha estava quase cheia de água suja e esverdeada que cheirava mais do que nunca a repolho. Winston ajoelhou-se e examinou a junta angular do cano. Odiava usar as mãos e detestava se abaixar, o que sempre o fazia tossir. A Sra. Parsons olhava impotente.

— É claro que se Tom estivesse em casa, ele consertaria em um instante — disse ela. — Ele adora esse tipo de coisa. Ele é muito bom com as mãos, Tom é...

Parsons era colega de trabalho de Winston no Ministério da Verdade. Era um homem gordo, mas ativo, de uma estupidez paralisante, uma massa de entusiasmos imbecis — um desses lacaios totalmente inquestionáveis e devotados de quem, mais ainda do que da Polícia do Pensamento, dependia a estabilidade do Partido. Aos 35 anos, acabara de ser despejado involuntariamente da Liga da Juventude e, antes de se formar na Liga da Juventude, conseguira permanecer nos Espiões por um ano além da idade legal. No Ministério, ele estava empregado em algum posto subordinado para o qual não era necessária inteligência, mas por outro lado era uma figura de destaque no Comitê de Esportes e em todos os outros comitês envolvidos na organização de caminhadas comunitárias, manifestações espontâneas, campanhas de economia e ações voluntárias em geral. Ele informava ao interlocutor com orgulho silencioso, entre as baforadas de seu cachimbo, que ele tinha ido ao Centro Comunitário todas as noites nos últimos quatro anos. Um cheiro avassalador de suor, uma espécie de testemunho inconsciente da fadiga de sua vida o seguia por onde quer que fosse, e até formava um rastro depois que ele partia.

— Você tem uma chave inglesa? — perguntou Winston, brincando com a porca na junta angular.

— Uma chave inglesa — disse a Sra. Parsons, tornando-se imediatamente invertebrada. — Não sei, não tenho certeza. Talvez as crianças...

Ouviu-se um pisar de botas e outra explosão no pente quando as crianças entraram correndo na sala de estar. A Sra. Parsons trouxe a chave inglesa. Winston soltou a água e removeu com repugnância o coágulo de cabelo humano que havia bloqueado o cano. Limpou os dedos o melhor que pôde na água fria da torneira e voltou para a outra sala.

— Levante as mãos! — gritou uma voz selvagem.

Um menino de nove anos, bonito e de aparência rude, surgiu de trás da mesa e o ameaçava com uma pistola automática de brinquedo, enquanto sua irmã de sete anos fazia o mesmo gesto com um fragmento de madeira. Ambos estavam vestidos com calções azuis, camisas cinzentas e lenços vermelhos que faziam parte do uniforme dos Espiões. Winston levantou as mãos acima da cabeça, mas com uma sensação desconfortável. Tão cruel era o comportamento do menino, que aquilo não parecia ser uma brincadeira.

— Você é um traidor! — gritou o menino. — Você é um criminoso do pensamento! Você é um espião eurasiano! Vou atirar em você, vou vaporizá-lo, vou mandá-lo para as minas de sal!

De repente, os dois pularam em volta dele, gritando "Traidor!" e "Criminoso do Pensamento!", a menininha imitando o irmão em cada movimento. De alguma forma, era um pouco assustador, assim como as brincadeiras de filhotes de tigre que logo se tornam comedores de homens. Havia uma espécie de ferocidade calculista nos olhos do menino, um desejo bastante evidente de bater ou chutar Winston e a consciência de ser quase grande o suficiente para fazê-lo. Ainda bem que não era uma pistola de verdade que ele estava segurando, pensou Winston.

Os olhos da Sra. Parsons passaram nervosamente de Winston para as crianças, e vice-versa. Na melhor luz da sala, ele notou com interesse que na verdade havia poeira nos vincos do rosto dela.

— Eles estão tão barulhentos — disse ela. — Estão desapontados porque não poderão ver o enforcamento. Estou muito ocupada para levá-los, e Tom não voltará do trabalho a tempo.

— Por que não podemos ir ver o enforcamento? — rugiu o menino em sua voz grave.

— Quero ver o enforcamento! Quero ver o enforcamento! — entoou a garotinha, saltitando.

Alguns prisioneiros euroasiáticos, culpados de crimes de guerra, seriam enforcados no parque naquela noite, lembrou-se Winston. Isso acontecia uma vez por mês e era um espetáculo popular. As crianças sempre clamavam para serem levadas para assistir. Ele se despediu da Sra. Parsons e foi para a porta. Mas ele não tinha dado seis passos no corredor quando algo atingiu sua nuca com um golpe doloroso. Era como se um fio em brasa tivesse sido espetado nele. Ele se virou bem a tempo de ver a Sra. Parsons arrastando o filho de volta para a porta enquanto o menino guardava um estilingue no bolso.

— Goldstein! — gritou o menino quando a porta se fechou sobre ele.

Mas o que mais impressionou Winston foi a expressão de pavor no rosto desolado da mulher.

De volta ao apartamento, ele passou rapidamente pela teletela e sentou-se à mesa novamente, ainda esfregando o pescoço. A música da teletela havia parado. Em vez disso, uma voz cortante de um militar estava lendo, com uma espécie de prazer brutal, uma descrição dos armamentos da nova Fortaleza Flutuante que acabara de ser ancorada entre a Islândia e as Ilhas Faroe.

Com essas crianças, pensou ele, aquela mulher miserável deve levar uma vida de terror. Mais um ano, dois anos, e eles estariam vigiando-a dia e noite em busca de sintomas de heterodoxia. Quase todas as crianças hoje em dia eram horríveis. O pior de tudo foi que, por meio de organizações como os Espiões, eles foram sistematicamente transformados em pequenos selvagens ingovernáveis, e, no entanto, isso não produziu neles nenhuma tendência à desobediência com relação à disciplina do Partido. Pelo contrário, eles adoravam o Partido e tudo relacionado a ele. As canções, os desfiles, os estandartes, as caminhadas, os treinos com rifles falsos, os gritos dos slogans, a adoração do Grande Irmão — era tudo uma espécie de jogo glorioso para eles. Toda a sua ferocidade foi voltada para fora, contra os inimigos do Estado, contra estrangeiros, traidores, sabotadores, criminosos do pensamento. Era quase normal que pessoas com mais de trinta anos tivessem medo de seus próprios filhos. E com razão, pois era raro que uma semana se passasse sem que o *Times* não trouxesse um parágrafo descrevendo como algum bisbilhoteiro — "herói infantil" era a expressão geralmente usada — ouvira algum comentário comprometedor e denunciara seus pais à Polícia do Pensamento.

A dor causada pela bala do estilingue tinha passado. Ele pegou sua pena sem entusiasmo, imaginando se poderia encontrar algo mais para escrever no diário. De repente, ele começou a pensar em O'Brien novamente.

Anos atrás — há quanto tempo foi? Cerca de sete anos — ele sonhou que estava andando por um quarto escuro como breu. E alguém sentado ao seu lado disse ao passar: "Vamos nos encontrar no lugar onde não há escuridão. "Foi dito muito baixinho, quase casualmente — uma declaração, não uma ordem. Ele havia caminhado sem parar. O curioso é que na época, no sonho, as palavras não o impressionaram muito. Foi só mais tarde e aos poucos que elas pareceram adquirir significado. Agora não conseguia se lembrar se fora antes ou depois do sonho que vira O'Brien pela primeira vez; nem conseguia se lembrar de quando identificara pela primeira vez a voz como sendo de O'Brien. Mas de qualquer forma a identificação existia. Foi O'Brien quem falou com ele do escuro.

Winston jamais teve certeza — mesmo depois do lampejo de olhos desta manhã ainda era impossível ter certeza — se O'Brien era um amigo ou um inimigo. Nem parecia importar muito. Havia um elo de compreensão entre eles mais importante do que afeição ou partidarismo. "Vamos nos encontrar no lugar onde não há escuridão", disse ele. Winston não sabia o que isso significava, apenas achava que de uma forma ou de outra se tornaria realidade.

A voz da teletela parou. Um toque de trombeta, claro e bonito, flutuou no ar estagnado. A voz continuou rouca:

— Atenção! Sua atenção, por favor! Um flash de notícias chegou neste momento do front de Malabar. Nossas forças no sul da Índia conquistaram uma vitória gloriosa. Estou autorizado a dizer que a ação que estamos relatando agora pode trazer a guerra a uma distância mensurável de seu fim. Aqui está a notícia...

Más notícias chegando, pensou Winston. E com certeza, depois de uma descrição sangrenta do aniquilamento de um exército eurasiano, com números estupendos de mortos e prisioneiros, veio o anúncio de que, a partir da próxima semana, a ração de chocolate seria reduzida de trinta gramas para vinte.

Winston arrotou novamente. O efeito do gim estava passando, deixando uma sensação de vazio. A teletela — talvez para comemorar a vitória, talvez para afogar a memória do chocolate perdido — atacou "Oceania, é para ti". Você deveria ficar em posição de sentido.

"Oceania, é para ti" deu lugar a uma música mais leve. Winston foi até a janela, de costas para a teletela. O dia ainda estava frio e claro. Em algum lugar distante, uma bomba-foguete explodiu com um rugido surdo e reverberante. Cerca de vinte ou trinta delas estavam caindo em Londres a cada semana.

Lá embaixo, na rua, o vento agitava o cartaz rasgado de um lado para o outro, e a palavra *Socing* aparecia e desaparecia de forma espasmódica. *Socing*. Os princípios sagrados do *Socing*. Novilíngua, *duplipensar*, a mutabilidade do passado. Ele se sentia como se estivesse vagando nas florestas do fundo do mar, perdido em um mundo monstruoso onde ele mesmo era o monstro. Ele estava sozinho. O passado estava morto, o futuro era inimaginável. Que certeza ele tinha de que uma única criatura humana agora viva estava do seu lado? E como saber que o domínio do Partido não duraria PARA SEMPRE? Como resposta, os três slogans na face branca do Ministério da Verdade voltaram à mente:

GUERRA É PAZ
LIBERDADE É ESCRAVIDÃO
IGNORÂNCIA É FORÇA

Ele tirou uma moeda de vinte e cinco centavos do bolso. Ali também, em letras minúsculas e claras, os mesmos slogans estavam inscritos e, na outra face da moeda, a cabeça do Grande Irmão. Até na moeda os olhos te perseguiam. Nas moedas, nos selos, nas capas dos livros, nas faixas, nos cartazes e no embrulho de um maço de cigarros — em todos os lugares. Sempre os olhos te observando e a voz te envolvendo. Dormindo ou acordado, trabalhando ou comendo, dentro ou fora de casa, no banho ou na cama — não havia escapatória. Nada era seu, exceto os poucos centímetros cúbicos dentro de seu crânio.

O sol havia avançado, e as inúmeras janelas do Ministério da Verdade, com a luz não mais brilhando sobre elas, pareciam sombrias como as brechas de uma fortaleza. Seu coração estremeceu diante da enorme forma piramidal. Era muito forte, não podia ser atacado. Mil bombas-foguete não o derrubariam. Ele se perguntou novamente para quem estaria escrevendo o diário. Para o futuro, para o passado — para uma Era que poderia ser imaginária. E diante dele não estava a morte, mas a aniquilação. O diário seria reduzido a cinzas e ele a vapor. Somente a Polícia do Pensamento leria o que ele havia escrito, antes de limpá-lo da existência e da memória. Como você poderia apelar para o futuro quando nenhum vestígio seu, nem mesmo uma palavra anônima rabiscada em um pedaço de papel, poderia sobreviver fisicamente?

A teletela atingiu quatorze horas. Ele deveria sair em dez minutos. Precisava estar de volta ao trabalho às catorze e trinta.

Curiosamente, a badalada da hora parecia ter dado novo ânimo a ele. Ele era um fantasma solitário proferindo uma verdade que ninguém jamais ouviria. Mas enquanto ele a pronunciou, de alguma maneira obscura, a continuidade não foi quebrada. Não é fazendo-se ouvir, mas mantendo a sanidade, que você carrega a herança humana. Voltou para a mesa, molhou a pena e escreveu:

Ao futuro ou ao passado, a um tempo em que o pensamento seja livre, quando os homens forem diferentes uns dos outros e não viverem sozinhos – a um tempo em que a verdade existirá e o que é feito não poderá ser desfeito:

Da Era da uniformidade, da Era da solidão, da Era do Grande Irmão, da Era do duplipensar — saudações!

Ele já estava morto, refletiu. Parecia-lhe que só agora, quando começara a formular seus pensamentos, havia dado o passo decisivo. As consequências de cada ato estão incluídas no próprio ato. Ele escreveu:

O pensamento-crime não *ocasiona a morte: o pensamento-crime é a morte.*

Agora que ele havia se reconhecido como um homem morto, tornou-se importante permanecer vivo o maior tempo possível. Dois dedos da mão direita estavam manchados de tinta. Era exatamente o tipo de detalhe que poderia traí-lo. Algum fanático intrometido do Ministério (uma mulher, provavelmente; alguém como a mulherzinha de cabelos grisalhos ou a garota de cabelos escuros do Departamento de Ficção) podia começar a se perguntar por que ele estava escrevendo durante o intervalo do almoço, por que ele tinha usado uma velha pena antiquada, O QUE ele estava escrevendo — e então deixaria uma dica no local apropriado. Ele foi ao banheiro e cuidadosamente limpou a tinta com o sabão marrom-escuro arenoso que raspava sua pele como uma lixa e, portanto, era bem adaptado para esse propósito.

Guardou o diário na gaveta. Era inútil pensar em escondê-lo, mas ele poderia pelo menos ter certeza se sua existência havia sido descoberta ou não. Um fio de cabelo deixado nas pontas das páginas era óbvio demais. Com a ponta do dedo, ele pegou um grão identificável de poeira esbranquiçada e o depositou no canto da capa, de onde certamente seria sacudido se o livro fosse movido.

III

Winston estava sonhando com sua mãe. Devia ter dez ou onze anos quando sua mãe desapareceu. Ela era uma mulher alta, escultural, bastante reservada, de movimentos lentos e cabelos louros magníficos. De seu pai ele se lembrava vagamente como moreno e magro, sempre vestido com roupas escuras impecáveis (Winston se lembrava especialmente das solas muito finas dos sapatos de seu pai), e usava óculos. Os dois deviam, evidentemente, ter sido engolidos em um dos primeiros grandes expurgos dos anos 50.

Naquele momento, sua mãe estava sentada em algum lugar bem embaixo dele, com sua irmã mais nova nos braços. Ele não se lembrava de sua irmã, exceto como um bebê pequeno e frágil, sempre em silêncio, com olhos grandes e vigilantes. Ambas estavam olhando para ele. Elas estavam em algum lugar subterrâneo — no fundo de um poço, talvez, ou uma cova muito profunda —, mas era um lugar que, mesmo muito abaixo dele, estava se movendo para baixo. Elas estavam no salão de um navio que afundava, olhando para ele através da água escura. Ainda havia ar no salão, elas ainda podiam vê-lo e ele a elas, mas o tempo todo elas estavam afundando, descendo nas águas verdes que no momento seguinte deveriam escondê-las da vista para sempre. Ele estava na luz e no ar enquanto elas estavam sendo sugadas até a morte, e elas estavam lá embaixo porque ele estava ali em cima. Ele sabia e elas sabiam, e ele via no rosto delas que elas sabiam. Não havia reprovação em seus semblantes ou em seus corações, apenas a consciência de que elas deveriam morrer para que ele pudesse permanecer vivo, e que isso fazia parte da ordem inevitável das coisas.

Ele não conseguia se lembrar do que havia acontecido depois, mas sabia em seu sonho que, de alguma forma, as vidas de sua mãe e de sua irmã haviam sido sacrificadas pela sua. Era um daqueles sonhos que, embora mantendo o cenário onírico característico, são uma continuação da vida intelectual da pessoa, e nos quais a pessoa toma consciência de fatos e ideias que ainda parecem novas e valiosas depois que se está acordado. O que de repente impressionava Winston era que a morte de sua mãe, quase trinta anos atrás, tinha sido trágica e dolorosa de uma forma que hoje não seria mais possível. A tragédia, ele percebeu, pertencia aos tempos antigos, a uma época em que ainda havia privacidade, amor e amizade, e quando os membros de uma família ficavam lado a lado sem precisar saber o motivo. A memória de sua mãe rasgou seu coração porque ela morreu amando-o, quando ele era muito jovem e egoísta para amá-la de volta, e porque, de alguma forma, ele não se lembrava como, ela havia se sacrificado a uma concepção de lealdade que era privada e inalterável. Tais coisas, ele percebeu, não poderiam acontecer nos dias de hoje. Agora havia medo, ódio e dor, mas nenhuma dignidade de emoção, nenhuma tristeza profunda ou complexa. Tudo isso ele parecia ver nos grandes olhos de sua mãe e sua irmã, olhando para ele através da água verde, a centenas de braças abaixo e ainda afundando.

De repente, ele estava parado em um gramado curto e fofo, em uma noite de verão, quando os raios oblíquos do sol douravam o chão. A paisagem que ele estava olhando se repetia com tanta frequência em seus sonhos que ele nunca tinha certeza se a tinha visto ou não no mundo real. Em seus pensamentos acordados, ele a chamava de País Dourado. Era um pasto antigo, estragado por coelhos, com uma trilha de caminhada e um montículo aqui e ali. Na cerca esfarrapada do lado oposto do campo, os galhos dos olmos balançavam muito levemente com a brisa, suas folhas se agitando em massas densas como cabelos de mulheres. Em algum lugar próximo, embora fora de vista, havia um riacho claro e lento, onde as tâmaras espalhavam-se sob os salgueiros.

A garota de cabelo escuro estava vindo em sua direção através do campo. Com o que pareceu um único movimento, ela arrancou suas roupas e as jogou de lado com desdém. Seu corpo era branco e macio, mas não despertava nele nenhum desejo; na verdade, ele mal olhou para ele. O que o dominou naquele instante foi a admiração pelo gesto com que ela havia jogado a roupa de lado. Com sua graça e descuido, parecia aniquilar toda uma cultura, todo um sistema de pensamento, como se o Grande Irmão, o Partido e a Polícia do Pensamento pudessem ser reduzidos ao nada por um único e esplêndido movimento do braço. Isso também era um gesto pertencente aos tempos antigos. Winston acordou com a palavra "Shakespeare" nos lábios.

A teletela emitia um assobio ensurdecedor que continuou na mesma nota por trinta segundos. Não eram sete e quinze, hora de acordar para funcionários de escritório. Winston arrancou o corpo da cama – nu, pois um membro do Partido

Externo recebia apenas três mil cupons de roupas por ano, e um pijama custava seiscentos — e pegou uma camiseta encardida e uma bermuda que estavam sobre uma cadeira. Os Exercícios Físicos começariam em três minutos. No momento seguinte, ele foi surpreendido por um violento ataque de tosse que quase sempre acontecia logo após acordar. Esvaziou seus pulmões tão completamente que ele só pôde começar a respirar novamente deitando de costas e dando uma série de suspiros profundos. Suas veias incharam com o esforço da tosse, e a úlcera varicosa começou a coçar.

— Grupo de trinta a quarenta! — bradou uma voz feminina penetrante. — Grupo de trinta a quarenta! Tomem seus lugares, por favor. De trinta a quarenta!

Winston ficou atento diante da teletela, na qual já havia aparecido a imagem de uma mulher jovem, esquelética, mas musculosa, vestida com túnica e sapatos de ginástica.

— Braços dobrando e esticando! — ela ordenou. — Acompanhem meu ritmo. Um, dois, três, quatro! Um, dois, três, quatro! Vamos, camaradas, coloquem um pouco de vida nisso! Um, dois, três, quatro! Um, dois, três, quatro!...

A dor do ataque de tosse não havia apagado por completo da mente de Winston a impressão causada pelo sonho, e os movimentos rítmicos do exercício a restauraram um pouco. Enquanto movia mecanicamente os braços para a frente e para trás, exibindo no rosto o olhar sombrio de prazer que era considerado apropriado durante os Exercícios Físicos, ele lutava para voltar ao período sombrio de sua infância. Foi extraordinariamente difícil. Depois do final dos anos 50 tudo se desvaneceu. Quando não havia registros externos aos quais você pudesse se referir, até mesmo o contorno de sua própria vida perdia sua nitidez. Você se lembrava de grandes eventos que provavelmente não aconteceram, você se lembrava dos detalhes dos incidentes sem ser capaz de recapturar sua atmosfera, e havia longos períodos em branco aos quais você não podia atribuir nada. Tudo tinha sido diferente naquela época. Até os nomes dos países e suas formas no mapa eram diferentes. A Pista de Pouso Um, por exemplo, não era assim chamada naquela época: chamava-se Inglaterra ou Grã-Bretanha, embora Londres, ele tinha quase certeza, sempre se chamasse Londres.

Winston não conseguia se lembrar com certeza de uma época em que seu país não estivesse em guerra, mas era evidente que devia ter havido um intervalo de paz bastante longo durante sua infância, porque uma de suas primeiras lembranças era de um ataque aéreo que parecia ter pegado todo mundo de surpresa. Talvez tenha sido a época em que a bomba atômica caiu sobre Colchester. Ele não se lembrava do ataque em si, mas se lembrava da mão de seu pai segurando a sua enquanto eles desciam, desciam, desciam para algum lugar no fundo da terra, dando voltas e mais voltas em uma escada em espiral que fazia barulho sob seus pés e que cansava seu corpo, e que ele começou a choramingar e eles tiveram que parar e descansar. Sua mãe, com seu jeito lento e sonhador, estava seguindo a um longo caminho atrás deles. Ela estava carregando a irmãzinha dele — ou talvez fosse apenas um pacote de cobertores que ela estava carregando: ele não tinha certeza se sua irmã havia nascido naquela época. Finalmente, eles chegaram a um lugar barulhento e cheio de gente que ele percebeu ser uma estação de metrô.

Havia pessoas sentadas por todo o chão de lajes de pedra, e outras pessoas, amontoadas, estavam sentadas em beliches de metal, uma acima da outra. Winston, sua mãe e seu pai encontraram um lugar no chão, e perto deles um velho e uma velha estavam sentados lado a lado em um beliche. O velho usava um terno escuro decente e um gorro de pano preto puxado para trás por causa dos cabelos muito brancos; seu rosto estava escarlate e seus olhos eram azuis e cheios de lágrimas. Ele cheirava a gim. Parecia sair de sua pele no lugar do suor, e se poderia imaginar que as lágrimas que brotavam de seus olhos eram puro gim. Mas, embora um pouco bêbado, também sofria de uma dor genuína e insuportável. Com seu jeito infantil, Winston percebeu que algo terrível, algo que estava além do perdão e que nunca poderia ser remediado, tinha acabado de acontecer. Também lhe parecia que sabia o que era. Alguém que o velho amava, talvez uma netinha, havia morrido. A cada poucos minutos o velho repetia:

— Nós não deveríamos ter confiado neles. — Eu disse isso, mãe, não disse? É isso que deu confiar neles. Eu disse isso o tempo todo. Nós não deveríamos ter confiado nos vagabundos.

Mas em quais vagabundos eles não deveriam ter confiado, Winston não conseguia se lembrar.

Desde aquela época, a guerra era literalmente contínua, embora, estritamente falando, nem sempre fosse a mesma guerra. Durante vários meses, em sua infância, houve confusas brigas de rua em Londres, algumas das quais ele se lembrava vividamente. Mas traçar a história de todo o período, dizer quem estava lutando contra quem em um determinado momento, seria totalmente impossível, já que nenhum registro escrito e nenhuma palavra falada jamais fizera menção a qualquer outro alinhamento que não o existente. Nesse momento, por exemplo, em 1984 (se é que estavam em 1984), a Oceania estava em guerra com a Eurásia e em aliança com a Lestásia. Em nenhum pronunciamento público ou privado foi admitido que os três poderes tivessem, em algum momento, sido agrupados em linhas diferentes. Na verdade, como Winston bem sabia, fazia apenas quatro anos que a Oceania estava em guerra com a Lestásia e em aliança com a Eurásia. Mas isso era apenas um pedaço de conhecimento furtivo que ele possuía porque sua memória não estava satisfatoriamente sob controle. Oficialmente a mudança de parceiros nunca havia acontecido. A Oceania estava em guerra com a Eurásia: portanto, a

Oceania sempre esteve em guerra com a Eurásia. O inimigo do momento sempre representou o mal absoluto, e daí resultou que qualquer acordo passado ou futuro com ele era impossível.

A coisa assustadora, ele refletiu pela décima milésima vez enquanto forçava os ombros dolorosamente para trás (com as mãos nos quadris, eles estavam girando seus corpos a partir da cintura, um exercício que deveria ser bom para os músculos das costas) — a coisa assustadora era que tudo poderia ser verdade. Se o Partido pudesse lançar a mão no passado e dizer sobre este ou aquele evento, JAMAIS ACONTECERA — sem dúvida isso era mais aterrorizante do que a mera tortura ou a morte.

O Partido dizia que a Oceania nunca esteve em aliança com a Eurásia. Ele, Winston Smith, sabia que a Oceania estava em aliança com a Eurásia há apenas quatro anos. Mas onde existia esse conhecimento? Apenas em sua própria consciência, que em qualquer caso deveria ser aniquilada em breve. E se todos os outros aceitassem a mentira imposta pelo Partido — se todos os registros contassem a mesma história — então a mentira passaria para a história e se tornaria verdade. "Quem controla o passado", dizia o slogan do Partido, "controla o futuro: quem controla o presente controla o passado". E, no entanto, o passado, embora de natureza alterável, nunca foi alterado. O que quer que fosse verdade agora era verdade desde sempre, a vida toda. Foi bem simples. A pessoa só precisava de uma série interminável de vitórias sobre sua própria memória. "Controle da realidade", eles chamavam; em Novilíngua: "duplipensamento".

— Descansar! — bradou a instrutora, com um pouco mais de cordialidade.

Winston afundou os braços ao lado do corpo e lentamente encheu os pulmões de ar. Sua mente deslizou para o mundo labiríntico do duplipensar. Saber e não saber, estar consciente da completa veracidade enquanto conta mentiras cuidadosamente construídas, sustentar simultaneamente duas opiniões que se anulam, sabendo que são contraditórias e acreditando em ambas, usar a lógica contra a lógica, repudiar a moralidade enquanto a usa, acreditar que a democracia era impossível e que o Partido era o guardião da democracia, esquecer tudo o que fosse necessário esquecer, depois trazê-lo de volta à memória no momento em que fosse necessário, e depois esquecê-lo novamente e, acima de tudo, aplicar o mesmo processo ao processo em si — essa era a sutileza final: conscientemente induzir a inconsciência e, então, mais uma vez, ficar inconsciente do ato de hipnose que você acabou de realizar. Até mesmo para entender a palavra "duplipensar" envolvia o uso do duplipensar.

A instrutora chamou a atenção novamente:

— E agora vamos ver qual de nós consegue tocar os dedos dos pés! — ela disse com entusiasmo. — Inclinem-se todos sem dobrar os joelhos, por favor, camaradas. Um, dois! Um, dois!...

Winston detestava esse exercício, pois causava dores agudas dos calcanhares às nádegas e muitas vezes acabava provocando outro ataque de tosse. A sensação meio agradável desapareceu de suas meditações. O passado, refletiu ele, não fora meramente alterado, havia sido realmente destruído. Pois como se poderia estabelecer até mesmo o fato mais óbvio quando não existia nenhum registro fora de sua própria memória? Ele tentou se lembrar em que ano ouvira falar pela primeira vez do Grande Irmão. Pensou que devia ter sido em algum momento dos anos 60, mas era impossível ter certeza. Nas histórias do Partido, é claro, o Grande Irmão figurou como o líder e guardião da Revolução desde seus primeiros dias. Suas façanhas foram gradualmente retrocedendo no tempo até se estenderem ao fabuloso mundo dos anos 40 e 30, quando os capitalistas em seus estranhos chapéus cilíndricos ainda andavam pelas ruas de Londres em grandes automóveis reluzentes ou carruagens com laterais de vidro. Não havia como saber o quanto dessa lenda era verdade e o quanto era inventado. Winston nem conseguia se lembrar em que data o próprio Partido havia surgido. Ele não acreditava ter ouvido a palavra Socing antes de 1960, mas era possível que em sua forma em Velha Fala — "socialismo inglês", quer dizer — já estivesse em uso antes. Tudo se derreteu em névoa. Às vezes, de fato, você podia colocar o dedo em uma mentira definitiva. Não era verdade, por exemplo, como se afirmava nos livros de história do Partido, que o Partido tivesse inventado os aviões. Ele se lembrava dos aviões desde a mais tenra infância. Mas não se podia provar nada. Nunca houve provas. Apenas uma vez em toda a sua vida ele teve nas mãos uma prova documental inconfundível da falsificação de um fato histórico. E naquela ocasião...

— Smith! — gritou a voz obstinada da teletela. — 6079 Smith W! Sim, você! Curve-se, por favor! Você pode fazer melhor do que isso. Não está tentando. Abaixe mais, por favor! *Assim* é melhor, camarada. Agora fiquem à vontade, todo o esquadrão, e me observem.

Um súbito suor quente se espalhou por todo o corpo de Winston. Seu rosto permaneceu completamente inescrutável. Nunca demonstre desânimo! Nunca demonstre ressentimento! Um único piscar de olhos poderia denunciá-lo. Ele ficou olhando enquanto a instrutora levantava os braços acima da cabeça e — não se poderia dizer graciosamente, mas com notável asseio e eficiência — se curvou e enfiou as pontas de seus dedos das mãos sob os dedos dos pés.

— Pronto, camaradas! É assim que eu quero ver vocês fazendo. Observem-me novamente. Tenho trinta e nove anos e tive quatro filhos. Agora olhem.

Ela se curvou novamente. — Vocês podem ver que os meus joelhos não estão dobrados. Todos vocês são capazes de fazer isso, se quiserem — ela acrescentou enquanto se endireitava. — Qualquer pessoa com menos de quarenta e cinco anos é perfeitamente capaz de tocar os dedos dos pés. Nem todos temos o privilégio de lutar na linha de frente, mas pelo menos todos podemos manter a forma. Lembrem-se de nossos rapazes no front de Malabar! As Fortalezas Flutuantes! Basta pensar no que eles têm que suportar. Agora tentem novamente. Assim é melhor, camarada, bem melhor — acrescentou ela encorajadoramente quando Winston, com uma estocada violenta, conseguiu tocar os dedos dos pés com os joelhos não dobrados, pela primeira vez em vários anos.

IV

Com o suspiro profundo e inconsciente que nem mesmo a proximidade da teletela podia impedi-lo de proferir quando começava o dia de trabalho, Winston puxou o transcritor para si, soprou a poeira do bocal e colocou os óculos. Então, desenrolou e prendeu quatro pequenos cilindros de papel que já haviam caído do tubo pneumático no lado direito de sua mesa.

Nas paredes do cubículo havia três orifícios. À direita do transcritor, um pequeno tubo pneumático para mensagens escritas; à esquerda, um maior para jornais; e na parede lateral, ao alcance do braço de Winston, uma grande fenda oblonga protegida por uma grade de arame. Este último destinava-se à eliminação de resíduos de papel. Fendas semelhantes existiam aos milhares ou dezenas de milhares em todo o edifício, não apenas em cada cômodo, mas em intervalos curtos em todos os corredores. Por alguma razão, foram apelidados de buracos de memória. Quando alguma pessoa sabia que um documento qualquer estava para ser destruído, ou mesmo quando alguém via um pedaço de papel usado deixado em algum lugar, levantava automaticamente a tampa do buraco de memória mais próximo e o jogava ali dentro, e então o papel ia descendo em espiral numa corrente de ar quente até cair numa das fornalhas gigantescas que permaneciam ocultas nos recessos do edifício.

Winston examinou as quatro tiras de papel que havia desenrolado. Cada um continha uma mensagem de apenas uma ou duas linhas, no jargão abreviado — não exatamente em Novilíngua, mas consistia sobretudo em palavras extraídas do vocabulário da Novilíngua — que era usado no Ministério para fins internos. Eles diziam:

vezes 17.3.84 discurso mal reportado gi áfrica retificar
vezes 19.12.83 previsões 3 anos 4º trimestre 83 erros de impressão verificar o problema atual
vezes 14.2.84 retificar mal citado quantidade mínima chocolate
vezes 3.12.83 reportando gi ordem do dia duplo mais não é bom ref nãopessoas reescrever totalmente acimasub pré-arquivamento.

Com uma leve sensação de satisfação, Winston deixou a quarta mensagem de lado. Era um trabalho intrincado e de responsabilidade, seria melhor ser tratado por último. As outras três eram mensagens de rotina, embora a segunda provavelmente significasse algum exame tedioso de incontáveis listas de números.

Winston discou "números anteriores" na teletela e pediu as edições apropriadas do *Times*, que deslizaram para fora do tubo pneumático após alguns minutos. As mensagens que recebera referiam-se a artigos ou notícias que por uma razão ou outra se julgava necessário alterar ou, como dizia a expressão oficial, retificar. Por exemplo, apareceu no *Times* de 17 de março, que o Grande Irmão, em seu discurso do dia anterior, havia previsto que o front do sul da Índia permaneceria calmo, mas que uma ofensiva eurasiana seria lançada em breve no norte da África. Por acaso, o Comando Superior da Eurásia lançara sua ofensiva no sul da Índia e deixara o norte da África em paz. Era, portanto, necessário reescrever o parágrafo do discurso do Grande Irmão de modo a fazê-lo prever o que realmente acontecera. Ou ainda, o *Times* de 19 de dezembro publicara as previsões oficiais da produção de várias classes de bens de consumo no quarto trimestre de 1983, que era também o sexto trimestre do Nono Plano Trienal. A edição continha uma declaração da produção real, a partir da qual parecia que as previsões estavam totalmente erradas em todos os aspectos. O trabalho de Winston era retificar os números originais, fazendo-os concordar com os recentes. Quanto à terceira mensagem, referia-se a um erro muito simples, que poderia ser corrigido em alguns minutos. Há pouco tempo, em fevereiro, o Ministério da Abundância havia emitido uma promessa (uma "promessa categórica" eram as palavras oficiais) de que não haveria redução da ração de chocolate durante 1984. Na verdade, como Winston sabia, a ração de chocolate seria reduzida de trinta gramas para vinte no final da presente semana. Bastava substituir a promessa original por um aviso de que provavelmente seria necessário reduzir a ração em algum momento de abril.

Assim que Winston lidou com cada uma das mensagens, ele juntou suas correções faladas no exemplar apropriado do *Times* e as enfiou no tubo pneumático. Então, com um movimento quase inconsciente, ele amassou a mensagem original e quaisquer notas que ele mesmo havia feito, e as jogou no buraco de memória para serem devoradas pelas chamas.

O que acontecia no labirinto invisível para o qual os tubos pneumáticos conduziam, ele não sabia em detalhes, mas sabia em termos gerais. Assim que todas as correções que eram necessárias em qualquer número específico do *Times* tivessem sido aferidas, esse número seria reimpresso, a cópia original destruída e a cópia corrigida colocada nos arquivos em seu lugar. Esse processo de alteração contínua era aplicado não apenas aos jornais, mas também aos livros, periódicos, panfletos, cartazes, folhetos, filmes, trilhas sonoras, desenhos animados, fotografias — a todo tipo de literatura ou documentação que pudesse ter qualquer significado político ou ideológico. Dia a dia e quase minuto a minuto o passado era atualizado. Dessa forma, todas as previsões feitas pelo Partido poderiam ser comprovadas por provas documentais; tampouco qualquer notícia, ou qualquer expressão de opinião que conflitasse com as necessidades do momento jamais poderiam ficar registradas. Toda a história era um palimpsesto, raspado e reescrito exatamente sempre que necessário. Em nenhum caso teria sido possível, uma vez feito o ato, provar que houve qualquer falsificação. A maior seção do Departamento de Registros, muito maior do que aquela em que Winston trabalhava, consistia simplesmente de pessoas cujo dever era rastrear e coletar todos os exemplares de livros, jornais e outros documentos que haviam sido substituídos e deveriam ser destruídos. Alguns números do *Times* que poderiam, devido a mudanças no alinhamento político ou em virtude de profecias equivocadas do Grande Irmão, terem sido reescritos uma dúzia de vezes ainda permaneceriam nos arquivos com sua data original, e nenhuma outra cópia existiria para contradizê-lo. Livros também eram recolhidos e reescritos repetidas vezes, e eram invariavelmente reeditados sem qualquer admissão de que qualquer alteração havia sido feita. Mesmo as instruções escritas que Winston recebia, e das quais ele invariavelmente se livrava assim que lidava com elas, nunca declaravam ou sugeriam que um ato de falsificação deveria ser cometido; sempre a referência era a lapsos, equívocos, erros de impressão ou citações errôneas que era necessário corrigir no interesse da precisão.

Mas, de fato, ao reajustar os números do Ministério da Abundância, ele considerou que aquilo não era nem mesmo uma falsificação. Era apenas a substituição de um absurdo por outro. A maior parte do material com o qual você estava lidando não tinha conexão com nada do mundo real, nem mesmo o tipo de conexão contido em uma mentira direta. As estatísticas eram tanto uma fantasia em sua versão original quanto em sua versão retificada. Na maior parte do tempo, esperava-se que você as inventasse de cabeça. Por exemplo, a previsão do Ministério da Abundância estimava a produção de botas para o trimestre em cento e quarenta e cinco milhões de pares. A produção real foi dada como sessenta e dois milhões. Winston, no entanto, ao reescrever a previsão, reduziu o número para cinquenta e sete milhões, de modo a permitir a alegação habitual de que a quota tinha sido ultrapassada. De qualquer forma, sessenta e dois milhões não estavam mais perto da verdade do que cinquenta e sete milhões, ou do que cento e quarenta e cinco milhões. Muito provavelmente nenhuma bota foi produzida. Mais provável ainda é que ninguém sabia quantas haviam sido produzidas, nem fizesse questão de saber. Tudo o que se sabia era que a cada trimestre números astronômicos de botas eram produzidos em papel, enquanto talvez metade da população da Oceania andava descalça. E assim foi com todas as classes de fatos registrados, grandes ou pequenos. Tudo se desvaneceu em um mundo de sombras no qual, finalmente, até a data do ano se tornou incerta.

Winston olhou pelo corredor. No cubículo correspondente do outro lado, um homem pequeno, de aparência precisa e queixo escuro, chamado Tillotson, trabalhava sem parar, com um jornal dobrado no joelho e a boca muito perto do bocal do transcritor. Dava a impressão de estar preocupado em manter sigilo sobre as coisas que dizia, mantendo-as somente entre ele e a teletela. Ele olhou para cima, e seus óculos lançaram um brilho hostil na direção de Winston.

Winston mal conhecia Tillotson e não tinha ideia do trabalho em que estava empregado. As pessoas no Departamento de Registros não falavam prontamente sobre seus empregos. No corredor comprido e sem janelas, com sua dupla fileira de cubículos e seu interminável farfalhar de papéis e um zumbido de vozes murmurando nos transcritores, havia uma dúzia de pessoas que Winston nem conhecia pelo nome, embora diariamente as visse correndo nos corredores ou gesticulando nos Dois Minutos de Ódio. Ele sabia que, no cubículo ao lado do seu, a mulherzinha de cabelos cor de areia trabalhava dia sim, dia não, simplesmente para rastrear e apagar da imprensa os nomes de pessoas que haviam sido pulverizadas e, portanto, consideradas como se nunca tivessem existido. Havia uma certa adequação nisso, já que seu próprio marido havia sido pulverizado alguns anos antes. E a alguns cubículos de distância uma suave, ineficaz, criatura sonhadora chamada Ampleforth, com orelhas muito peludas e um talento surpreendente para fazer malabarismos com rimas e métrica, estava empenhada em produzir versões distorcidas — textos definitivos, como eram chamados — de poemas que se tornavam ideologicamente ofensivos, mas não podiam ser eliminados das antologias. E esta sala, com seus cinquenta trabalhadores mais ou menos, era apenas uma subseção, uma única cela, por assim dizer, na enorme complexidade do Departamento de Registros. Além, acima e abaixo havia outros enxames de trabalhadores engajados em uma infinidade de empregos inimagináveis. Havia as grandes gráficas com seus subeditores, seus especialistas em tipografia e seus estúdios cuidadosamente equipados para a falsificação de fotografias. Havia a seção de teleprogramas com seus engenheiros, seus produtores e suas equipes de atores especialmente escolhidos por sua habilidade em imitar vozes. Havia os exércitos de escriturários de referência cujo trabalho era simplesmente redigir listas de livros e periódicos que deveriam ser recolhidos. Havia os vastos repositórios onde os documentos corrigidos eram guardados e os fornos escondidos onde as cópias originais eram destruídas. E em algum lugar indeterminado, anônimo, havia os cérebros diretores que coordenavam todo o esforço e estabeleciam as linhas de política que tornavam necessário que esse fragmento do passado fosse preservado, aquele falsificado e o outro apagado da existência.

E o Departamento de Registros, afinal de contas, era em si apenas um único ramo do Ministério da Verdade, cuja função principal não era reconstruir o passado, mas fornecer aos cidadãos da Oceania jornais, filmes, livros didáticos, programas de teletela, peças, romances... com todo tipo concebível de informação, instrução ou entretenimento, de uma estátua a um slogan, de um poema lírico a um tratado biológico, e de um livro de ortografia infantil a um dicionário de Novilíngua. E o Ministério não tinha apenas que suprir as múltiplas necessidades do Partido, mas também repetir toda a operação em um nível inferior em benefício do proletariado. Havia toda uma cadeia de departamentos separados lidando com literatura proletária, música, teatro e entretenimento em geral. Ali eram produzidos jornais de lixo contendo quase nada, exceto esporte, crime e astrologia, novelas sensacionais de cinco centavos, filmes cheios de sexo e canções sentimentais que eram compostas inteiramente por meios mecânicos em um tipo especial de caleidoscópio conhecido como versificador. Havia até uma subseção inteira — Pornosec, era chamado em Novilíngua — empenhada em produzir o tipo mais baixo de pornografia, que era enviada em pacotes lacrados e que nenhum membro do Partido, exceto aqueles que trabalhavam em sua produção, tinha permissão para ver.

Três mensagens foram despejadas para fora do tubo pneumático enquanto Winston trabalhava; mas eram assuntos simples, e ele resolveu antes que os Dois Minutos de Ódio o interrompesse. Quando o Ódio acabou, ele voltou para seu cubículo, pegou o dicionário de Novilíngua da prateleira, empurrou o transcritor para o lado, limpou os óculos e se acomodou em sua tarefa principal da manhã.

O maior prazer da vida de Winston estava em seu trabalho. A maior parte era uma rotina tediosa, mas nela também havia serviços tão difíceis e intrincados que você poderia se perder neles como nas profundezas de um problema matemático — peças delicadas de falsificação nas quais você não tinha nada para guiá-lo, exceto seu conhecimento dos princípios do Socing e sua estimativa do que o Partido queria que você dissesse. Winston era bom nesse tipo de coisa. Uma vez ou outra já fora até encarregado de retificar os editoriais do *Times*, que foram escritos inteiramente em Novilíngua. Ele desenrolou a mensagem que havia deixado de lado antes. Ela dizia:

vezes 3.12.83 reportando GI ordem do dia duplo mais um bom refs não pessoas reescrever totalmente acimasub pré-arquivamento.

Em Velhalíngua (ou inglês padrão), isso poderia ser traduzido da seguinte maneira:

1984

A reportagem sobre a ordem do dia pronunciada pelo Grande Irmão e publicada no Times do dia 3 de dezembro de 1983 é extremamente insatisfatória e faz referências a pessoas inexistentes. Reescreva-a na íntegra e envie seu rascunho à autoridade superior antes de arquivá-la.

Winston leu o artigo ofensivo. A Ordem do Dia do Grande Irmão, ao que parecia, tinha sido principalmente dedicada a elogiar o trabalho de uma organização conhecida como FFCC, que fornecia cigarros e outros confortos aos marinheiros nas Fortalezas Flutuantes. Um certo camarada Withers, um membro proeminente do Partido Interno, foi escolhido para menção especial e recebeu uma condecoração, a Ordem de Mérito Conspícuo, Segunda Classe.

Três meses depois, a FFCC foi subitamente dissolvida sem nenhuma justificativa. Pode-se supor que Withers e seus associados estavam agora em desgraça, mas não houve nenhum relato do assunto na imprensa ou na teletela. Isso era de se esperar, já que era incomum que criminosos políticos fossem julgados ou mesmo denunciados publicamente. Os grandes expurgos envolvendo milhares de pessoas, com julgamentos públicos de traidores e criminosos do pensamento que fizeram confissão abjeta de seus crimes e depois foram executados, foram exemplos especiais que não ocorrem mais de uma vez em alguns anos. Mais comumente, as pessoas que incorreram no desagrado do Partido simplesmente desapareceram e nunca mais se ouviu falar delas. Ninguém fazia a menor ideia do que havia acontecido com elas. Em alguns casos, talvez nem estivessem mortas.

Winston acariciou o nariz suavemente com um clipe de papel. No cubículo do outro lado, o camarada Tillotson ainda estava agachado em segredo sobre seu transcritor. Ele ergueu a cabeça por um momento: novamente o hostil clarão dos óculos. Winston se perguntou se o camarada Tillotson estava ocupado no mesmo trabalho que ele. Era perfeitamente possível. Um trabalho tão complicado nunca seria confiado a uma única pessoa; por outro lado, entregá-lo a um comitê seria admitir abertamente que um ato de fabricação estava ocorrendo. Muito provavelmente, uma dúzia de pessoas elaborando versões rivais daquilo que o Grande Irmão de fato dissera em sua ordem do dia. E em breve algum indivíduo com influência do Partido Interno escolheria esta ou aquela versão, faria a reedição do texto e acionaria os indispensáveis e complexos processos de referência cruzada para que, em seguida, a mentira selecionada entrasse para os anais permanentes e se tornasse verdade.

Winston não sabia por que Withers tinha caído em desgraça. Talvez fosse por corrupção ou incompetência. Talvez o Grande Irmão estivesse apenas se livrando de um subordinado muito popular. Talvez Withers ou alguém próximo a ele fosse suspeito de tendências heréticas. Ou talvez — o que era mais provável — a coisa simplesmente aconteceu porque expurgos e pulverizações eram uma parte necessária da mecânica do governo. A única pista real estava nas palavras "refs não pessoas", que indicavam que Withers já estava morto. Você não poderia invariavelmente supor que esse fosse o caso quando as pessoas eram presas. Às vezes, elas eram soltas e autorizadas a permanecer em liberdade por até um ou dois anos antes de serem executadas. Muito ocasionalmente, uma pessoa que você acreditava morta há muito tempo reaparecia fantasmagoricamente em algum julgamento público, onde implicava centenas de outras pessoas com seu testemunho antes de desaparecer, desta vez para sempre. Withers, no entanto, já era um não pessoa. Ele não existia; ele nunca existiu. Winston decidiu que não bastaria simplesmente reverter a tendência do discurso do Grande Irmão. Era melhor fazê-lo lidar com algo totalmente desconectado de seu assunto original.

Ele poderia transformar o discurso na habitual denúncia de traidores e criminosos do pensamento, mas isso era um pouco óbvio demais, enquanto inventar uma vitória no front, ou algum triunfo de superprodução no Nono Plano Trienal, poderia complicar os demais registros. O que era necessário era um pedaço de pura fantasia. De repente, surgiu em sua mente, por assim dizer, pronta a imagem de um certo camarada Ogilvy, que havia morrido recentemente em batalha, em circunstâncias heroicas. Houve ocasiões em que o Grande Irmão dedicou sua Ordem do Dia a homenagear algum membro humilde e de base do Partido cuja vida e morte ele considerava um exemplo digno de ser seguido. Hoje ele deve homenagear o camarada Ogilvy. Era verdade que não existia camarada Ogilvy, mas um punhado de linhas impressas e duas ou três fotos forjadas fariam com que ganhasse vida.

Winston pensou por um momento, depois puxou o transcritor para si e começou a ditar no estilo familiar do Grande Irmão: um estilo ao mesmo tempo militar e pedante e, por causa de um truque de fazer perguntas e logo respondê-las ("Que lições aprendemos a partir deste fato, camaradas? As lições — que também é um dos princípios fundamentais do Socing — que..." etc. etc.), era fácil de imitar.

Aos três anos, o camarada Ogilvy recusara todos os brinquedos, exceto um tambor, uma metralhadora e um modelo de helicóptero. Aos seis anos — um ano antes, por um relaxamento especial das regras — ele se juntou aos Espiões; aos nove, ele era um líder de tropa. Aos onze anos denunciou o tio à Polícia do Pensamento depois de ouvir uma conversa que lhe parecia ter tendências criminosas. Aos dezessete anos, ele havia sido um organizador distrital da Liga Júnior Antissexo. Aos dezenove anos, ele havia projetado uma granada de mão que foi adotada pelo Ministério da Paz e que, em seu primeiro julgamento, matou trinta e um prisioneiros eurasianos de uma só vez. Aos vinte e três, ele morreu em combate. Perseguido por aviões a jato inimigos enquanto sobrevoava o Oceano Índico com despachos importantes, ele amarrou sua metralhadora no corpo e saltou do helicóptero em águas profundas, com despachos e tudo — um fim, disse o Grande Irmão, que era impossível contemplar sem sentimentos de inveja. O Grande Irmão acrescentou algumas observações sobre a pureza e a obstinação da vida do camarada Ogilvy. Ele era um abstêmio total e um não fumante, não tinha recreações, exceto uma hora diária no ginásio, e fez um voto de celibato, acreditando que o casamento e o cuidado de uma família eram incompatíveis com um trabalho de vinte e quatro horas por dia de devoção ao dever. Ele não tinha assuntos de conversa, exceto os princípios do Socing, e nenhum objetivo na vida, exceto a derrota do inimigo eurasiano e a caça aos espiões, sabotadores, criminosos do pensamento e traidores em geral.

Winston debateu consigo mesmo se concederia ao camarada Ogilvy a Ordem do Mérito Conspícuo; no final, ele decidiu contra isso por causa das referências cruzadas desnecessárias que isso implicaria.

Mais uma vez ele olhou para seu rival no cubículo oposto. Algo parecia lhe dizer com certeza que Tillotson estava ocupado no mesmo trabalho que ele. Não havia como saber qual versão seria finalmente adotada, mas ele tinha uma profunda convicção de que seria a sua. O camarada Ogilvy, inimaginável uma hora atrás, agora era um fato. Pareceu-lhe curioso que você pudesse criar homens mortos, mas não vivos. O camarada Ogilvy, que nunca existiu no presente, agora existia no passado, e uma vez que o ato de falsificação fosse esquecido, ele existiria tão autenticamente, e com as mesmas evidências, quanto Carlos Magno ou Júlio César.

V

Na cantina de teto baixo, bem no subsolo, a fila do almoço avançava lentamente. A sala já estava muito cheia e o barulho era ensurdecedor. Da grelha do balcão saía o vapor do guisado, com um cheiro metálico azedo que não superava os vapores do Gim Vitória. Do outro lado da sala havia um pequeno bar, um mero buraco na parede, onde se podia comprar gim a dez centavos o gole grande.

— Exatamente o homem que eu estava procurando — disse uma voz às costas de Winston.

Ele se virou. Era seu amigo Syme, que trabalhava no Departamento de Pesquisa. Talvez "amigo" não fosse exatamente a palavra certa. Você não tinha amigos, você tinha camaradas; mas havia alguns camaradas cuja companhia era mais agradável que a de outros. Syme era filólogo, especialista em Novilíngua. Na verdade, ele fazia parte da enorme equipe de especialistas agora empenhada em compilar a décima primeira edição do dicionário Novilíngua. Ele era uma criatura minúscula, menor que Winston, com cabelos escuros e olhos grandes e protuberantes, ao mesmo tempo tristes e irônicos, que pareciam examinar seu rosto de perto enquanto ele falava com você.

— Eu queria perguntar se você tem lâminas de barbear — disse ele.

— Nenhuma! — disse Winston com uma espécie de pressa culpada. — Já tentei em todos os lugares. Elas não existem mais.

Todo mundo ficava pedindo lâminas de barbear. Na verdade, Winston tinha duas lâminas sem uso, que estava deixando de reserva. Fazia alguns meses que as lâminas estavam em falta. A qualquer momento havia algum artigo necessário que as lojas do Partido não conseguiam fornecer. Às vezes eram botões, às vezes era lã de cerzir, às vezes eram cadarços; no momento eram lâminas de barbear. Você só poderia obtê-las, se é que conseguiria, vasculhando furtivamente o mercado livre.

— Eu tenho usado a mesma lâmina por seis semanas — acrescentou faltando com a verdade.

A fila começou a andar. Quando pararam, Winston voltou a encarar Syme. Cada um deles pegou uma bandeja de metal gordurosa de uma pilha na beirada do balcão.

— Você foi ver os prisioneiros enforcados ontem? — perguntou Syme.

— Eu estava trabalhando — disse Winston com indiferença. — Vou ver nos filmes, suponho.

— Um substituto muito inadequado — disse Syme.

Seus olhos zombeteiros percorreram o rosto de Winston. "Eu conheço você", os olhos pareciam dizer, "eu vejo através de você. Eu sei muito bem por que você não foi ver aqueles prisioneiros enforcados." Do ponto de vista intelectual, Syme era venenosamente ortodoxo. Ele falava com uma satisfação desagradável e exultante sobre os ataques de helicóptero às aldeias inimigas, os julgamentos e confissões de criminosos de pensamento, as execuções nos porões do Ministério do Amor. Falar com ele era em grande parte uma questão de afastá-lo de tais assuntos e enredá-lo, se possível, nas tecnicalidades da Novilíngua, sobre a qual ele era autoritário e interessante. Winston virou a cabeça um pouco para o lado para evitar o escrutínio dos grandes olhos escuros.

— Foi um bom enforcamento — disse Syme com reminiscência. — Acho que estraga tudo quando eles amarram os pés. Gosto de vê-los chutando. E, acima de tudo, no final, a língua para fora, e azul, um azul bem claro. Esse é o detalhe que me atrai.

— Próximo, por favor! — gritou o proleta de avental branco com a concha.

Winston e Syme empurraram suas bandejas por baixo da grade. Em cada um foi despejado rapidamente o almoço regulamentar — uma panela de metal com guisado cinza-rosado, um pedaço de pão, um cubo de queijo, uma caneca de café

Vitória sem leite e um tablete de sacarina.

— Há uma mesa ali, sob aquela teletela — disse Syme. — Vamos pegar um gim no caminho.

O gim foi servido a eles em canecas de porcelana sem alça. Atravessaram a sala lotada e desempacotaram as bandejas sobre a mesa com tampo de metal, em um canto onde alguém havia deixado uma poça de ensopado, um líquido imundo que parecia vômito. Winston pegou sua caneca de gim, parou por um instante para se recompor e engoliu a bebida com gosto de óleo. Depois de piscar para expulsar as lágrimas de seus olhos, de repente descobriu que estava com fome. Começou a engolir colheradas do ensopado, que, em meio ao desleixo geral, tinha cubos de uma coisa rosada e esponjosa que provavelmente era uma preparação de carne. Nenhum dos dois voltou a falar até esvaziar as vasilhas. Da mesa à esquerda de Winston, um pouco atrás de suas costas, alguém falava rápida e continuamente, um tagarelar áspero quase como o grasnar de um pato.

— Como está indo o dicionário? — perguntou Winston, levantando a voz para superar o barulho.

— Devagar — disse Syme. — Estou nos adjetivos. É fascinante.

Ele se animou imediatamente com a menção de Novilíngua. Empurrou a caneca para o lado, pegou o naco de pão com uma das mãos delicadas e o queijo com a outra, e se inclinou sobre a mesa para poder falar sem gritar.

— A décima primeira edição é a edição definitiva — disse ele. — Estamos colocando a linguagem em sua forma final — a forma que ela terá quando ninguém mais falar outra coisa. Quando terminarmos com isso, pessoas como você terão que aprender tudo de novo. Você pensa, ouso dizer, que nosso trabalho principal é inventar novas palavras. Mas nem perto disso! Estamos destruindo palavras — dezenas delas, centenas delas, todos os dias. Estamos reduzindo a língua até o osso. A décima primeira edição não conterá uma única palavra que venha a se tornar obsoleta antes do ano 2050.

Ele mordeu avidamente o pão e engoliu alguns bocados, depois continuou falando, com uma espécie de paixão pedante. Seu rosto magro e escuro ficou animado, seus olhos perderam a expressão zombeteira e ficaram quase sonhadores.

— Que coisa bonita a destruição de palavras! Claro que a grande concentração de palavras inúteis está nos verbos e adjetivos, mas há centenas de substantivos que também podem ser descartados. Não só os sinônimos; os antônimos também. Afinal de contas, o que justifica a existência de uma palavra que seja simplesmente o oposto de outra? Uma palavra já contém em si mesma o seu oposto. Pense em "bom", por exemplo. Se você tem uma palavra como "bom", qual é a necessidade de uma palavra como "ruim"? "Desbom" é mais adequado. É até melhor porque é um antônimo perfeito, coisa que a outra palavra não é. Ou então, se você quiser uma versão mais intensa de "bom", qual é o sentido de dispor de uma verdadeira série de palavras imprecisas e inúteis como "excelente", "esplêndido" e todas as demais? "Maisbom" resolve o problema; ou "duplimaisbom", se quiser algo ainda mais intenso. Claro que já usamos esses formulários, mas na versão final de Novilíngua não haverá mais nada. No final, toda a noção de bondade e maldade será coberta por apenas seis palavras — na realidade, apenas uma palavra. Você não vê a beleza disso, Winston? Foi, originalmente, ideia do GI, é claro", acrescentou ele como uma reflexão tardia.

Uma espécie de ânsia insípida passou pelo rosto de Winston à menção do Grande Irmão. No entanto, Syme detectou imediatamente uma certa falta de entusiasmo.

— Você não aprecia muito a Novilíngua, Winston — ele disse quase tristemente.

— Mesmo quando você escreve, ainda está pensando na Velhalíngua. Eu li alguns daqueles artigos que você escreve no *Times* ocasionalmente. Eles são bons o suficiente, mas são traduções. Em seu coração você preferiria usar a Velhalíngua, com toda a sua imprecisão e seus inúteis matizes de significado. Você não compreende a beleza da destruição das palavras. Você sabia que a Novilíngua é a única língua do mundo cujo vocabulário diminui a cada ano?

Winston sabia disso, é claro. Ele sorriu, da forma mais simpática que conseguiu, não confiando em si mesmo para falar. Syme arrancou outro pedaço do pão escuro, mastigou-o brevemente e continuou:

— Você não vê que todo o objetivo da Novilíngua é estreitar o alcance do pensamento? No final, tornaremos o pensamento-crime literalmente impossível, porque não haverá palavras para expressá-lo. Todo conceito de que pudermos necessitar será expresso por apenas uma palavra com seu significado rigidamente definido e todos os seus significados subsidiários apagados e esquecidos. Já, na Décima Primeira Edição, não estamos longe desse ponto. Mas o processo ainda continuará por muito tempo depois que você e eu estivermos mortos. A cada ano teremos cada vez menos palavras, e o alcance da consciência sempre um pouco menor. Mesmo agora, é claro, não há razão ou desculpa para cometer um crime de pensamento. É apenas uma questão de autodisciplina, controle da realidade. Mas no final não haverá necessidade nem disso. A Revolução estará completa quando a linguagem for perfeita. Novilíngua é Socing e Socing é Novilíngua — acrescentou com uma espécie de satisfação mística. — Já lhe ocorreu, Winston, que no ano de 2050, o mais tardar, nem um único ser humano vivo será capaz de entender uma conversa como a que estamos tendo agora?

— Exceto... — começou Winston, em dúvida, e parou.

Estava na ponta da língua dizer "Exceto os proletas", mas ele se conteve, não se sentindo totalmente seguro de que essa observação não fosse de alguma forma heterodoxa. Syme, porém, adivinhara o que ia dizer.

— Os proletas não são seres humanos — disse ele descuidadamente. — Em 2050, provavelmente mais cedo, todo o conhecimento real da Velhalíngua terá desaparecido. Toda a literatura do passado terá sido destruída. Chaucer, Shakespeare, Milton, Byron existirão somente em suas versões em Novilíngua, em que, além de transformados em algo diferente, estarão transformados em algo contraditório do que costumavam ser. Até a literatura do Partido mudará. Até os slogans mudarão. Como você pode ter um slogan como "liberdade é escravidão" quando o conceito de liberdade foi abolido? Todo o clima de pensamento será diferente. Na verdade, não haverá pensamento, como o entendemos agora. Ortodoxia significa não pensar — não precisar pensar. Ortodoxia é inconsciência.

Um dia desses, pensou Winston com súbita e profunda convicção, Syme será pulverizado. Ele é inteligente demais. Ele vê muito claramente e fala muito claramente. O Partido não gosta dessas pessoas. Um dia ele vai desaparecer. Está escrito na cara dele.

Winston havia terminado seu pão com queijo. Ele se virou um pouco de lado na cadeira para beber sua caneca de café. Na mesa à sua esquerda, o homem de voz estridente ainda falava sem remorsos. Uma jovem que talvez fosse sua secretária, e que estava sentada de costas para Winston, ouvia-o e parecia concordar avidamente com tudo o que ele dizia. De vez em quando Winston pegava alguma observação como "Eu acho que você está tão certo, concordo muito com você", ditos em uma voz feminina um pouco boba. De resto, era apenas um barulho, um quack-quack-quack. E, no entanto, embora você não pudesse realmente ouvir o que o homem estava dizendo, não poderia ter dúvidas sobre sua natureza geral. Ele podia estar denunciando Goldstein e exigindo medidas mais severas contra criminosos do pensamento e sabotadores, podia estar fulminando as atrocidades do exército eurasiano, podia estar elogiando o Grande Irmão ou os heróis na frente de Malabar — não fazia diferença. Fosse o que fosse, você podia ter certeza de que cada palavra era pura ortodoxia, puro Socing. Enquanto observava o rosto sem olhos com a mandíbula movendo-se rapidamente para cima e para baixo, Winston teve a curiosa sensação de que não era um ser humano real, mas uma espécie de manequim. Não era o cérebro do homem que falava; era sua laringe. O material que ele produzia era formado por palavras, contudo não era fala no sentido real: era um ruído emitido sem a participação da consciência, como o grasnado de um pato.

Syme calou-se por um momento e com o cabo da colher traçava padrões na poça de ensopado. A voz da outra mesa grasnou rapidamente, facilmente audível apesar do barulho ao redor.

— Tem uma palavra em Novilíngua — disse Syme. — Não sei se você conhece: patofala, grasnar como um pato. É uma daquelas palavras interessantes que têm dois significados contraditórios. Aplicada a um oponente é insulto; aplicada a alguém com quem você concorda é elogio.

Inquestionavelmente Syme será pulverizado, pensou Winston novamente. Pensava nisso com uma espécie de tristeza, embora sabendo muito bem que Syme o desprezava e desgostava um pouco dele, e era perfeitamente capaz de denunciá-lo como criminoso do pensamento se visse alguma razão para isso. Havia algo sutilmente errado com Syme. Havia algo que lhe faltava: discrição, indiferença, uma espécie de estupidez salvadora. Você não poderia dizer que ele era heterodoxo. Acreditava nos princípios do Socing, venerava o Grande Irmão, regozijava-se com as vitórias, odiava os hereges, não apenas com sinceridade, mas com uma espécie de zelo inquieto, uma atualização de informações, que o membro comum do Partido não conhecia. No entanto, um leve ar de desrespeito sempre se apegava a ele. Ele dizia coisas que teria sido melhor não serem ditas, ele tinha lido muitos livros, frequentava o Café da Castanheira, refúgio de pintores e músicos. Não havia nenhuma lei, nem mesmo uma lei não escrita, contra frequentar o Café da Castanheira, mas o lugar era de algum modo de mau agouro. Os velhos e desacreditados líderes do Partido costumavam se reunir ali antes de serem finalmente expurgados. O próprio Goldstein, dizia-se, às vezes tinha sido visto lá, anos e décadas atrás. O destino de Syme não era difícil de prever. E, no entanto, era um fato que se Syme compreendesse, mesmo que por três segundos, a natureza de suas opiniões secretas, de Winston, ele o trairia instantaneamente para a Polícia do Pensamento. Assim como qualquer outra pessoa, aliás, mas Syme mais do que a maioria. Zelo não foi suficiente. Ortodoxia era inconsciência.

Syme ergueu os olhos. — Lá vem Parsons — disse ele.

Algo no tom de sua voz parecia acrescentar: "aquele maldito idiota". Parsons, vizinho de Winston nas Mansões Vitória, estava de fato atravessando a sala — um homem gorducho, de estatura média, com cabelos louros e rosto de sapo. Aos trinta e cinco anos já estava engordando no pescoço e na cintura, mas seus movimentos eram rápidos e juvenis. Toda a sua aparência era a de um garotinho crescido, tanto que, embora estivesse usando o macacão regulamentar, era quase impossível não pensar nele como vestindo o short azul, a camisa cinza e o lenço vermelho dos Espiões. Ao visualizá-lo, via-se sempre uma imagem de joelhos com covinhas e mangas arregaçadas de antebraços rechonchudos. Parsons, de fato, invariavelmente usava bermuda quando uma caminhada na comunidade ou qualquer outra atividade física lhe dava uma desculpa para fazê-lo. Ele cumprimentou os dois com um alegre "Olá, olá!", e sentou-se à mesa, exalando um cheiro intenso de suor. Gotas de umidade se destacavam por todo o rosto rosado. Seus poderes de transpiração eram extraordinários. No Centro Comunitário, você sempre sabia quando ele estava jogando tênis de mesa pela umidade do cabo do bastão. Syme havia tirado uma tira de papel na qual havia uma longa coluna de palavras e a estudava com uma caneta-tinteiro entre os dedos.

— Olhe para ele trabalhando na hora do almoço — disse Parsons, cutucando Winston. — Dedicado, hein? O que é que você tem aí, meu velho? Algo um pouco inteligente demais para mim, eu acho. Smith, meu velho, vou te dizer por que estou te perseguindo. É aquela subscrição que você esqueceu de me passar.

— Que subscrição é essa? — perguntou Winston, automaticamente tateando por dinheiro. Cerca de um quarto do salário tinha que ser destinado a contribuições voluntárias, que eram tão numerosas que era difícil acompanhá-las.

— Para a Semana do Ódio. Você sabe — coleta de casa por casa. Eu sou o tesoureiro do nosso bloco. Estamos fazendo um esforço total — vamos fazer um tremendo show. Eu lhe digo, não vai ser minha culpa se a nossa velha Mansões Vitória não tiver o maior conjunto de bandeiras de toda a rua. Você me prometeu dois dólares.

Winston encontrou e entregou duas notas amassadas e imundas, que Parsons anotou em um caderninho, com a caligrafia perfeita do analfabeto.

— A propósito, meu velho — disse ele —, ouvi dizer que aquele meu delinquente atirou em você ontem. Eu dei a ele uma boa bronca por isso. Na verdade, eu disse a ele que se o fato se repetir ele fica sem o estilingue.

— Acho que ele ficou um pouco chateado por não ter ido à execução — disse Winston.

— Ah, bem, o que eu quero dizer é: mostra o espírito certo, não é? Delinquentes travessos eles são, os dois, mas falam sobre perspicácia! Tudo o que eles pensam é nos Espiões e na guerra, é claro. Você sabe o que aquela minha garotinha fez no sábado passado, quando sua tropa estava em uma caminhada para fora do caminho de Berkampstead? Convenceu duas outras meninas a acompanhá-la, escapou do grupo e as três passaram a tarde seguindo um homem esquisito. Elas o seguiram por duas horas, atravessando a floresta, e então, quando chegaram a Amersham, o entregaram às patrulhas.

— Para que elas fizeram isso? — perguntou Winston, um tanto surpreso. Parsons prosseguiu triunfante:

— Minha filha se certificou de que ele era algum tipo de agente inimigo — pode ter caído de paraquedas, por exemplo. Por que você acha que ela começou a desconfiar do sujeito? É que ela percebeu que ele calçava sapatos estranhos — disse que nunca tinha visto ninguém usando sapatos assim antes. Então, as chances eram de que ele fosse um estrangeiro.

— O que aconteceu com o homem? — perguntou Winston.

— Ah, isso eu não poderia dizer, é claro. Mas eu não ficaria totalmente surpreso se... — Parsons fez o movimento de apontar um rifle e estalou a língua para a explosão.

— Bom — disse Syme distraidamente, sem tirar os olhos da tira de papel.

— É claro que não podemos correr riscos — concordou Winston obedientemente.

— O que quero dizer é que há uma guerra — disse Parsons.

Como se confirmasse isso, um toque de trombeta emitido da teletela passou logo acima de suas cabeças. No entanto, não foi a proclamação de uma vitória militar desta vez, mas apenas um anúncio do Ministério da Abundância.

— Camaradas! — gritou uma voz juvenil ansiosa. — Atenção, camaradas! Temos notícias gloriosas para vocês. Vencemos a batalha pela produção! Os retornos agora concluídos da produção de todas as classes de bens de consumo mostram que o padrão de vida aumentou não menos de vinte por cento em relação ao ano passado. Por toda a Oceania nesta manhã houve manifestações espontâneas irreprimíveis quando os trabalhadores marcharam para fora de fábricas e escritórios e desfilaram pelas ruas com faixas expressando sua gratidão ao Grande Irmão pela vida nova e feliz que sua sábia liderança nos concedeu. Aqui estão alguns dos números completos. Alimentos...

A frase "nossa vida nova e feliz" se repetiu várias vezes. Ultimamente era uma das favoritas do Ministério da Abundância. Parsons, com a atenção atraída pelo toque da trombeta, ficou sentado ouvindo com uma espécie de solenidade escancarada, uma espécie de tédio edificado. Não conseguia acompanhar os números, mas tinha consciência de que eram, de alguma forma, motivo de satisfação. Ele havia puxado um cachimbo enorme e imundo que já estava meio cheio de tabaco carbonizado. Com a ração de tabaco a cem gramas por semana, raramente era possível encher um cachimbo até o topo. Winston fumava um cigarro Victória que segurava cuidadosamente na horizontal. A nova ração só seria distribuída no dia seguinte e restavam-lhe apenas quatro cigarros. No momento, ele havia fechado os ouvidos para os ruídos mais remotos e estava ouvindo as coisas que fluíam da teletela. Parece que houve até manifestações para agradecer ao Grande Irmão por aumentar a ração de chocolate para vinte gramas por semana. E ainda ontem, refletiu, fora anunciado que a ração seria reduzida para vinte gramas por semana. Seria possível que eles pudessem engolir isso, depois de apenas vinte e quatro horas? Sim, eles engoliram. Parsons o engoliu facilmente, com a estupidez de um animal. A criatura sem olhos da outra mesa o engoliu fanaticamente, apaixonadamente, com um desejo furioso de rastrear, denunciar e pulverizar qualquer um que sugerisse que na semana anterior a ração havia sido de trinta gramas. Syme —

de uma maneira mais complexa, envolvendo duplipensamento — também engoliu isso. Seria Winston, então, o único a ter a memória?

As fabulosas estatísticas continuavam brotando da teletela. Em comparação com o ano passado, havia mais comida, mais roupas, mais casas, mais móveis, mais panelas, mais combustível, mais navios, mais helicópteros, mais livros, mais bebês — mais de tudo, exceto doenças, crimes e insanidade. Ano após ano e minuto a minuto, tudo e todos subiam rapidamente. Tal como Syme fizera antes, Winston pegou na colher e começou a mexer no molho de cor pálida que escorria sobre a mesa, desenhando uma longa faixa formando um padrão. Ele meditou com ressentimento sobre a textura física da vida. Sempre foi assim? A comida sempre teve esse gosto? Ele olhou ao redor da cantina. Uma sala de teto baixo e lotada, as paredes encardidas pelo contato de inúmeros corpos; mesas e cadeiras de metal surradas, colocadas tão próximas que o sujeito se sentava com os cotovelos encostados; colheres tortas, bandejas amassadas, canecas brancas grosseiras; todas as superfícies gordurosas, sujeira em cada rachadura; e um cheiro azedo e composto de gim ruim e café ruim e guisado metálico e roupas sujas. Sempre em seu estômago e em sua pele havia uma espécie de protesto, uma sensação de que você foi enganado por algo a que tinha direito. Era verdade que ele não tinha lembranças de nada muito diferente. Em qualquer época que ele pudesse se lembrar com precisão, nunca houve o suficiente para comer, nunca se teve meias ou roupas íntimas que não estivessem cheias de buracos, móveis sempre foram surrados e frágeis, quartos mal aquecidos, trens do metrô lotados, casas caindo aos pedaços, pão de cor escura, chá uma raridade, café com gosto nojento, cigarros insuficientes — nada barato e abundante, exceto gim sintético. E embora, evidentemente, tudo piorasse à medida que o corpo envelhecia, não seria um sinal de que tudo aquilo não era a ordem natural das coisas o fato de que o coração da pessoa ficava apertado com o desconforto, a sujeira e a escassez, com os invernos infindáveis, com as meias sebosas, com os elevadores que nunca funcionavam, a água fria, o sabão áspero, os cigarros que se quebravam, a comida com seus estranhos gostos? Por que razão o indivíduo acharia aquilo intolerável se não tivesse algum tipo de memória de que um dia as coisas haviam sido diferentes?

Ele olhou ao redor da cantina novamente. Quase todos eram feios, e ainda seriam feios mesmo se estivessem vestidos de outra forma que não o macacão azul do uniforme. Do outro lado da sala, sentado sozinho em uma mesa, um homenzinho, curiosamente parecido com um besouro, bebia uma xícara de café, seus olhinhos lançando olhares desconfiados de um lado para o outro. Como era fácil, pensou Winston, se você não olhasse em volta, acreditar que o tipo físico estabelecido pelo Partido como um ideal — jovens altos e musculosos e donzelas de seios fartos, cabelos loiros, vigorosos, queimados de sol, despreocupados — existiu e até mesmo predominou. Na verdade, até onde ele podia julgar, a maioria das pessoas na Pista Um era pequena, morena e desfavorecida. Era curioso como esse tipo de besouro proliferava nos Ministérios: homenzinhos atarracados, encorpados muito cedo, com pernas curtas, movimentos rápidos de correr, e gordos rostos inescrutáveis com olhos muito pequenos. Era o tipo que parecia florescer melhor sob o domínio do Partido.

O anúncio do Ministério da Abundância terminou em outro toque de trombeta e deu lugar a uma música metálica. Parsons, agitado por um vago entusiasmo pelo bombardeio de figuras, tirou o cachimbo da boca.

— O Ministério da Abundância certamente fez um bom trabalho este ano — disse ele com um aceno de cabeça. — A propósito, meu velho Smith, você por acaso não tem uma lâmina de barbear que possa me dar?

— Nenhuma — disse Winston. — Eu tenho usado a mesma lâmina por seis semanas.

— Ah, bem, apenas pensei em perguntar a você, meu velho.

— Desculpe — disse Winston.

A voz grasnante da mesa ao lado, temporariamente silenciada durante o anúncio do Ministério, recomeçou, mais alta do que nunca. Por alguma razão, Winston de repente se viu pensando na Sra. Parsons, com seu cabelo ralo e a poeira nos vincos de seu rosto. Dentro de dois anos aquelas crianças a denunciariam à Polícia do Pensamento. A Sra. Parsons seria pulverizada. Syme seria pulverizado. Winston seria pulverizado. O'Brien seria pulverizado. Parsons, por outro lado, nunca seria pulverizado. A criatura sem olhos com a voz grasnante nunca seria pulverizada. Os homenzinhos parecidos com besouros que corriam tão agilmente pelos corredores labirínticos dos Ministérios — eles também nunca seriam pulverizados. E a garota de cabelo escuro, a garota do Departamento de Ficção — ela também nunca seria pulverizada.

Nesse momento ele foi arrancado de seu devaneio com um puxão violento. A garota da mesa ao lado havia se virado parcialmente e estava olhando para ele. Era a garota de cabelo escuro. Ela o olhava de lado, mas com curiosa intensidade. No instante em que ela chamou sua atenção, ela desviou o olhar novamente.

O suor começou na espinha dorsal de Winston. Uma terrível pontada de terror o atravessou. Desapareceu quase imediatamente, mas deixou uma espécie de inquietação incômoda para trás. Por que ela estava olhando para ele? Por que ela continuou seguindo ele? Infelizmente ele não conseguia se lembrar se ela já estava naquela mesa quando ele chegou, ou tinha vindo depois. Mas ontem, de qualquer forma, durante os Dois Minutos de Ódio, ela se sentou imediatamente atrás dele quando não havia necessidade aparente de fazê-lo. Muito provavelmente seu objetivo real era ouvi-lo e ter certeza se ele estava gritando alto o suficiente.

Seu pensamento anterior voltou: provavelmente ela não era realmente um membro da Polícia do Pensamento, mas era precisamente o espião amador, que era o maior perigo de todos. Ele não sabia quanto tempo ela estava olhando para ele, mas talvez por cinco minutos, e era possível que suas feições não estivessem perfeitamente sob controle. Era terrivelmente perigoso deixar seus pensamentos vagarem quando você estava em qualquer lugar público ou ao alcance de uma teletela. A menor coisa podia te entregar. Um tique nervoso, um olhar inconsciente de ansiedade, o hábito de murmurar para si mesmo — qualquer coisa que levasse consigo a sugestão de anormalidade, de ter algo a esconder. De qualquer forma, usar uma expressão imprópria no rosto (parecer incrédulo quando uma vitória foi anunciada, por exemplo) era em si uma ofensa punível. Havia inclusive uma palavra para isso em Novilíngua: rostocrime.

A garota virou as costas para ele novamente. Talvez, afinal de contas, ela não o estivesse seguindo; talvez fosse coincidência que ela tivesse se sentado tão perto dele dois dias seguidos. Seu cigarro tinha se apagado e ele o colocou cuidadosamente na beirada da mesa. Ele terminaria de fumar depois do trabalho, se pudesse manter o tabaco nele. Certamente a pessoa na mesa ao lado era um espião da Polícia do Pensamento, e muito provavelmente estaria nos porões do Ministério do Amor dentro de três dias, mas uma ponta de cigarro não deve ser desperdiçada. Syme tinha dobrado a tira de papel e a guardara no bolso. Parsons tinha começado a falar novamente.

— Já lhe contei, meu velho — disse ele, rindo ao redor do cachimbo —, sobre a época em que aqueles dois delinquentes puseram fogo na saia da velha feirante porque a viram embrulhar salsichas em um pôster do GI? Esgueirou-se atrás dela e atearam fogo com uma caixa de fósforos. Queimou-a bastante, eu acredito. Pequenos delinquentes, hein? Mas ávidos como raposas! Esse é um treinamento de primeira classe que eles dão a eles nos Espiões hoje em dia — melhor do que na minha época. Adivinhe o que deram a eles, um dia desses? Cornetas acústicas para escutar pelas fechaduras! Minha filhinha trouxe uma para casa na outra noite — experimentou na porta da nossa sala de estar, e calculou que ela podia ouvir o dobro do que com o ouvido no buraco. Claro que é apenas um brinquedo, veja bem. Ainda assim, dá a eles a ideia certa, hein?

Nesse momento a teletela emitiu um assobio penetrante. Era o sinal para voltar ao trabalho. Todos os três homens se levantaram de um salto para se juntar à luta em volta dos elevadores, e o restante do tabaco caiu do cigarro de Winston.

VI

Winston estava escrevendo em seu diário:

Foi há três anos. Em uma noite escura, numa rua estreita perto de uma das grandes estações ferroviárias. Ela estava parada perto de uma porta na parede, sob um poste de luz que quase não iluminava. Ela tinha um rosto jovem, maquiado. Foi realmente a maquiagem que me atraiu, a brancura que aquilo dava a ela, como uma máscara, e os lábios vermelhos brilhantes. Mulheres do Partido nunca pintam seus rostos. Não havia mais ninguém na rua, nem teletelas. Ela disse dois dólares. Eu...

No momento, era muito difícil continuar. Ele fechou os olhos e pressionou os dedos contra eles, tentando espremer a visão que continuava se repetindo. Ele teve uma tentação quase irresistível de gritar uma série de palavras sujas a plenos pulmões. Ou bater com a cabeça na parede, chutar a mesa e arremessar o tinteiro pela janela — fazer qualquer coisa violenta, barulhenta ou dolorosa que pudesse apagar a memória que o atormentava.

Seu pior inimigo, refletiu ele, era seu próprio sistema nervoso. A qualquer momento, a tensão dentro de você podia se traduzir em algum sintoma visível. Pensou em um homem por quem havia passado na rua algumas semanas atrás: um homem de aparência bastante comum, membro do Partido, de trinta e cinco ou quarenta anos, alto e magro, carregando uma maleta. Estavam a poucos metros de distância quando o lado esquerdo do rosto do homem foi subitamente contorcido por uma espécie de espasmo. Aconteceu de novo no momento em que passavam um pelo outro: era apenas uma contração, um tremor, rápido como o clique de um obturador de câmera, mas obviamente habitual. Lembrou-se de pensar na época: "aquele pobre diabo está acabado". E o que era assustador era que a ação era possivelmente inconsciente. O perigo mais mortal de todos era falar durante o sono. Não havia como se proteger contra isso, até onde Winston podia ver.

Ele respirou fundo e continuou escrevendo:

Eu a acompanhei pela porta e atravessei um quintal até uma cozinha no porão. Havia uma cama encostada à parede e uma lamparina *sobre a mesa, com uma chama bem baixa. Ela...*

Sentia os nervos à flor da pele. Ele gostaria de cuspir. Olhando para a mulher na cozinha do porão, ele pensou em Katharine, sua esposa. Winston era casado — tinha sido casado, pelo menos; provavelmente ainda era casado, pois até onde sabia sua esposa não estava morta. Ele parecia respirar de novo o cheiro quente e abafado da cozinha do porão, um odor composto de insetos e roupas sujas e cheiro de perfume barato, mas ainda assim atraente, porque nenhuma mulher do Partido usava perfume, ou poderia ser imaginada como fazendo isso. Apenas os proletas usavam perfume. Em sua mente, o cheiro disso estava intrincadamente misturado com fornicação.

Aquela mulher fora seu primeiro deslize em cerca de dois anos. Andar com prostitutas era proibido, é claro, mas era uma daquelas regras que você podia ocasionalmente quebrar. Era perigoso, mas não era uma questão de vida ou morte. Ser pego com uma prostituta poderia significar cinco anos em um campo de trabalho forçado: não mais, se você não tivesse cometido nenhum outro crime. E era bastante fácil, desde que você pudesse evitar ser pego em flagrante. Os bairros mais pobres fervilhavam de mulheres que estavam prontas para se vender. Algumas podiam até ser compradas por uma garrafa de gim, que os proletas não deveriam beber. Tacitamente, o Partido estava até inclinado a encorajar a prostituição, como uma válvula de escape para instintos que não podiam ser totalmente suprimidos. A mera devassidão não importava muito, desde que fosse furtiva e sem alegria, e envolvesse apenas as mulheres de uma classe submersa e desprezada. O crime imperdoável era a promiscuidade entre membros do Partido. Mas, embora esse fosse um dos crimes que os acusados nos grandes expurgos invariavelmente confessavam, era difícil imaginar que algo assim realmente acontecesse.

O objetivo do Partido não era apenas impedir que homens e mulheres formassem lealdades que talvez não fossem capazes de controlar. Seu propósito real e não declarado era remover todo o prazer do ato sexual. O inimigo não era tanto o amor, mas o erotismo, tanto dentro como fora do casamento. Todos os casamentos entre membros do Partido tinham de ser aprovados por uma comissão nomeada para o efeito e — embora o princípio nunca fosse claramente declarado — a permissão era sempre recusada se o casal em questão dava a impressão de estar fisicamente atraído um pelo outro. O único propósito reconhecido do casamento era gerar filhos para o serviço do Partido. A relação sexual devia ser encarada como uma pequena operação um pouco repugnante, como fazer uma lavagem intestinal. Isso novamente nunca foi colocado em palavras simples, mas, de maneira indireta, foi estimulado em todos os membros do Partido desde a infância. Havia até organizações como a Liga Antissexo Junior que defendia o celibato completo para ambos os sexos. Todas as crianças deveriam ser geradas por inseminação artificial (semart, era chamado em Novilíngua) e criadas em instituições públicas. Isso, Winston estava ciente, não tinha uma intenção totalmente séria, mas de alguma forma se encaixava na ideologia geral do Partido. O Partido estava tentando matar o instinto sexual, ou, se não pudesse ser morto, distorcê-lo e sujá-lo. Ele não sabia por que era assim, mas parecia natural que fosse assim. E no que diz respeito às mulheres, os esforços do Partido foram amplamente bem-sucedidos.

Ele pensou novamente em Katharine. Devia fazer nove, dez — quase onze anos desde que eles se separaram. Era curioso como raramente pensava nela. Por dias a fio ele era capaz de esquecer que já havia sido casado. Eles só estavam juntos há cerca de quinze meses. O Partido não permitia o divórcio, mas encorajava a separação nos casos em que não havia filhos.

Katharine era uma garota alta, loura, muito reta, com movimentos esplêndidos. Ela tinha um rosto ousado e aquilino, um rosto que se poderia chamar de nobre até descobrir que não havia quase nada por trás dele. Muito cedo em sua vida de casados ele havia decidido — embora talvez fosse apenas porque a conhecia mais intimamente do que conhecia a maioria das pessoas — que ela tinha, sem exceção, a mente mais estúpida, vulgar e vazia que ele já havia encontrado. Ela não tinha um pensamento em sua cabeça que não fosse um slogan, e não havia imbecilidade, absolutamente nenhuma, que ela não fosse capaz de engolir se o Partido o entregasse a ela. "A trilha sonora humana", ele a apelidou em sua própria mente. No entanto, ele poderia ter suportado viver com ela se não fosse apenas por uma coisa: sexo.

Quando Winston tocava Katharine, ela parecia estremecer e endurecer. Abraçá-la era como abraçar uma imagem de madeira articulada. E o que era estranho era que, mesmo quando Winston a apertava contra ele, tinha a sensação de que ela o empurrava ao mesmo tempo com todas as suas forças. A rigidez de seus músculos conseguia transmitir essa impressão. Ela ficava ali de olhos fechados, sem resistir nem cooperar, mas submetendo-se. Era extraordinariamente embaraçoso e, depois de um tempo, horrível. Mas mesmo assim ele poderia ter suportado viver com ela se tivesse sido acordado que eles deveriam permanecer celibatários. Mas curiosamente foi Katharine quem recusou. Eles deveriam, disse ela, produzir um filho se pudessem. Assim, a performance continuou a acontecer, uma vez por semana com bastante regularidade, sempre que não fosse impossível. Ela costumava até lembrá-lo disso pela manhã, como algo que tinha que ser feito naquela noite e que não deveria ser esquecido. Ela tinha dois nomes para isso. Um era "fazer um bebê" e o outro era "nosso dever para com o Partido" (sim, ela realmente usava essa frase). Logo ele passou a sentir verdadeiro pavor ao ver chegar o dia marcado. Mas felizmente nenhuma criança apareceu, e ela concordou em desistir de tentar, e pouco depois os dois se separaram.

Winston soltou um suspiro inaudível. Ele pegou sua pena novamente e escreveu:

Ela se jogou na cama e imediatamente, sem nenhum tipo de preliminar, da maneira mais grosseira e horrível que se possa imaginar, levantou a saia. Eu...

Winston tornou a ver-se naquele aposento abominável, à luz tênue do lampião, com o cheiro de insetos e perfume barato nas narinas, e no coração uma sensação de derrota e ressentimento que, mesmo naquele momento, se misturava ao pensamento do corpo branco de Katharine, congelado para sempre pelo poder hipnótico do Partido. Por que sempre tinha que ser assim? Por que ele não podia ter uma mulher própria em vez dessas brigas imundas em intervalos de anos? Mas um verdadeiro caso de amor era um evento quase impensável. As mulheres do Partido eram todas iguais. A castidade estava tão profundamente arraigada nelas quanto a lealdade ao Partido. Graças a um condicionamento precoce, com jogos e água fria, com o lixo que era jogado nelas na escola e na Liga dos Espiões e na liga da Juventude, por palestras, desfiles, canções, slogans e música marcial, o sentimento natural havia sido expulso delas. Sua razão lhe dizia que devia haver exceções, mas seu coração não acreditava. Eram todas inexpugnáveis, como o Partido pretendia que fossem. E o que ele queria, mais do que ser amado, era derrubar aquele muro de virtude, mesmo que fosse apenas uma vez em toda a sua vida. O ato sexual, realizado com sucesso, era rebelião. O desejo era pensamento-crime. Até mesmo em Katharine, se ele tivesse conseguido despertar o desejo dela, seria como uma sedução, embora ela fosse sua esposa.

Mas o resto da história tinha que ser escrito. Ele escreveu:

Aumentei a chama da lamparina. Quando eu a vi na luz...

Depois da escuridão, a luz fraca da lamparina parecia muito brilhante. Pela primeira vez ele podia ver a mulher distintamente. Ele deu um passo em direção a ela e então parou, cheio de luxúria e terror. Ele estava dolorosamente consciente do risco que havia assumido ir até lá. Era perfeitamente possível que as patrulhas o pegassem na saída; por falar nisso, eles podiam estar esperando do lado de fora da porta. Se ele fosse embora sem fazer o que tinha ido fazer ali...!

Aquilo tinha que ser escrito, tinha que ser confessado. O que ele viu de repente à luz da lamparina foi que a mulher era velha. Ela rebocara o rosto com tantas camadas de maquiagem que o rosto parecia uma máscara de papelão prestes a sofrer uma rachadura. Havia mechas brancas em seu cabelo; mas o detalhe realmente terrível era que sua boca estava um pouco aberta, revelando nada além de uma escuridão cavernosa. Ela não tinha nenhum dente.

Ele escreveu apressadamente, em caligrafia rabiscada:

Quando a vi na luz, ela era uma mulher bem velha, com pelo menos cinquenta anos. Mas eu fui em frente e fiz do mesmo jeito.

Pressionou os dedos contra as pálpebras novamente. Ele finalmente havia escrito, mas não fazia diferença. A terapia não tinha funcionado. A vontade de gritar palavras sujas com toda a força de sua voz estava mais forte do que nunca.

VII

Se há esperança (escreveu Winston) *está nos proletas.*

Se é que havia esperança, a esperança só podia estar nos proletas, porque só ali, naquelas massas desatendidas, oitenta e cinco por cento da população da Oceania, poderia ser gerada a força para destruir o Partido. O Partido não podia ser derrubado por dentro. Seus inimigos, se tinha inimigos, não tinham como se unir ou mesmo se identificar. Mesmo que a lendária Irmandade existisse, como possivelmente poderia existir, era inconcebível que seus membros pudessem se reunir em números maiores do que dois ou três. Rebelião significava um olhar nos olhos, uma inflexão da voz; no máximo, uma palavra ocasional sussurrada. Mas os proletas, se de algum modo pudessem se conscientizar de sua própria força, não teriam necessidade de conspirar. Eles precisavam apenas se levantar e se sacudir como um cavalo espantando moscas. Se eles quisessem, poderiam explodir o Partido em pedaços amanhã de manhã. Certamente, mais cedo ou mais tarde, deve ocorrer a eles fazê-lo. E apesar de tudo!

Lembrou-se de como certa vez estava andando por uma rua movimentada quando um tremendo grito de centenas de vozes — vozes de mulheres — explodiu de uma rua lateral um pouco adiante. Foi um grande e formidável grito de raiva e desespero, um profundo e alto "Oh-oo-oh!", que continuou zumbindo como a reverberação de um sino. Seu coração deu um salto. "Começou!", ele havia pensado. Um motim! Os proletas estão finalmente se libertando! Quando chegou ao local, viu uma multidão de duzentas ou trezentas mulheres amontoadas em torno das barracas de um mercado de rua, com rostos tão trágicos como se fossem passageiros condenados em um navio afundando. Mas nesse momento o desespero geral se transformou em uma multidão de brigas individuais. Parecia que uma das barracas estava vendendo panelas de lata. Eram coisas miseráveis e frágeis, mas panelas de qualquer tipo eram sempre difíceis de conseguir. Agora, o suprimento havia acabado inesperadamente. As mulheres bem-sucedidas, esbarradas e empurradas pelas outras, tentavam fugir com suas panelas, enquanto dezenas de outras se aglomeravam em volta da barraca, acusando o dono da barraca de favoritismo e de ter mais panelas em algum lugar de reserva. Houve uma nova explosão de gritos. Duas mulheres inchadas, uma delas com o cabelo solto, agarraram a mesma panela e tentavam arrancá-la das mãos uma da outra. As duas ficaram puxando a panela para lá e para cá até que o cabo se soltou. Winston observou a cena com nojo. E, no entanto, apenas por um momento, pensou que força quase aterrorizante se manifestara naquele grito de não mais que umas poucas centenas de gargantas! Por que razão aquelas gargantas não poderiam ser capazes de gritar daquele jeito em relação a alguma coisa realmente importante?

Ele escreveu:

Até que eles se tornem conscientes, eles nunca se rebelarão, e até depois de terem se rebelado, eles não podem se tornar conscientes.

Isso, ele refletiu, poderia quase ter sido uma transcrição de um dos livros didáticos do Partido. O Partido alegava, é claro, ter libertado os proletas da escravidão. Antes da Revolução, eles foram horrivelmente oprimidos pelos capitalistas, passaram fome e foram açoitados, as mulheres foram forçadas a trabalhar nas minas de carvão (as mulheres ainda trabalhavam nas minas de carvão, na verdade), as crianças eram vendidas nas fábricas aos seis anos de idade. Mas, simultaneamente, fiel aos princípios do duplipensar, o Partido ensinava que os proletas eram inferiores naturais que deveriam ser mantidos em sujeição, como animais, pela aplicação de algumas regras simples. Na realidade, muito pouco se sabia sobre os proletas. Não era necessário saber muito. Enquanto continuassem a trabalhar e procriar, suas outras atividades não tinham importância. Deixados a si mesmos, tal como o gado solto nos pampas argentinos, eles haviam revertido a um estilo de vida que lhes parecia natural, uma espécie de padrão ancestral. Nasciam, cresciam nas sarjetas, iam trabalhar aos doze anos, passavam por um breve período de florescimento da beleza e do desejo sexual, casavam-se aos vinte, chegavam à meia-idade aos trinta, morriam, em geral, aos sessenta. Trabalho físico pesado, cuidados com a casa e os filhos, brigas mesquinhas com vizinhos, filmes, futebol, cerveja e, sobretudo, jogos de azar preenchiam o horizonte de suas mentes. Mantê-los no controle não era difícil. Alguns agentes da Polícia do Pensamento circulavam sempre entre eles, espalhando falsos boatos e marcando e eliminando os poucos indivíduos julgados capazes de se tornarem perigosos; mas nenhuma tentativa foi feita para doutriná-los com a ideologia do Partido. Não era desejável que os proletas tivessem fortes sentimentos políticos. Tudo o que se exigia deles era um patriotismo primitivo ao qual se podia apelar sempre que fosse necessário fazê-los aceitar jornadas de trabalho mais longas ou rações mais curtas. E mesmo quando ficavam descontentes, como às vezes ficavam, seu descontentamento não levava a lugar algum, porque, sem ideias gerais, eles só podiam se concentrar em pequenas queixas específicas. Os males maiores invariavelmente passavam despercebidos. A grande maioria dos proletas nem sequer tinha teletelas em suas casas. Até a polícia civil interferia muito pouco. Havia uma grande quantidade de criminalidade em Londres, um mundo inteiro dentro de um mundo de ladrões, bandidos, prostitutas, traficantes de drogas e extorsionários de todos os tipos; mas como tudo acontecia entre os próprios proletas, não tinha importância. Em todas as questões de moral, eles eram autorizados a seguir seu código ancestral. O puritanismo sexual do Partido não lhes era imposto. A promiscuidade ficava impune; o divórcio era permitido. Aliás, até o culto religioso teria sido permitido se os proletas mostrassem qualquer sinal de necessidade ou desejo. Eles estavam sob suspeita. Como dizia o slogan do Partido: "Proletas e animais são livres".

Winston se abaixou e coçou cautelosamente sua úlcera varicosa. Começou a coçar novamente. A coisa a que você invariavelmente voltava era a impossibilidade de saber como era realmente a vida antes da Revolução. Ele tirou da gaveta uma cópia de um livro de história infantil que havia emprestado da Sra. Parsons e começou a copiar uma passagem no diário:

Antigamente (estava escrito), antes da gloriosa Revolução, Londres não era a bela cidade que conhecemos hoje. Era um lugar escuro, sujo e miserável, onde quase ninguém tinha o suficiente para comer e onde centenas e milhares de pessoas pobres não tinham botas nos pés e nem mesmo um teto para dormir. Crianças não mais velhas do que você, leitor, tinham que trabalhar doze horas por dia para patrões cruéis, que as açoitavam com chicotes se trabalhassem muito devagar e as alimentavam com nada além de crostas de pão velho e água. Mas em meio a toda essa terrível pobreza havia apenas algumas grandes e belas casas que eram habitadas por homens ricos que tinham até trinta empregados para cuidar delas. Esses homens ricos eram chamados de capitalistas. Eram homens gordos e feios com rostos perversos, como o da foto na página ao lado. Você pode ver que ele está vestido com um longo casaco preto que era chamado de sobrecasaca, e um chapéu esquisito e brilhante em forma de chaminé, que era chamado de cartola. Este era o uniforme dos capitalistas, e ninguém mais podia usá-lo. Os capitalistas possuíam tudo no mundo, e todos os outros eram seus escravos. Eles possuíam todas as terras, todas as casas, todas as fábricas e todo o dinheiro. Se alguém os desobedecesse, eles poderiam jogá-lo na prisão, ou poderiam tirar seu emprego e matá-lo de fome. Quando qualquer pessoa comum que falava com um capitalista, tinha que se encolher e se curvar diante dele, tirar o boné e se dirigir a ele como "Senhor". O chefe de todos os capitalistas chamava-se Rei e...

Mas ele conhecia o resto da ladainha. Haveria menção aos bispos em camisas de cambraia, os juízes em suas túnicas de arminho, o pelourinho, os troncos, a esteira, o gato de nove caudas, o banquete do lorde prefeito e a prática de beijar o pé do papa. Havia também algo chamado *jus primae noctis*[2], que provavelmente não seria mencionado em um livro didático para crianças. Era a lei pela qual todo capitalista tinha o direito de dormir com qualquer mulher que trabalhasse em uma de suas fábricas.

---

2. O direito da primeira noite, em latim. (N. do T.)

Como saber quais daquelas coisas era mentira? Talvez fosse verdade que o ser humano médio estava melhor agora do que antes da Revolução. A única evidência do contrário era o protesto mudo em seus próprios ossos, a sensação instintiva de que as condições em que você vivia eram intoleráveis e que em algum outro momento elas devem ter sido diferentes. Ocorreu-lhe que a coisa verdadeiramente característica da vida moderna não era sua crueldade e insegurança, mas simplesmente sua nudez, sua miséria, sua indiferença. A vida, se você olhar ao seu redor, não tinha nenhuma semelhança, não apenas com as mentiras que fluíam das teletelas, mas também com os ideais que o Partido estava tentando alcançar. Grandes áreas, mesmo para um membro do Partido, eram neutras e apolíticas, uma questão de se arrastar em trabalhos tediosos, lutar por um lugar no metrô, cerzir uma meia desgastada, guardar uma pastilha de sacarina, salvar uma ponta de cigarro. O ideal estabelecido pelo Partido era algo enorme, terrível e brilhante — um mundo de aço e concreto, de máquinas monstruosas e armas aterrorizantes — uma nação de guerreiros e fanáticos, marchando em perfeita unidade, todos pensando os mesmos pensamentos e gritando os mesmos slogans, perpetuamente trabalhando, lutando, triunfando, perseguindo — trezentos milhões de pessoas, todas com a mesma cara. A realidade eram cidades decadentes e sombrias, onde pessoas subnutridas andavam de um lado para o outro com sapatos furados, em casas remendadas do século XIX que sempre cheiravam a repolho e tinham banheiros ruins. Ele parecia ter uma visão de Londres, vasta e ruinosa, cidade de um milhão de latas de lixo, e misturada a ela estava a imagem da Sra. Parsons, uma mulher com rosto enrugado e cabelos ralos, mexendo indefesa em um cano de esgoto entupido.

Ele se abaixou e coçou o tornozelo novamente. Dia e noite as teletelas feriam seus ouvidos com estatísticas provando que as pessoas hoje tinham mais comida, mais roupas, casas melhores, melhores recreações — que viviam mais, trabalhavam menos horas, eram maiores, mais saudáveis, mais fortes, mais felizes, mais inteligentes, mais instruídas, do que as pessoas de cinquenta anos atrás. Nem uma palavra disso poderia ser provada ou refutada. O Partido afirmava, por exemplo, que hoje quarenta por cento dos proletas adultos eram alfabetizados; antes da Revolução, dizia-se, o número era de apenas quinze por cento. O Partido afirmava que a taxa de mortalidade infantil era agora de apenas cento e sessenta por mil, enquanto antes da Revolução era de trezentos — e assim por diante. Era como uma única equação com duas incógnitas. Pode muito bem ser que literalmente cada palavra nos livros de história, mesmo as coisas que se aceita sem questionar, fosse pura fantasia. Por tudo que ele sabia, poderia nunca ter existido uma lei como *de jus primae noctis*, ou qualquer criatura como um capitalista, ou qualquer vestimenta como uma cartola.

Tudo se desvaneceu em névoa. O passado foi apagado e esquecido, a mentira se tornou verdade. Apenas uma vez na vida ele possuía — depois do evento: isso era o que contava — provas concretas e inconfundíveis de um ato de falsificação. Ele o segurou entre os dedos por até trinta segundos. Em 1973, deve ter sido — de qualquer forma, foi mais ou menos na época em que ele e Katharine se separaram. Mas a data realmente relevante foi sete ou oito anos antes.

A história realmente começou em meados dos anos sessenta, o período dos grandes expurgos em que os líderes originais da Revolução foram exterminados de uma vez por todas. Em 1970, nenhum deles foi deixado, exceto o próprio Grande Irmão. Todo o resto havia sido exposto como traidores e contrarrevolucionários. Goldstein havia fugido e se escondeu, ninguém sabia onde, e dos outros, alguns simplesmente desapareceram, enquanto a maioria foi executada após espetaculares julgamentos públicos em que confessaram seus crimes. Entre os últimos sobreviventes estavam três homens chamados Jones, Aaronson e Rutherford. Deve ter sido em 1965 que esses três foram presos. Como muitas vezes acontecia, eles haviam desaparecido por um ano ou mais, de modo que não se sabia se estavam vivos ou mortos, e de repente foram trazidos à tona para se incriminar da maneira usual. Eles haviam confessado colaboração com o inimigo (naquela data, também, o inimigo era a Eurásia), desvio de fundos públicos, o assassinato de vários membros de confiança do Partido, intrigas contra a liderança do Grande Irmão que começaram muito antes da Revolução acontecer, e atos de sabotagem causando a morte de centenas de milhares de pessoas. Depois de confessar essas coisas, eles foram perdoados, reintegrados no Partido e receberam cargos que eram de fato sinecuras, mas que pareciam importantes. Todos os três haviam escrito artigos longos e abjetos no *Times*, analisando as razões de sua deserção e jurando corrigir-se.

Algum tempo depois da libertação, Winston tinha visto os três no Café da Castanheira. Lembrou-se do tipo de fascinação aterrorizada com que os observara com o canto do olho. Eram homens muito mais velhos do que ele, relíquias do mundo antigo, quase as últimas grandes figuras remanescentes dos heroicos primeiros dias do Partido. O glamour da luta clandestina e da guerra civil ainda se apegava a eles. Ele tinha a sensação, embora já naquela época os fatos e as datas estivessem ficando embaçados, que ele sabia seus nomes anos antes do que conhecia o do Grande Irmão. Mas também eles eram foras da lei, inimigos, intocáveis, condenados com absoluta certeza à extinção dentro de um ou dois anos. Ninguém que uma vez caiu nas mãos da Polícia do Pensamento escapou no final.

Não havia ninguém em nenhuma das mesas mais próximas a eles. Não era sábio ser visto na vizinhança de tais pessoas. Estavam sentados em silêncio diante de copos de gim aromatizado com cravo que era a especialidade do café. Dos três, foi Rutherford quem mais impressionou Winston. Rutherford já foi um famoso caricaturista, cujas caricaturas brutais ajudaram a inflamar a opinião popular antes e durante a Revolução. Mesmo agora, a longos intervalos, suas caricaturas apareciam no *Times*. Elas eram simplesmente uma imitação de seus modos anteriores, e curiosamente sem vida e pouco convincentes. Sempre foram uma repetição dos temas antigos: cortiços, crianças famintas, batalhas de rua, capitalistas de cartola — mesmo nas barricadas os capitalistas ainda pareciam se agarrar às cartolas — um esforço sem fim e sem esperança para voltar ao passado. Ele era um homem monstruoso, com uma juba de cabelos grisalhos gordurosos, seu rosto inchado e vincado, com lábios protuberantes. Ao mesmo tempo ele deve ter sido imensamente forte; agora seu grande corpo estava flácido, inchado, caindo em todas as direções. Ele parecia estar se desintegrando diante de nossos olhos, como uma montanha desmoronando.

Eram três da tarde, hora solitária. Winston não conseguia se lembrar de como foi parar no café naquela hora. O lugar estava quase vazio. Uma música metálica saía das teletelas. Os três homens estavam sentados em seu canto quase imóveis, sem falar. Sem ordens, o garçom trouxe novos copos de gim. Havia um tabuleiro de xadrez na mesa ao lado deles, com as peças dispostas, mas nenhum jogo começou. E então, talvez por meio minuto ao todo, algo aconteceu com as teletelas. A melodia que eles estavam tocando mudou, e o tom da música também mudou. Algo difícil de descrever. Era uma nota estranha, fragmentada, um som forte: Winston inventou um nome para aquele som: nota amarela. Depois uma voz começou a cantarolar na teletela:

Sob a ramalhada da castanheira
Eu vendi você e você me vendeu:
Lá estão eles, e aqui estamos nós
Sob a ramalhada da castanheira.

Os três homens não se mexeram. Mas quando Winston olhou novamente para o rosto arruinado de Rutherford, viu que seus olhos estavam cheios de lágrimas. E pela primeira vez ele notou, com uma espécie de estremecimento interior, e ainda sem saber por que estremeceu, que tanto Aaronson quanto Rutherford tinham o nariz quebrado.

Pouco depois, os três foram presos novamente. Parecia que eles haviam se engajado em novas conspirações desde o momento de sua libertação. Em seu segundo julgamento, eles confessaram todos os seus crimes antigos novamente, com toda uma série de novos. Eles foram executados, e seu destino foi registrado nas histórias do Partido, um aviso para a posteridade. Cerca de cinco anos depois disso, em 1973, Winston estava desenrolando um maço de documentos que acabara de cair do tubo pneumático em sua mesa quando encontrou um fragmento de papel que evidentemente havia sido colocado entre os outros e depois esquecido. No instante em que desamassou o papel, ele viu seu significado. Era uma meia página arrancada do *Times* de cerca de dez anos antes — a metade superior da página, de modo que a data aparecia ali — e continha uma fotografia dos delegados em algum evento do Partido em Nova York. Proeminentes no meio do grupo estavam Jones, Aaronson e Rutherford. Não havia como confundi-los; de qualquer modo, seus nomes estavam na legenda na parte inferior.

A questão era que, em ambos os julgamentos, os três homens confessaram que naquela data haviam estado em solo eurasiano. Eles haviam voado de um aeródromo secreto no Canadá para um ponto de encontro em algum lugar da Sibéria e se reunido com membros do Estado-Maior da Eurásia, a quem haviam revelado importantes segredos militares. A data ficou na memória de Winston porque por acaso era o dia do solstício de verão; mas toda a história deve estar registrada em inúmeros outros lugares também. Só havia uma conclusão possível: as confissões eram mentiras.

Claro, isso não foi em si uma descoberta. Mesmo naquela época, Winston não imaginava que as pessoas exterminadas nos expurgos tivessem realmente cometido os crimes de que eram acusadas. Mas isso era uma evidência concreta; era um fragmento do passado abolido, como um osso fóssil que aparece no estrato errado e destrói uma teoria geológica. Foi o suficiente para explodir o Partido em átomos, se de alguma forma ele pudesse ter sido divulgado ao mundo e seu significado conhecido.

Ele não interrompeu o trabalho. Assim que viu o que era a fotografia e o que ela significava, ele a cobriu com outra folha de papel. Por sorte, quando o desenrolou, estava de cabeça para baixo do ponto de vista da teletela.

Ele colocou seu bloco de rabiscos no joelho e empurrou a cadeira para trás, de modo a ficar o mais longe possível da teletela. Manter o rosto inexpressivo não era difícil, e até a respiração podia ser controlada, com esforço; mas você não conseguia controlar as batidas do seu coração, e a teletela era bastante delicada para captá-las. Deixou passar o que julgou serem dez minutos, atormentado o tempo todo pelo medo de que algum acidente — uma corrente de ar repentina soprando sobre sua mesa, por exemplo — o traísse. Então, sem expô-la novamente, ele jogou a fotografia no buraco da memória, junto com alguns outros papéis usados. Dentro de um minuto, talvez, teria se desfeito em cinzas.

Isso foi há dez, onze anos. Hoje, provavelmente, ele teria guardado aquela fotografia. Era curioso que o fato de a ter segurado nos dedos lhe parecesse fazer diferença ainda agora, quando a fotografia em si, assim como o evento que ela registrava, era apenas memória. Será que o domínio do Partido sobre o passado era menos forte, ele se perguntava, porque uma evidência inexistente já tivesse existido?

Mas hoje, supondo que possa ser de alguma forma ressuscitado de suas cinzas, a fotografia pode nem ser evidência. Já no momento em que fez sua descoberta, a Oceania não estava mais em guerra com a Eurásia, e deve ter sido aos agentes da Lestásia que os três mortos haviam traído seu país. Desde então houve outras mudanças — duas, três, ele não conseguia lembrar quantas. Muito provavelmente as confissões foram reescritas até que os fatos e datas originais não tivessem mais o menor significado. O passado não só mudou, mas mudou continuamente. O que mais o afligia com a sensação de pesadelo era que ele nunca havia entendido claramente por que a enorme impostura foi empreendida. As vantagens imediatas de falsificar o passado eram óbvias, mas o motivo final era misterioso. Ele pegou a caneta novamente e escreveu:

Eu entendo COMO: Eu não entendo POR QUÊ.

Ele se perguntou, como já havia se perguntado muitas vezes antes, se ele próprio era um lunático. Talvez um lunático fosse simplesmente uma minoria de um. Houve uma época em que foi um sinal de loucura acreditar que a Terra gira em torno do Sol. Hoje, acreditar que o passado é inalterável era sinal de loucura. Ele podia estar sozinho em manter essa crença, e se estivesse sozinho, então seria um lunático. Mas a ideia de ser um lunático não o incomodava muito; o horror era que ele também pudesse estar errado.

Ele pegou o livro de história infantil e olhou para o retrato do Grande Irmão que formava seu frontispício. Os olhos hipnóticos fitaram os seus. Era como se uma força enorme estivesse pressionando você — algo que penetrava dentro de seu crânio, golpeando seu cérebro, assustando você com suas crenças, quase persuadindo você a negar a evidência de seus sentidos. No final, o Partido anunciaria que dois e dois eram cinco, e você teria que acreditar. Era inevitável que eles fizessem essa afirmação mais cedo ou mais tarde: a lógica de sua posição exigia isso. Não apenas a validade da experiência, mas a própria existência da realidade externa foi tacitamente negada por sua filosofia. A heresia das heresias era o bom senso. E o que era aterrorizante não era que eles iriam matá-lo por pensar o contrário, mas que eles poderiam estar certos. Afinal, como sabemos que dois e dois são quatro? Ou que a força da gravidade funciona? Ou que o passado é imutável? Se tanto o passado quanto o mundo externo existem apenas na mente, e se a própria mente é controlável, o que acontece então?

Mas não! Sua coragem pareceu de repente endurecer por conta própria. O rosto de O'Brien, não evocado por nenhuma associação óbvia, flutuou em sua mente. Ele sabia, com mais certeza do que antes, que O'Brien estava do seu lado. Ele estava escrevendo o diário para O'Brien — para O'Brien; era como uma carta interminável que ninguém jamais leria, mas que se dirigia a uma determinada pessoa e se nutria desse fato.

O Partido lhe dizia para rejeitar a evidência de seus olhos e ouvidos. Era seu comando final e mais essencial. Seu coração se apertou ao pensar no enorme poder que se punha contra ele, na facilidade com que qualquer intelectual do partido o derrubaria no debate, nos argumentos sutis que ele não seria capaz de entender, muito menos responder. E ainda assim ele estava certo! Eles estavam errados e ele estava certo. O óbvio, o tolo e o verdadeiro precisavam ser defendidos. As banalidades são verdadeiras, agarre-se a isso! O mundo sólido existe, suas leis não mudam. As pedras são duras, a água é úmida, objetos sem apoio caem em direção ao centro da Terra. Com a sensação de que estava falando com O'Brien, e também de que estava estabelecendo um importante axioma, escreveu:

> Liberdade é a liberdade de dizer que dois mais dois são quatro. Se isso for concedido, todo o resto segue.

VIII

De algum lugar no fundo de uma ruela, o cheiro de café torrado — café de verdade, não café Vitória — veio flutuando na rua. Winston fez uma pausa involuntariamente. Por talvez dois segundos ele estava de volta ao mundo meio esquecido de sua infância. Então uma porta bateu, parecendo cortar o cheiro tão abruptamente como se tivesse sido um som.

Ele havia caminhado vários quilômetros sobre calçadas e sua úlcera varicosa latejava. Esta foi a segunda vez em três semanas que ele perdeu uma noite no Centro Comunitário: um ato precipitado, já que você pode ter certeza de que o número de seus atendimentos no Centro foi cuidadosamente verificado. Em princípio, um membro do Partido não tinha tempo livre e nunca estava sozinho, exceto na cama. Supunha-se que, quando não estivesse trabalhando, comendo ou dormindo, estaria participando de algum tipo de recreação comunitária; fazer qualquer coisa que sugerisse o gosto pela solidão, até mesmo dar um passeio sozinho, sempre era um pouco perigoso. Havia uma palavra para isso em Novilíngua: vidaprópria, significando individualismo e excentricidade. Mas esta noite, ao sair do Ministério, o ar ameno de abril o havia tentado. O céu estava de um azul que ele ainda não sentira naquele ano, de repente, a longa e barulhenta noite no Centro, os jogos chatos e exaustivos, as palestras, a camaradagem barulhenta lubrificada pelo gim, pareciam intoleráveis. Num impulso, desviou-se do ponto de ônibus e entrou no labirinto de Londres, primeiro para o sul, depois para o leste, depois para o norte novamente, perdendo-se por ruas desconhecidas e mal se importando em que direção estava indo.

"*Se há esperança*", escrevera no diário, "*está nos proletas*".

As palavras não paravam de voltar para ele, declaração de uma verdade mística e um absurdo palpável. Ele estava em algum lugar nas vagas favelas de cor marrom ao norte e leste do que havia sido a Estação Saint Pancras. Andava por uma rua de paralelepípedos e casinhas de dois andares com portas maltratadas que davam direto na calçada e que de alguma forma eram curiosamente parecidas com buracos de rato. Havia poças de água suja aqui e ali entre os paralelepípedos. Entrando e saindo das portas escuras, e por becos estreitos que se ramificavam de ambos os lados, as pessoas fervilhavam em números surpreendentes — garotas em plena floração, com bocas grosseiramente pintadas de batom, e jovens que perseguiam as garotas, e mulheres bamboleantes e inchadas que mostravam o que as meninas seriam daqui a dez anos, e velhas criaturas curvadas arrastando-se com os pés esparramados, e crianças andrajosas descalças que brincavam nas poças e depois se dispersavam aos gritos raivosos de suas mães. Talvez um quarto das janelas da rua estivesse quebrada e fechada com tábuas. A maioria das pessoas não deu atenção a Winston; alguns o olhavam com uma espécie de curiosidade cautelosa. Duas mulheres monstruosas com antebraços vermelho-tijolo cruzados sobre os aventais conversavam do lado de fora de uma porta. Winston captou fragmentos de conversa enquanto se aproximava.

— "Sim", eu falei para ela, "está tudo muito bem", eu disse. "Mas se você estivesse no meu lugar, teria feito o mesmo que eu fiz. É fácil criticar", eu disse, "mas você não tem os mesmos problemas que eu tenho".

— Ah — disse a outra —, é brincadeira.

As vozes estridentes pararam abruptamente. As mulheres o estudavam em silêncio hostil enquanto ele passava. Mas não era exatamente hostilidade; apenas uma espécie de cautela, um enrijecimento momentâneo, como na passagem de algum animal desconhecido. O macacão azul do Partido não poderia ser uma visão comum em uma rua como esta. Na verdade, era imprudente ser visto em tais lugares, a menos que você tivesse negócios definidos lá. As patrulhas podiam pará-lo se você se deparasse com eles. "Posso ver seus papéis, camarada? O que você está fazendo aqui? A que horas você saiu do trabalho? Este é o seu caminho habitual para casa?", e assim por diante. Não que houvesse alguma regra proibindo a pessoa de fazer trajetos inusitados, mas era o suficiente para chamar a atenção para você se a Polícia do Pensamento ouvisse sobre isso.

De repente, toda a rua estava em comoção. Houve gritos de advertência de todos os lados. As pessoas entravam nas casas correndo feito coelhos. Uma jovem saltou de uma porta um pouco à frente de Winston, agarrou uma criancinha que brincava em uma poça, enrolou o avental em volta dela e saltou para trás novamente, tudo em um movimento. No mesmo instante, um homem de terno preto tipo sanfona, que havia saído de um beco lateral, correu em direção a Winston, apontando excitado para o céu.

— Maria-fumaça! — ele gritou. — Cuidado, chefe! Deite-se no chão rápido!

"Maria-fumaça" era um apelido que, por algum motivo, os proletas aplicavam a bombas-foguete. Winston prontamente se jogou de cara no chão. Os proletas quase sempre estavam certos quando davam um aviso desse tipo. Eles pareciam possuir algum tipo de instinto que lhes dizia com vários segundos de antecedência quando um foguete estava chegando, embora os foguetes supostamente viajassem mais rápido que o som. Winston apertou os antebraços sobre a cabeça. Ouviu-se um rugido que pareceu fazer o pavimento se erguer; uma chuva de objetos leves tamborilou em suas costas. Quando se levantou, descobriu que estava coberto com fragmentos de vidro da janela mais próxima.

Ele voltou a caminhar. A bomba havia demolido um grupo de casas a duzentos metros da rua. Uma nuvem negra de fumaça pairava no céu, e abaixo dela uma nuvem de poeira de gesso na qual uma multidão já se formava ao redor das ruínas. Havia uma pequena pilha de gesso na calçada à sua frente, e no meio dela ele podia ver uma listra vermelha brilhante. Quando se aproximou, viu que era uma mão humana decepada no pulso. Além do coto sangrento, a mão estava tão completamente embranquecida que parecia um molde de gesso.

Ele chutou a coisa na sarjeta, e então, para evitar a multidão, virou por uma rua lateral à direita. Em três ou quatro minutos ele estava fora da área afetada pela bomba, e a sórdida vida fervilhante das ruas continuava como se nada tivesse acontecido. Eram quase vinte horas, e as lojas de bebidas frequentadas pelos proletas ("bares", como as chamavam) estavam lotadas de clientes. De suas sujas portas de vaivém, que se abriam e fechavam sem parar, vinha um cheiro de urina, serragem e cerveja azeda. Em um ângulo formado por uma frente de casa saliente, três homens estavam muito próximos um do outro, o do meio segurando um jornal dobrado que os outros dois examinavam sobre seus ombros. Mesmo antes de ele estar perto o suficiente para distinguir a expressão em seus rostos, Winston podia ver absorção em cada linha de seus corpos. Era obviamente alguma notícia séria que eles estavam lendo. Ele estava a alguns passos deles quando de repente o grupo se separou e dois dos homens começaram uma violenta briga. Por um momento, eles pareciam quase a ponto de serem golpeados.

— Você não pode ouvir bem o que eu digo? Eu lhe digo que faz mais de quatorze meses que não dá nada com o número sete no final!

— Deu o sete, sim!

— Não deu! Eu tenho anotado em um pedaço de papel. Eu anoto tudo faz mais de dois anos. E eu lhe digo, nenhum número terminando em sete...

— Sim, um sete ganhou! Eu quase poderia lhe dizer o maldito número. O final era quatro e sete. Foi em fevereiro — na segunda semana de fevereiro.

— Fevereiro uma ova! Anotei tudo em preto e branco. E eu lhe digo, nenhum número...

— Oh, esqueçam! — disse o terceiro homem.

Eles estavam falando sobre a loteria. Winston olhou para trás quando já tinha andado trinta metros. Eles ainda estavam discutindo, com rostos vívidos e apaixonados. A loteria, com seu pagamento semanal de enormes prêmios, foi o único evento público ao qual os proletas prestavam atenção. Era provável que houvesse alguns milhões de proletas para os quais a loteria era a principal, senão a única, razão de permanecer vivo. Era seu deleite, sua loucura, seu paliativo, seu estimulante intelectual. No que diz respeito à loteria, mesmo as pessoas que mal sabiam ler e escrever pareciam capazes de cálculos intrincados e proezas impressionantes de memória. Havia toda uma tribo de homens que ganhava a vida simplesmente vendendo sistemas, previsões e amuletos da sorte. Winston não tinha nada a ver com o funcionamento da loteria, que era administrada pelo Ministério da Abundância, mas ele sabia (na verdade, todos no Partido sabiam) que os prêmios eram em grande parte imaginários. Apenas pequenas quantias foram efetivamente pagas, sendo os vencedores dos grandes prêmios pessoas inexistentes. Na ausência de qualquer intercomunicação real entre uma parte da Oceania e outra, não era difícil controlar o esquema.

Mas se havia esperança, ela estava nos proletas. Você tinha que se agarrar a isso. Quando você colocava em palavras, parecia razoável; o que transformava a afirmação em um ato de fé era ver os seres humanos passando por você na calçada. A rua em que ele virou descia ladeira abaixo. Ele tinha a sensação de que já estivera naquele bairro antes, e que havia uma via principal não muito longe. De algum lugar adiante veio um barulho de vozes gritando. A rua fazia uma curva fechada e terminava em um lance de escada que levava a um beco afundado onde alguns feirantes vendiam legumes murchos. Nesse momento Winston se lembrou de onde estava. O beco dava para a rua principal, e na curva seguinte, a menos de cinco minutos, estava a loja de quinquilharias onde ele havia comprado o livro em branco que agora era seu diário. E fora numa pequena papelaria próxima dali que comprara a pena e o vidro de tinta.

Ele parou por um momento no topo da escada. No lado oposto do beco havia um barzinho que as janelas pareciam estar embaçadas, mas na realidade estavam apenas cobertas de poeira. Um homem muito velho, encurvado, mas ativo, com bigodes brancos eriçados como os de um camarão, com certeza já era de meia-idade quando aconteceu a Revolução, ele empurrou a porta de vaivém e entrou. Ele e alguns outros como ele eram os últimos elos que agora existiam com o mundo desaparecido do capitalismo. No próprio Partido não havia muitas pessoas cujas ideias tivessem sido formadas antes da Revolução. A geração mais velha havia sido exterminada principalmente nos grandes expurgos dos anos cinquenta e sessenta, e os poucos que sobreviveram há muito ficaram aterrorizados com a completa rendição intelectual. Se houvesse alguém ainda vivo que pudesse lhe dar um relato verdadeiro das condições no início do século, só poderia ser um proleta. De repente, a passagem do livro de história que ele havia copiado em seu diário voltou à mente de Winston, e um impulso lunático tomou conta dele. Ele iria para o bar, se relacionaria com aquele velho e o questionaria. Ele iria dizer: "Conte-me sobre sua vida quando você era menino. Como era naquela época? As coisas eram melhores do que são agora, ou eram piores?"

Apressadamente, para não ter tempo de se assustar, desceu os degraus e atravessou a rua estreita. Era uma loucura, claro. Como de costume, não havia uma regra definida contra falar com os proletas e frequentar seus bares, mas era uma ação muito incomum para passar despercebida. Se as patrulhas aparecessem, ele poderia alegar um ataque de desmaio, mas não era provável que acreditassem nele. Ele empurrou a porta e um cheiro horrível de cerveja azeda o atingiu no rosto. Quando ele entrou, o barulho das vozes caiu para cerca de metade do volume. Atrás de suas costas, ele podia sentir todos olhando para seu macacão azul. Um jogo de dardos que estava acontecendo do outro lado da sala se interrompeu por talvez trinta segundos. O velho que ele havia seguido estava parado no bar, tendo algum tipo de briga com o garçom, um rapaz grande, de nariz adunco e antebraços enormes. Um grupo de outros, de pé com copos nas mãos, assistia à cena.

— Eu sou civilizado o suficiente, não é? — disse o velho, endireitando os ombros com ar combativo. — Você está me dizendo que não tem uma caneca de quartilho de cerveja no velho bar?

— E o que diabos é um quartilho cerveja? — perguntou o garçom, inclinando-se para a frente com as pontas dos dedos no balcão.

— Você é um garçom e não sabe o que é um quartilho! Ora, um quartilho é a metade de um litro. Daqui a pouco vou ter que te ensinar o A, B, C.

— Nunca ouvi falar — disse o garçom brevemente. — Litro e meio litro — isso é tudo o que servimos. Ali estão alguns copos na prateleira à sua frente.

— Eu quero um quartilho — insistiu o velho. — Você poderia ter me tirado um quartilho com bastante facilidade. Nós não tínhamos esses litros quando eu era jovem.

— Quando você era jovem, todos nós vivíamos nas copas das árvores — disse o garçom, olhando para os outros clientes.

Houve uma gargalhada e a inquietação causada pela entrada de Winston pareceu desaparecer. O rosto de barba branca do velho ficou rosado. Ele se virou, murmurando para si mesmo, e esbarrou em Winston. Winston o pegou gentilmente pelo braço.

— Posso oferecer-lhe uma bebida? — ele perguntou.

— Você é um cavalheiro — disse o outro, endireitando os ombros novamente. Ele parecia não ter notado o macacão azul de Winston. — Cerveja! — acrescentou agressivamente ao garçom.

O garçom serviu dois litros de cerveja marrom-escura em copos grossos que ele enxaguou em um balde embaixo do balcão. Cerveja era a única bebida que se podia obter em bares de proletas. Supunha-se que os proletas não bebessem gim, embora na prática pudessem obtê-lo com bastante facilidade. O jogo de dardos estava em pleno andamento novamente, e o grupo de homens no bar começou a falar sobre bilhetes de loteria. A presença de Winston foi esquecida por um momento. Havia uma mesa de baralho sob a janela onde ele e o velho podiam conversar sem medo de serem ouvidos. Era terrivelmente perigoso, mas de qualquer forma não havia teletela na sala, um ponto que ele se certificou assim que entrou.

— Ele poderia ter me tirado um quartilho — resmungou o velho enquanto se acomodava atrás de seu copo. — Meio litro não é suficiente. Não satisfaz. E um litro é demais. Faz minha bexiga encher muito rápido. Para não comentar o preço.

— Você deve ter visto grandes mudanças desde que era jovem — disse Winston, hesitante.

Os olhos azul-claros do velho moveram-se do jogo de dardos para o bar, e do bar para a porta dos cavalheiros, como se fosse no bar que ele esperasse que as mudanças ocorressem.

— A cerveja era melhor — disse ele finalmente. — E mais barata! Quando eu era jovem, cerveja branda — loura, costumávamos chamá-la — custava quatro pence o quartilho. Isso foi antes da guerra, é claro.

— Que guerra foi essa? — perguntou Winston.

— Todas as guerras — disse o velho vagamente. Ele pegou seu copo, e seus ombros se endireitaram novamente. — E agora um brinde à sua saúde!

Em sua garganta magra, o pomo-de-adão pontiagudo fez um movimento surpreendentemente rápido para cima e para baixo, e a cerveja desapareceu. Winston foi ao bar e voltou com dois copos de meio litro. O velho parecia ter esquecido seu preconceito contra beber um litro de cerveja.

— O senhor é muito mais velho do que eu — disse Winston. — Deve ter sido um homem adulto antes de eu nascer. O senhor deve se lembrar como era nos velhos tempos, antes da Revolução. As pessoas da minha idade realmente não sabem nada sobre aqueles tempos. Só podemos ler sobre eles em livros, e o que diz nos livros pode não ser verdade. Gostaria da sua opinião sobre isso. Os livros de história dizem que a vida antes da Revolução era completamente diferente do que é agora. Havia a mais terrível opressão, injustiça, pobreza — pior do que qualquer coisa que possamos imaginar. Aqui em Londres, a grande massa do povo nunca tinha o suficiente para comer desde o nascimento até a morte. Metade deles não tinha nem botas nos pés. Trabalhavam doze horas por dia, saíam da escola às nove, eles dormiam dez em um quarto. E ao mesmo tempo havia muito poucas pessoas, apenas alguns milhares — os capitalistas, como eram chamados — que eram ricos e poderosos. Eles possuíam tudo o que havia para possuir. Eles moravam em grandes casas lindas com trinta empregados, andavam em carros motorizados e carruagens de quatro cavalos, bebiam champanhe, usavam cartolas...

O velho se iluminou de repente.

— Cartolas — ele disse. — Engraçado você mencioná-las. A mesma coisa veio à minha cabeça ontem, não sei o motivo. Eu estava pensando, não vejo uma cartola há anos. A última vez que usei uma foi no funeral da minha cunhada. E isso foi... bem, eu não poderia lhe dar a data, mas deve ter sido há cinquenta anos. Claro que foi alugada para a ocasião, você entende.

— A questão sobre as cartolas não é muito importante — disse Winston pacientemente. — O fato é que esses capitalistas — eles e alguns advogados e padres, e assim por diante, que viviam à custa deles eram os senhores da terra. Tudo existia para benefício deles. Vocês — as pessoas comuns, os trabalhadores — eram seus escravos. Eles podiam fazer o que quisessem com você. Podiam enviar você para o Canadá como gado. Eles podiam dormir com suas filhas se quisessem. Podiam ordenar que você fosse açoitado. Você tinha para tirar o boné ao passar por eles. Todo capitalista andava com uma gangue de lacaios que...

O velho se iluminou novamente.

— Lacaios! — ele disse. — Os lacaios! Isso, sim, me leva de volta ao passado. Lembro que eu costumava — ah, faz muito tempo — eu costumava ir ao Hyde Park no domingo à tarde para escutar os discursos daqueles caras. Os do Exército da Salvação, os católicos, os judeus, os indianos — tinha de tudo. E tinha um sujeito... Ah, não vou lembrar o nome dele, mas estou para conhecer um homem para falar bem como aquele. Falava as coisas sem rodeios! "São um bando de lacaios!", ele dizia. "Os lacaios da burguesia! Os sabujos da classe dominante". Os parasitas — essa era outra. E hienas também — me lembro bem de que ele chamava os sujeitos de hienas. Claro que ele estava se referindo ao Partido Trabalhista, você entende.

Winston teve a sensação de que eles estavam falando com propósitos contraditórios.

— O que eu queria saber de verdade é o seguinte — disse ele. — Você sente que tem mais liberdade agora do que tinha naquela época? Você é tratado mais como um ser humano? Antigamente, as pessoas ricas, as pessoas no topo...

— A Câmara dos Lordes — colocou o velho como reminiscência.

— A Câmara dos Lordes, se você quiser. O que eu estou perguntando é: essas pessoas foram capazes de tratá-lo como um inferior, simplesmente porque eles eram ricos e você era pobre? É um fato, por exemplo, que você tinha que chamá-los de Senhor e tirar o boné quando passava por ele?

O velho pareceu pensar profundamente. Ele bebeu cerca de um quarto de sua cerveja antes de responder.

— Sim — disse ele. — Eles gostavam que você tirasse seu boné para eles. Isso mostrava respeito. Eu não concordava com isso, mas fazia isso com bastante frequência. Era, vamos dizer, obrigado a fazer.

— E era normal — estou apenas citando o que li nos livros de história — era normal essas pessoas e seus servos empurrarem você da calçada para a sarjeta?

— Um deles me empurrou uma vez — disse o velho. — Lembro-me como se fosse ontem. Era a noite da Boat Race[3] — uma confusão terrível que costumavam fazer na noite da Boat Race — e esbarrei num rapaz na avenida Shaftesbury. Eu estava na maior elegância: camisa social, cartola e sobretudo preto. E estava meio que ziguezagueando pela calçada, e então esbarrei nele acidentalmente. Ele disse: "Por que você não pode olhar para onde está indo?". Eu disse: "Você acha que comprou o asfalto?". Ele disse: "Eu vou torcer sua maldita cabeça". Eu disse: "Você está bêbado. Eu vou chamar a polícia". E o senhor não vai acreditar, o sujeitinho pôs as mãos no meu peito e me deu um empurrão tão forte que por pouco não vou parar debaixo de um ônibus. Bem, eu era jovem naqueles dias, e ia dar um murro nele, se...

Uma sensação de impotência tomou conta de Winston. A memória do velho não passava de um monte de lixo de detalhes. Podia-se questioná-lo o dia todo sem obter nenhuma informação real. As histórias do Partido ainda podiam ser verdadeiras, de certa forma; elas podiam até ser completamente verdadeiros. Ele fez uma última tentativa.

— Talvez eu não tenha sido claro — disse ele. — O que estou tentando dizer é o seguinte: Você está vivo há muito tempo; viveu metade de sua vida antes da Revolução. Em 1925, por exemplo, você já era adulto. Você diria que a vida em 1925 era melhor do que é agora, ou pior? Se você pudesse escolher, você preferiria viver naquela época ou agora?

O velho olhou pensativo para o jogo de dardos. Ele terminou sua cerveja, mais lentamente do que antes. Quando falou, foi com um ar tolerante e filosófico, como se a cerveja o tivesse suavizado.

---

3. Tradicional regata de remo disputada no rio Tâmisa, em Londres, entre equipes representando as universidades de Cambridge e Oxford.

— Eu sei o que você espera que eu diga — disse ele. — Você espera que eu diga que prefiro ser jovem de novo. A maioria das pessoas diria que preferiria ser jovem, se você as acusasse. Você tem sua saúde e força quando é jovem. Quando chega na minha idade, a pessoa está sempre com algum problema. Eu tenho dor nos meus pés, e minha bexiga é terrível. Tenho de levantar seis, sete vezes à noite. Por outro lado, ficar velho tem muita vantagem. A gente não se preocupa tanto. Não quer mais saber de mulher, e isso é maravilhoso. Acredite se quiser, mas faz quase trinta anos que não tenho mulher. E nem quero ter, sabia? A verdade é essa.

Winston recostou-se no parapeito da janela. Não adiantava continuar. Ele estava prestes a comprar mais cerveja quando o velho de repente se levantou e se arrastou rapidamente para o mictório fedorento. O meio litro extra já estava trabalhando nele. Winston ficou sentado por um minuto ou dois olhando para o copo vazio e mal percebeu quando seus pés o levaram novamente para a rua. Dentro de vinte anos, no máximo, refletiu ele, a enorme e simples pergunta: "A vida era melhor antes da Revolução do que agora?", deixaria de uma vez por todas de ser respondível. Mas, na verdade, era irrespondível mesmo agora, já que os poucos sobreviventes dispersos do mundo antigo eram incapazes de comparar uma época com outra. Eles se lembraram de um milhão de coisas inúteis, uma briga com um colega de trabalho, uma busca por uma bomba de bicicleta perdida, a expressão no rosto de uma irmã morta há muito tempo, os redemoinhos de poeira em uma manhã ventosa há setenta anos; mas todos os fatos relevantes estavam fora do alcance de sua visão. Eles eram como a formiga, que pode ver objetos pequenos, mas não grandes. E quando a memória falhava e os registros escritos eram falsificados — quando isso acontecia, a alegação do Partido de ter melhorado as condições de vida humana era aceita, porque não existia, e nunca mais poderia existir, qualquer parâmetro para confrontar o que o Partido dizia.

Nesse momento, sua linha de pensamento parou abruptamente. Ele parou e olhou para cima. Ele estava em uma rua estreita, com algumas lojinhas escuras intercaladas entre casas. Imediatamente acima de sua cabeça, pendiam três bolas de metal descoloridas que pareciam ter sido douradas. Ele parecia conhecer o lugar. É claro! Ele estava do lado de fora da loja de sucata onde comprara o diário.

Uma pontada de medo passou por ele. Tinha sido um ato suficientemente temerário comprar o livro no começo, e ele jurou nunca mais se aproximar do lugar. E, no entanto, no instante em que ele permitiu que seus pensamentos vagassem, seus pés o trouxeram de volta ali por vontade própria. Era precisamente contra impulsos suicidas desse tipo que ele esperava se proteger escrevendo o diário. Ao mesmo tempo, notou que, embora fossem quase vinte e uma horas, a loja ainda estava aberta. Com a sensação de que seria menos visível por dentro do que parado na calçada, ele passou pela porta. Se questionado, ele poderia dizer plausivelmente que estava tentando comprar lâminas de barbear.

O proprietário tinha acabado de acender uma lamparina pendurada que exalava um cheiro impuro, mas amigável. Era um homem de talvez sessenta anos, frágil e curvado, com um nariz comprido e benevolente e olhos suaves distorcidos por óculos grossos. Seu cabelo era quase branco, mas suas sobrancelhas eram espessas e ainda pretas. Seus óculos, seus movimentos delicados e agitados e o fato de estar vestindo uma velha jaqueta de veludo preto davam-lhe um vago ar de intelectualidade, como se ele fosse algum tipo de literato, ou talvez um músico. Sua voz era suave, como que desbotada, e seu sotaque menos degradado que o da maioria dos proletas.

— Reconheci você na calçada — disse ele imediatamente. — Você é o cavalheiro que comprou o álbum de lembranças da jovem. Era um belo pedaço de papel. Creme, como costumava ser chamado. Não fazem papel assim há cinquenta anos.

Ele olhou para Winston por cima dos óculos. — Há algo especial que eu possa fazer por você? Ou você só quer dar uma olhada?

— Eu estava passando — disse Winston vagamente. — Acabei de olhar. Não quero nada em particular.

— Ainda bem — disse o outro —, porque acho que não poderia tê-lo satisfeito. Ele fez um gesto de desculpas com a mão. — Você vê como é; uma loja vazia, você poderia dizer. Cá entre nós, o comércio de antiguidades está quase no fim. Não há mais demanda, nem estoque. Móveis, porcelanas, vidros — acabou a procura, e o estoque também chegou ao fim. E é claro que a maioria das coisas de metal foi derretida. Não vejo um castiçal de latão há anos.

O interior minúsculo da loja estava de fato desconfortavelmente cheio, mas não havia quase nada nele de algum valor. O espaço no chão era muito restrito, porque ao redor das paredes estavam empilhados inúmeros porta-retratos empoeirados. Na vitrine havia bandejas de porcas e parafusos, cinzéis gastos, canivetes com lâminas quebradas, relógios embaçados que nem fingiam estar em ordem e outras porcarias diversas. Em uma pequena mesa no canto havia um monte de bugigangas — caixas de rapé laqueadas, broches de ágata e coisas do gênero — que pareciam incluir algo interessante. Enquanto Winston caminhava em direção à mesa, seus olhos foram atraídos por uma coisa redonda e lisa que brilhava suavemente à luz do lampião, e ele a pegou.

Era um pedaço de vidro pesado, curvado de um lado, achatado do outro, formando quase um hemisfério. Havia uma suavidade peculiar, como da água da chuva, tanto na cor quanto na textura do vidro. No centro, ampliado pela superfície curva, havia um objeto estranho, cor-de-rosa, retorcido, que lembrava uma rosa ou uma anêmona-do-mar.

— O que é isso? — perguntou Winston, fascinado.

— Isso é um coral — disse o velho. — Deve ter vindo do Oceano Índico. Costumavam encaixá-lo no vidro. Isso não foi feito há menos de cem anos. Pelo aspecto, deve ter até mais.

— É uma coisa linda — disse Winston.

— É uma coisa linda — disse o outro. — Mas não há muitos que diriam isso hoje em dia — ele tossiu. — Agora, se você quisesse comprá-lo, isso lhe custaria quatro dólares. Lembro-me de quando uma coisa dessas custaria oito libras, e oito libras eram... bem, não consigo lembrar, mas era muito dinheiro. Mas quem se importa com antiguidades genuínas hoje em dia, mesmo as poucas que restam?

Winston imediatamente pagou os quatro dólares e enfiou a cobiçada coisa no bolso. O que o atraía não era tanto sua beleza, mas o ar que parecia possuir de pertencer a uma época bem diferente da atual. O vidro delicado e com bolhas que pareciam gotas de chuva, não era como nenhum vidro que ele já tinha visto. A coisa era duplamente atraente por causa de sua aparente inutilidade, embora ele pudesse imaginar que deve ter sido uma vez concebido como um peso de papel. Era muito pesado no bolso, mas felizmente não fazia muito volume. Era uma coisa estranha, até mesmo uma coisa comprometedora, para um membro do Partido ter em sua posse. Qualquer coisa velha, e aliás qualquer coisa bonita, sempre era vagamente suspeita. O velho ficou visivelmente mais alegre depois de receber os quatro dólares.

— Tem um quarto no andar de cima que você pode dar uma olhada — disse ele. — Não há muito nele. Apenas algumas peças. Mas, se formos subir, vamos precisar de luz.

Acendeu outra lamparina e, com as costas curvadas, subiu lentamente as escadas íngremes e gastas para uma passagem minúscula, até um quarto que não dava para a rua, mas dava para um pátio de paralelepípedos e uma floresta de coifas de chaminés. Winston notou que a mobília ainda estava arrumada como se o cômodo fosse para ser habitado. Havia uma tira de carpete no chão, um ou dois quadros nas paredes e uma poltrona funda e desleixada junto à lareira. Um relógio de vidro antiquado com um mostrador de doze horas estava tiquetaqueando na lareira. Sob a janela, e ocupando quase um quarto do quarto, havia uma cama enorme com o colchão ainda sobre ela.

— Nós moramos aqui até minha esposa morrer — disse o velho meio se desculpando. — Estou vendendo a mobília aos poucos. Essa é uma bela cama de mogno, ou pelo menos seria se você pudesse tirar os insetos dela. Mas ouso dizer que você acharia um pouco incômoda.

Ele estava segurando a lamparina no alto, de modo a iluminar todo o quarto, e na luz quente e fraca o lugar parecia curiosamente convidativo. Passou pela mente de Winston o pensamento de que provavelmente seria muito fácil alugar o quarto por alguns dólares por semana, se ele se atrevesse a correr o risco. Era uma ideia louca e impossível, a ser abandonada assim que se pensava; mas o quarto despertara nele uma espécie de nostalgia, uma espécie de memória ancestral. Parecia-lhe que sabia exatamente como era sentar-se em um quarto como este, em uma poltrona ao lado de uma lareira e uma chaleira no fogão, totalmente sozinho, totalmente seguro, sem ninguém observando você, nenhuma voz perseguindo você, nenhum som exceto o canto da chaleira e o tique-taque amigável do relógio.

— Não há teletela! — ele não pôde deixar de murmurar.

— Ah — disse o velho —, eu nunca tive uma dessas coisas. Muito cara. E eu nunca senti a necessidade disso, de alguma forma. Agora essa é uma bela mesa de abas ali no canto. Mas o senhor teria que trocar as dobradiças se pretendesse usar as abas.

Havia uma pequena estante no outro canto, e Winston já havia gravitado em direção a ela. Não continha nada além de lixo. A caça e a destruição de livros foram feitas com a mesma meticulosidade nos bairros proletas que em qualquer outro lugar. Era muito improvável que existisse em algum lugar da Oceania uma cópia de um livro impresso antes de 1960. O velho, ainda carregando a lâmpada, estava parado diante de um quadro em uma moldura de jacarandá pendurado do outro lado da lareira, em frente à cama.

— Agora, se acontecer de você se interessar por gravuras antigas — ele começou delicadamente.

Winston se aproximou para examinar o quadro. Era uma gravura em aço de um edifício oval com janelas retangulares e uma pequena torre na frente. Havia uma grade ao redor do prédio, e na extremidade traseira havia o que parecia ser uma estátua. Winston o contemplou por alguns momentos. Parecia vagamente familiar, embora ele não se lembrasse da estátua.

— A moldura está fixada na parede — disse o velho —, mas eu poderia desparafusá-la para você, ouso dizer.

— Eu conheço aquele prédio — disse Winston finalmente. — É uma ruína agora. Fica no meio da rua do lado de fora do Palácio da Justiça.

— Isso mesmo. Fora dos tribunais. Foi bombardeado em... oh, muitos anos atrás. Foi uma igreja uma vez São Clemente dos Dinamarqueses, era seu nome. Ele sorriu apologeticamente, como se estivesse ciente de dizer algo um pouco ridículo, e acrescentou: *Laranjas e limões sem sementes, dizem os sinos de São Clemente!*

— O que é isso? — perguntou Winston.

— Ah... *Laranjas e limões sem sementes, dizem os sinos de São Clemente*. Essa era uma rima de quando eu era um garotinho. Como continua eu não me lembro, mas sei que terminava assim: *Quando eu tiver dinheiro, dizem os sinos de Shoreditch sempre sorrateiros*. Era uma espécie de dança. As pessoas davam as mãos e ficavam com os braços levantados, formando uma espécie de túnel, e a gente passava embaixo, e quando cantavam: *Quando eu tiver dinheiro, dizem os sinos de Shoreditch sempre sorrateiros.* Era uma quadrinha só com nome de igrejas. De todas as igrejas de Londres — quer dizer, das principais.

    Winston se perguntou vagamente a que século a igreja pertencia. Sempre foi difícil determinar a idade de um edifício em Londres. Tudo que fosse grande e impressionante, se tivesse uma aparência nova, era automaticamente reivindicada como tendo sido construída posterior a Revolução, enquanto qualquer coisa que fosse obviamente de data anterior era atribuída a algum período obscuro chamado Idade Média. Acreditava-se que os séculos de capitalismo não produziram nada de valor. Não se podia aprender história da arquitetura mais do que se podia aprender dos livros. Estátuas, inscrições, pedras memoriais, nomes de ruas — qualquer coisa que pudesse lançar luz sobre o passado havia sido sistematicamente alterada.

    — Eu nunca soube que esse edifício tinha sido uma igreja — disse ele.

    — Restaram muitos deles, realmente — disse o velho —, apesar de terem sido usados para outros fins. Agora, como era essa rima? Ah, já sei!

Laranjas e limões em sementes, dizem os sinos de São Clemente,
Você deve três vinténs para mim, dizem os sinos de São Martim...

    — Lembrei desse pedaço, mas do resto não me lembro. Um vintém era uma moedinha de cobre parecida com a de um centavo.

    — Onde era São Martim? — perguntou Winston.

    — São Martim? Isso ainda está de pé. Fica na Praça da Vitória, ao lado da galeria de fotos. Um prédio com uma espécie de alpendre triangular e pilares na frente, e um grande lance de escadas.

    Winston conhecia bem o lugar. Era um museu usado para exibições de propaganda de vários tipos — maquetes em escala de bombas-foguetes e Fortalezas Flutuantes, quadros de cera ilustrando atrocidades inimigas e coisas do gênero.

    — A São Martim dos Campos, costumava ser chamada assim — complementou o velho — embora eu não me lembre de nenhum campo nessas partes.

    Winston não comprou a foto. Teria sido uma posse ainda mais incongruente do que o peso de papel de vidro e impossível de levar para casa, a menos que fosse retirado de sua moldura. Mas ele ficou mais alguns minutos conversando com o velho, cujo nome, ele descobriu, não era Weeks — como se poderia ter percebido pela inscrição na fachada da loja —, mas Charrington. Sr. Charrington, ao que parecia, era um viúvo de sessenta e três anos e morava nesta loja há trinta anos. Durante todo esse tempo ele pretendia alterar o nome sobre a janela, mas nunca chegou ao ponto de fazê-lo. Enquanto falavam, a rima meio lembrada não parava de passar pela cabeça de Winston: *Laranjas e limões sem sementes, diziam os sinos*

de São Clemente... Você deve três vinténs para mim, dizem os sinos de São Martim!
Era curioso, mas quando você dizia isso para si mesmo tinha a ilusão de realmente ouvir sinos, os sinos de uma Londres perdida que ainda existia em algum lugar, disfarçada e esquecida. De um campanário fantasmagórico após o outro, ele parecia ouvi-los ressoar. No entanto, até onde ele conseguia se lembrar, nunca na vida real ouvira sinos de igreja tocando.

Afastou-se do Sr. Charrington e desceu as escadas sozinho, para não deixar que o velho o visse fazendo o reconhecimento da rua antes de sair pela porta. Ele já havia decidido que depois de um intervalo adequado — um mês, digamos —, correria o risco de visitar a loja novamente. Talvez não fosse mais perigoso do que fugir de uma noite no Centro. A grande insensatez foi voltar aqui, em primeiro lugar, depois de comprar o diário e sem saber se o dono da loja era confiável.

Sim, ele pensou novamente, ele voltaria. Ele compraria mais pedaços de lixo bonito. Compraria a gravura do dinamarquês de São Clemente, que tiraria da moldura e levaria para casa escondida sob o paletó do macacão. Ele arrastaria o resto daquela rima da memória do Sr. Charrington. Até mesmo o projeto lunático de alugar o quarto no andar de cima passou novamente por sua cabeça. Por talvez cinco segundos a exaltação o deixou descuidado, e ele saiu para a calçada sem sequer dar uma olhada preliminar pela janela. Ele até começou a cantarolar uma melodia improvisada...

Laranjas e limões sem sementes, dizem os sinos de São Clemente,
Você deve três vinténs para mim, dizem o...

De repente, seu coração parecia se transformar em gelo e suas entranhas em água. Uma figura de macacão azul descia pela calçada, a menos de dez metros de distância. Era a garota do Departamento de Ficção, a garota de cabelo escuro. A luz estava diminuindo, mas não houve dificuldade em reconhecê-la. Ela o fitou diretamente no rosto, depois caminhou rapidamente como se não o tivesse visto.

Por alguns segundos, Winston ficou paralisado demais para se mexer. Então ele virou para a direita e afastou-se pesadamente, sem perceber no momento que estava indo na direção errada. De qualquer forma, uma questão foi resolvida. Não havia mais dúvidas de que a garota o estava espionando. Ela deve tê-lo seguido até aqui, porque não era crível que por puro acaso ela estivesse caminhando na mesma noite pela mesma rua obscura, a quilômetros de distância de qualquer bairro onde os membros do Partido morassem. Foi uma coincidência muito grande. Se ela era realmente uma agente da Polícia do Pensamento, ou simplesmente uma espiã amadora, pouco importava. Era o suficiente que ela o observasse. Provavelmente ela o viu entrar no bar também.

Foi um esforço caminhar. O pedaço de vidro em seu bolso batia contra sua coxa a cada passo, e ele estava meio decidido a tirá-lo e jogá-lo fora. O pior era a dor na barriga. Por alguns minutos teve a sensação de que morreria se não chegasse logo ao banheiro. Mas não haveria banheiros públicos em um bairro como este. Então o espasmo passou, deixando uma dor aguda para trás.

A rua era um beco sem saída. Winston parou, ficou alguns segundos pensando vagamente no que fazer, então se virou e começou a refazer seus passos. Ao se virar, ocorreu-lhe que a garota havia passado por ele há apenas três minutos e que, correndo, ele provavelmente poderia alcançá-la. Ele poderia seguir seu rastro até que estivessem em algum lugar tranquilo, e então esmagar seu crânio com um paralelepípedo. O pedaço de vidro em seu bolso seria pesado o suficiente para o trabalho. Mas ele abandonou a ideia imediatamente, porque até mesmo a ideia de fazer qualquer esforço físico era insuportável. Ele não podia correr, ele não podia dar um golpe. Além disso, ela era jovem e extravagante e se defenderia. Pensou também em correr para o Centro Comunitário e ficar lá até o fechamento do local, para estabelecer um álibi parcial para a noite. Mas isso também era impossível. Uma lassidão mortal tomou conta dele. Tudo o que queria era chegar em casa rapidamente e depois sentar e ficar quieto.

Passava das vinte e duas horas quando voltou ao apartamento. As luzes seriam apagadas na rede principal às vinte e três e trinta. Ele foi até a cozinha e engoliu quase uma xícara de gim Vitória. Depois foi até a mesa na alcova, sentou-se e tirou o diário da gaveta. Mas ele não o abriu imediatamente. Da teletela, uma voz feminina atrevida berrava uma canção patriótica. Ele ficou sentado olhando para a capa marmorizada do livro, tentando sem sucesso tirar a voz de sua consciência.

Era à noite que eles vinham atrás de você, sempre à noite. O correto era se matar antes que eles o pegassem. Sem dúvida, algumas pessoas fizeram isso. Muitos dos desaparecimentos foram na verdade suicídios. Mas era preciso uma coragem desesperada para se matar em um mundo onde armas de fogo, ou qualquer veneno rápido e certo, eram completamente inalcançáveis. Ele pensou com uma espécie de espanto na inutilidade biológica da dor e do medo, na traição do corpo humano que sempre congela na inércia exatamente no momento em que é necessário um esforço especial. Ele poderia ter silenciado a garota de cabelos escuros se tivesse agido rápido o suficiente; mas precisamente por causa do extremo perigo, ele havia perdido o poder de agir. Ocorreu-lhe que em momentos de crise nunca se está lutando contra um inimigo externo, mas sempre contra o próprio corpo. Mesmo agora, a despeito do gim, a dor aguda em sua barriga tornava impossível o pensamento consecutivo. E é o mesmo, ele percebeu, em todas as situações aparentemente heroicas ou trágicas. No campo de batalha, na câmara de tortura, em um navio afundando, as questões pelas quais você está lutando são sempre esquecidas, porque o corpo incha até encher o universo, e mesmo quando você não está paralisado de medo ou gritando de dor, a vida é uma luta de momento a momento contra a fome, o frio ou a insônia, contra um estômago revirado ou um dente dolorido.

Ele abriu o diário. Era importante escrever algo. A mulher na teletela havia começado uma nova música. A voz dela parecia grudar no cérebro dele como estilhaços de vidro. Ele tentou pensar em O'Brien, por quem, ou para quem, o diário estava sendo escrito, mas em vez disso começou a pensar nas coisas que aconteceriam com ele depois que a Polícia do Pensamento o levasse. Não importaria se eles o matassem de uma vez. Ser morto era o que você esperava. Mas antes da morte (ninguém falava dessas coisas, mas todo mundo sabia delas) havia a rotina de confissão que tinha que ser cumprida: o rastejar no chão e gritar por misericórdia, o estalar de ossos quebrados, os dentes esmagados, ver os chumaços de cabelo ensanguentado. Por que você precisava suportar isso, já que o fim era sempre o mesmo? Por que não era possível cortar alguns dias ou semanas de sua vida? Ninguém nunca escapou da detecção, e ninguém nunca deixou de confessar. A partir do momento em que a pessoa sucumbia ao pensamento-crime, fatalmente estaria morta dali a determinado tempo. Por que então aquele horror — que não modificava nada — tinha de estar embutido no futuro?

Ele tentou com um pouco mais de sucesso do que antes evocar a imagem de O'Brien. "Vamos nos encontrar no lugar onde não há escuridão", O'Brien disse a ele. Ele sabia o que significava, ou achava que sabia. O lugar onde não há escuridão era o futuro imaginado, que nunca se veria, mas que, por presciência, se poderia compartilhar misticamente. Contudo, com a voz da teletela resmungando nos ouvidos, Winston não conseguia seguir em frente com o fio desse raciocínio. Ele colocou um cigarro na boca. Metade do tabaco caiu na sua língua, um pó amargo que era difícil de cuspir novamente. O rosto do Grande Irmão nadou em sua mente, substituindo o de O'Brien. Assim como fizera alguns dias antes, tirou uma moeda do bolso e a olhou. A efígie olhou para ele, com uma expressão pesada, calma, protetora, mas que tipo de sorriso estava escondido por trás do bigode escuro? Como um dobre de chumbo, as palavras voltaram para ele:

GUERRA É PAZ
LIBERDADE É ESCRAVIDÃO
IGNORÂNCIA É FORÇA

Parte 2

I

Era o meio da manhã e Winston havia saído de seu cubículo para ir ao banheiro.

Uma figura solitária vinha em sua direção do outro lado do corredor comprido e muito iluminado. Era a garota de cabelo escuro. Quatro dias se passaram desde a noite em que ele a encontrou do lado de fora da loja de sucata. Quando ela se aproximou, ele viu que seu braço direito estava em uma tipoia, não perceptível à distância porque era da mesma cor do macacão. Provavelmente ela havia esmagado a mão enquanto girava em torno de um dos grandes caleidoscópios nos quais os enredos dos romances eram "delineados". Foi um acidente comum no Departamento de Ficção.

Eles estavam talvez a quatro metros de distância quando a garota tropeçou e caiu quase de cara no chão. Um grito agudo de dor foi arrancado dela. Ela deve ter caído bem no braço ferido. Winston parou. A garota ficou de joelhos. Seu rosto adquirira uma cor amarela leitosa, contra a qual sua boca se destacava mais vermelha do que nunca. Os olhos dela estavam fixos nos dele, com uma expressão atraente que parecia mais medo do que dor.

Uma curiosa emoção se agitou no coração de Winston. Na frente dele estava uma inimiga que pretendia matá-lo; na frente dele, também, estava uma criatura humana, com dor e talvez com um osso quebrado. Ele já tinha instintivamente se adiantado para ajudá-la. No momento em que a viu cair sobre o braço enfaixado, foi como se sentisse a dor em seu próprio corpo.

— Você está ferida? — ele perguntou.

— Não é nada. Meu braço. Vai ficar tudo bem em um segundo.

Ela falou como se seu coração estivesse palpitando. Ela certamente ficou muito pálida.

— Você não quebrou nada?

— Não, estou bem. Doeu por um momento, só isso.

Ela estendeu a mão livre para ele, e ele a ajudou a se levantar. Ela havia recuperado um pouco de sua cor e parecia muito melhor.

— Não é nada — ela repetiu brevemente. — Eu só dei um pequeno golpe no meu pulso. Obrigada, camarada!

E com isso ela caminhou na direção em que estava indo, tão rapidamente como se realmente não fosse nada. Todo o incidente não poderia ter levado nem meio minuto. Não deixar os sentimentos transparecerem no rosto era um hábito que adquirira o status de instinto e, de qualquer forma, eles estavam de pé diante de uma teletela quando a coisa aconteceu. No entanto, fora muito difícil não trair uma surpresa momentânea, pois nos dois ou três segundos em que ele a ajudava a se levantar, a garota enfiara algo em sua mão. Não havia dúvida de que ela tinha feito isso intencionalmente. Era algo pequeno e plano. Ao passar pela porta do banheiro, ele transferiu-o para o bolso e o apalpou com as pontas dos dedos. Era um pedaço de papel dobrado em um quadrado.

Enquanto estava no mictório, conseguiu desdobrá-lo. Obviamente devia haver uma mensagem de algum tipo escrita nele. Por um momento, sentiu-se tentado a levá-lo para um dos sanitários e lê-lo imediatamente. Mas isso seria uma loucura, como ele bem sabia. Não havia lugar onde se pudesse ter mais certeza de que as teletelas eram observadas continuamente.

Ele voltou para seu cubículo, sentou-se, jogou o pedaço de papel casualmente entre os outros papéis sobre a mesa, colocou os óculos e puxou o transcritor em sua direção. "Cinco minutos", disse a si mesmo, "cinco minutos no mínimo!" Seu coração batia em seu peito com uma intensidade assustadora. Felizmente, o trabalho em que estava envolvido era mera rotina, a retificação de uma longa lista de números, não necessitando de muita atenção.

O que quer que estivesse escrito no papel, deveria ter algum tipo de significado político. Até onde ele podia ver, havia duas possibilidades. Uma, muito mais provável, era que a garota fosse uma agente da Polícia do Pensamento, exatamente como ele temia. Ele não sabia por que a Polícia do Pensamento deveria escolher entregar suas mensagens dessa maneira, mas talvez eles tivessem seus motivos. A coisa que estava escrita no papel podia ser uma ameaça, uma intimação, uma ordem de suicídio, uma armadilha de algum tipo. Mas havia outra possibilidade, mais selvagem, que continuava atormentando a cabeça, embora ele tentasse em vão suprimi-la. Isto é, que a mensagem não vinha da Polícia do Pensamento, mas de algum tipo de organização clandestina. Talvez a Irmandade existisse, afinal! Talvez a garota fizesse parte disso! Sem dúvida, a ideia era absurda, mas surgiu em sua mente no exato instante em que sentiu o pedaço de papel em sua mão. Só alguns minutos depois é que a outra explicação mais provável lhe ocorreu. E mesmo agora, embora seu intelecto lhe dissesse que a mensagem provavelmente significava morte — ainda assim, não era nisso que ele acreditava, e a esperança irracional persistia, e seu coração batia forte, e foi com dificuldade que ele impediu que sua voz tremesse enquanto ele murmurou seus números no transcritor.

Ele enrolou o pacote completo de trabalho e o deslizou para dentro do tubo pneumático. Oito minutos se passaram. Ele reajustou os óculos no nariz, suspirou e puxou o próximo lote de trabalho para si, com o pedaço de papel em cima. Ele alisou o papel. Nele estava escrito, em uma caligrafia grande:

Eu te amo.

Por vários segundos ele ficou atordoado demais até mesmo para jogar a coisa incriminadora no buraco da memória. Quando o fez, embora conhecesse muito bem o perigo de demonstrar interesse demais, não resistiu a lê-lo mais uma vez, apenas para ter certeza de que as palavras estavam realmente ali.

Durante o resto da manhã foi muito difícil trabalhar. O que era ainda pior do que ter que concentrar sua mente em uma série de trabalhos mesquinhos era a necessidade de esconder sua agitação da teletela. Ele sentiu como se um fogo estivesse queimando em sua barriga. O almoço na cantina quente, lotada e barulhenta era um tormento. Ele esperava ficar sozinho por um tempo durante a hora do almoço, mas, por azar, o imbecil Parsons se jogou ao lado dele, o cheiro de seu suor quase derrotando o cheiro de guisado, e continuou falando sobre os preparativos para a Semana do Ódio. Ele estava particularmente entusiasmado com um modelo de papel machê da cabeça do Grande Irmão, com dois metros de largura, que estava sendo feito para a ocasião pela tropa de espiões de sua filha. O irritante era que, na algazarra de vozes, Winston mal podia ouvir o que Parsons estava dizendo, e estava constantemente tendo que pedir que algum comentário tolo fosse repetido. Apenas uma vez ele viu a garota, em uma mesa com duas outras garotas no outro lado da sala. Ela parecia não o ter visto, e ele não olhou naquela direção novamente.

A tarde foi mais suportável. Imediatamente após o almoço, chegou um trabalho delicado e difícil que levaria várias horas e exigia deixar todo o resto de lado. Consistia em falsificar uma série de relatórios de produção de dois anos atrás, de modo a desacreditar um membro proeminente do Partido Interno que naquele momento pairavam nuvens. Esse era o tipo de coisa em que Winston era bom, e por mais de duas horas ele conseguiu tirar a garota de sua mente completamente. Então a memória de seu rosto voltou, e com ela um desejo furioso e intolerável de ficar sozinho. Até que ele pudesse ficar sozinho, era impossível pensar nessa novidade. Esta noite era uma de suas noites no Centro Comunitário. Ele devorou outra refeição insípida na cantina, correu para o Centro, participou de um pretensioso "grupo de discussão", jogou duas partidas de pingue-pongue, engoliu vários copos de gim e passou meia hora sentado ouvindo uma palestra intitulada "O Socing e o jogo de xadrez". Sua alma se contorcia de tédio, mas dessa vez não teve vontade de esquivar-se da noite no Centro.

A visão das palavras "eu te amo" e o desejo de permanecer vivo brotou nele, e correr riscos menores de repente parecia estúpido. Só depois das onze da noite, quando ele estava em casa e na cama — na escuridão, onde você estava a salvo mesmo da teletela, desde que ficasse em silêncio — que ele foi capaz de pensar continuamente.

Era um problema físico que precisava ser resolvido: como entrar em contato com a garota e marcar um encontro? Ele não considerou mais a possibilidade de que ela pudesse estar preparando algum tipo de armadilha para ele. Ele sabia que não era assim, por causa de sua inconfundível agitação quando ela lhe entregou o bilhete. Obviamente, ela tinha ficado assustada, e tinha motivos para isso. Nem a ideia de recusar seus avanços sequer passou pela cabeça dele. Apenas cinco noites atrás, ele havia pensado em esmagar o crânio dela com um paralelepípedo; mas isso não tinha importância. Ele pensou em seu corpo nu e jovem, como o tinha visto em seu sonho. Ele a imaginara uma tola como todas as outras, a cabeça cheia de mentiras e ódio, a barriga cheia de gelo. Uma espécie de febre tomou conta dele ao pensar que poderia perdê-la, que o corpo jovem e branco poderia escapar dele! O que ele temia mais do que qualquer outra coisa era que ela simplesmente mudasse de ideia se ele não entrasse em contato com ela rapidamente. Mas a dificuldade física do encontro era enorme. Era como tentar fazer uma jogada no xadrez quando já era certo que você ia levar o xeque-mate. Para qualquer lado que você virasse, a teletela estava de frente para você. Na verdade, todas as maneiras possíveis de se comunicar com ela ocorreram a ele cinco minutos depois de ler o bilhete; mas agora, com tempo para pensar, examinou-os um a um, como se dispusesse uma fileira de instrumentos sobre uma mesa.

Obviamente, o tipo de encontro que aconteceu esta manhã não poderia ser repetido. Se ela tivesse trabalhado no Departamento de Registros, poderia ter sido relativamente simples, mas ele tinha apenas uma vaga ideia de onde ficava o Departamento de Ficção, e não tinha pretexto para ir até lá. Se ele soubesse onde ela morava e a que horas ela saía do trabalho, poderia ter dado um jeito de encontrá-la em algum lugar a caminho de casa; mas tentar segui-la para casa não era seguro, porque significaria vagar por fora do Ministério, o que certamente seria notado. Quanto a enviar uma carta pelos correios, estava fora de questão. Por uma rotina que nem sequer era secreta, todas as cartas eram abertas em trânsito. Na verdade, poucas pessoas escreviam cartas. Para as mensagens que ocasionalmente foi necessário enviar, havia cartões-postais impressos com longas listas de frases, e você riscava as que eram inaplicáveis. De qualquer forma, ele não sabia o nome da garota, muito menos o endereço dela. Finalmente decidiu que o lugar mais seguro era a cantina. Se ele pudesse colocá-la em uma mesa sozinha, em algum lugar no meio da sala, não muito perto das teletelas, e com um zumbido suficiente de conversa por toda parte — se essas condições durassem, digamos, trinta segundos, talvez fosse possível trocar algumas palavras.

Por uma semana depois disso, a vida era como um sonho inquieto. No dia seguinte ela não apareceu na cantina até ele sair, o apito já tinha soado. Presumivelmente, ela havia sido trocada para um turno posterior. Um dia depois ela estava na cantina à hora habitual, mas acompanhada de três outras garotas e bem em frente a uma teletela. Em seguida, por três dias terríveis, ela não apareceu. Toda a sua mente e corpo pareciam afligidos por uma sensibilidade insuportável, uma espécie de transparência, que tornava cada movimento, cada som, cada contato, cada palavra que ele tinha que falar ou ouvir, uma agonia. Mesmo dormindo, ele não conseguia escapar completamente de sua imagem. Ele não tocou no diário durante esses dias. Se houve algum alívio, foi em seu trabalho, em que às vezes podia esquecer-se de si mesmo por dez minutos seguidos. Ele não tinha absolutamente nenhuma pista sobre o que tinha acontecido com ela. Não havia nenhuma investigação que ele pudesse fazer. Ela podia ter sido pulverizada, podia ter cometido suicídio, podia ter sido transferida para o outro lado da Oceania — o pior e mais provável de tudo, ela podia simplesmente ter mudado de ideia e decidido evitá-lo.

No dia seguinte ela reapareceu. Seu braço estava fora da tipoia e ela tinha uma faixa de esparadrapo em volta do pulso. O alívio de vê-la foi tão grande que ele não resistiu a olhar diretamente para ela por vários segundos. No outro dia, ele quase conseguiu falar com ela. Quando ele entrou na cantina, ele a notou sentada em uma mesa bem afastada da parede, completamente sozinha. Era cedo e o lugar não estava muito cheio. A fila avançou até que Winston estivesse quase no balcão, depois ficou parada por dois minutos porque alguém na frente estava reclamando que ele não havia recebido seu tablete de sacarina. Mas a garota ainda estava sozinha quando Winston pegou sua bandeja e começou a se dirigir para a mesa dela. Ele caminhou casualmente em direção a ela, seus olhos procurando um lugar em alguma mesa além dela. Ela estava talvez a três metros dele. Mais dois segundos bastaria. Então uma voz atrás dele chamou: "Smith!" Ele fingiu não ouvir. "Smith!", repetiu a voz, mais alto. Não adiantou. Ele se virou. Um jovem loiro e com cara de bobo chamado Wilsher, que ele mal conhecia, o convidava com um sorriso para um lugar vago em sua mesa. Não era seguro recusar. Depois de ser reconhecido, não podia ir sentar-se à mesa com uma moça desacompanhada. Era perceptível demais. Sentou-se com um sorriso amigável. O rosto loiro bobo se iluminou com o dele. Winston teve uma visão delirante dele próprio cravando uma picareta bem no meio daquele rosto. A mesa da garota foi toda ocupada minutos depois.

Mas ela deve tê-lo visto vindo em sua direção, e talvez entendido a dica. No dia seguinte ele teve o cuidado de chegar cedo. Com certeza, ela estava em uma mesa no mesmo lugar, e novamente sozinha. A pessoa imediatamente à sua frente na fila era um homem pequeno, que se movia rapidamente, parecido com um besouro, com um rosto chato e olhos minúsculos e desconfiados. Quando Winston se afastou do balcão com sua bandeja, viu que o homenzinho estava indo direto para a mesa da garota. Suas esperanças afundaram novamente. Havia um lugar vago em uma mesa mais distante, mas algo na aparência do homenzinho sugeria que ele estaria suficientemente atento ao seu próprio conforto para escolher a mesa mais vazia. Com gelo no coração, Winston o seguiu. Era infantil, a menos que ele pudesse pegar a garota sozinha. Nesse momento houve um tremendo estrondo. O homenzinho estava esparramado de quatro, sua bandeja tinha voado, dois fluxos de sopa e café escorriam pelo chão. Ele se pôs de pé com um olhar maligno para Winston, a quem evidentemente suspeitava de tê-lo feito tropeçar. Mas estava tudo bem. Cinco segundos depois, com o coração disparado, Winston estava sentado à mesa da garota.

Ele não olhou para ela. Retirou os alimentos da sua bandeja e imediatamente começou a comer. Era muito importante falar imediatamente, antes que qualquer outra pessoa viesse, mas agora um medo terrível tomou conta dele. Uma semana se passou desde que ela se aproximou pela primeira vez. Ela teria mudado de ideia, ela deve ter mudado de ideia! Era impossível que este caso terminasse com sucesso; essas coisas não aconteciam na vida real. Ele poderia ter se esquivado completamente de falar se naquele momento não tivesse visto Ampleforth, o poeta de orelhas peludas, vagando frouxamente pela sala com uma bandeja, procurando um lugar para se sentar. À sua maneira vaga, Ampleforth era apegado a Winston e certamente se sentaria à sua mesa se o visse. Talvez houvesse um minuto para agir. Tanto Winston quanto a garota comiam sem parar. A coisa que eles estavam comendo era um ensopado fino, na verdade uma sopa, de feijão. Num murmúrio baixo, Winston começou a falar. Nenhum deles olhou para cima; com firmeza, enfiavam a água na boca e, entre colheradas, trocavam as poucas palavras necessárias em vozes baixas e inexpressivas.

— A que horas você sai do trabalho?

— Dezoito e trinta.

— Onde podemos nos encontrar?

— Praça da Vitória, perto do monumento.

— Está cheio de teletelas.

— Não importa se há uma multidão.
— Algum sinal?
— Não. Não venha até mim até que você me veja entre um monte de gente. E não olhe para mim. Apenas fique em algum lugar perto de mim.
— Que horas?
— Dezenove horas.
— Tudo bem.

Ampleforth não viu Winston e sentou-se em outra mesa. A garota terminou seu almoço rapidamente e foi embora, enquanto Winston ficou para fumar um cigarro. Não voltaram a falar e, na medida do possível para duas pessoas sentadas em lados opostos da mesma mesa, não se olharam.

Winston estava na Praça da Vitória antes da hora marcada. Ele vagou pela base da enorme coluna canelada, no topo da qual a estátua do Grande Irmão olhava para o sul em direção aos céus onde ele havia derrotado os aviões eurasianos (alguns anos antes fora a aviação lestasiana) na Batalha da Faixa Aérea Um. Na rua em frente havia uma estátua de um homem a cavalo que supostamente representaria Oliver Cromwell. Cinco minutos depois da hora, a garota ainda não havia aparecido. Novamente o terrível medo se apoderou de Winston. Ela não vinha, tinha mudado de ideia! Ele caminhou lentamente até o lado norte da praça e teve uma espécie de prazer pálido ao identificar a igreja de São Martim cujos sinos, quando tinham sinos, badalavam "Você deve três vinténs para mim". Então ele viu a garota parada na base do monumento, lendo ou fingindo ler um cartaz que subia em espiral pela coluna. Não era seguro chegar perto dela até que mais algumas pessoas se acumulassem. Havia teletelas por todo o frontão. Mas neste momento houve um barulho de gritos e um zumbido de veículos pesados de algum lugar à esquerda. De repente, todos pareciam estar correndo pela praça. A garota contornou agilmente os leões na base do monumento e juntou-se à corrida. Winston a seguiu. Enquanto corria, deduziu de alguns gritos que um comboio de prisioneiros eurasianos estava passando.

Uma densa massa de pessoas bloqueava o lado sul da praça. Winston, normalmente o tipo de homem que gravitava no limite externo de qualquer tipo de tumulto, distribuiu cotoveladas, enfiou-se e espremeu-se entre os corpos até chegar ao centro da multidão. Quando ele estava a um braço de distância da garota, o caminho foi bloqueado por um enorme proleta e uma mulher quase igualmente enorme, presumivelmente sua esposa, que parecia formar uma parede impenetrável de carne. Winston se contorceu para o lado e, com uma estocada violenta, conseguiu enfiar o ombro entre eles. Por um momento, parecia que suas entranhas estavam sendo esmagadas entre os dois quadris musculosos, então ele rompeu, suando um pouco. Ele estava ao lado da garota. Eles estavam ombro a ombro, ambos olhando fixamente na frente.

Uma longa fila de caminhões, com guardas de expressão insensível armados com metralhadoras em pé em cada esquina, passava lentamente pela rua. Nos caminhões, homenzinhos amarelos com uniformes esverdeados e surrados estavam agachados, amontoados. Seus tristes rostos mongóis olhavam para as laterais dos caminhões, totalmente indiferentes. Ocasionalmente, quando um caminhão sacudia, ouvia-se um tinido de metal: todos os prisioneiros usavam grilhões nas pernas. Caminhão após caminhão passavam lotados com rostos tristes. Winston sabia que eles estavam ali, mas só os via intermitentemente. O ombro da garota e seu braço até o cotovelo estavam pressionados contra o dele. A bochecha dela estava quase perto o suficiente para ele sentir seu calor. Ela imediatamente assumiu o controle da situação, assim como havia feito na cantina. Começou a falar com a mesma voz inexpressiva de antes, mal movendo os lábios, em um sussurro afogado pelo barulho das vozes e dos caminhões.

— Você pode me ouvir?
— Sim.
— Você tem folga no domingo à tarde?
— Sim.
— Então ouça com atenção. Você vai ter que se lembrar disso. Vá para a Estação Paddington...

Com uma espécie de precisão militar que o surpreendeu, ela delineou o caminho que ele deveria seguir. Uma viagem de trem de meia hora; vire à esquerda fora da estação; dois quilômetros ao longo da estrada; um portão sem a barra superior; um caminho através de um campo; uma pista gramada; uma trilha entre arbustos; uma árvore morta coberta com musgo. Era como se ela tivesse um mapa dentro de sua cabeça.

— Você consegue se lembrar de tudo isso? — ela murmurou finalmente.
— Sim.
— Você vira à esquerda, depois à direita, depois à esquerda novamente. E o portão não tem barra superior.
— Sim. Que horas?
— Às quinze horas. Talvez você precise esperar. Eu vou chegar lá por outro caminho. Você tem certeza de que se lembra de tudo?
— Sim.
— Então se afaste de mim o mais rápido que puder.

Ela não precisava ter dito isso a ele. Mas, no momento, eles não conseguiam se desvencilhar da multidão. Os caminhões ainda passavam, as pessoas estavam ainda insaciavelmente boquiabertas. No início, houve algumas vaias e assobios, mas vieram apenas dos membros do Partido entre a multidão, e logo pararam. A emoção predominante era simplesmente curiosidade. Estrangeiros, fossem da Eurásia ou da Lestásia, eram uma espécie de animal estranho. Literalmente, ninguém os via, exceto sob o disfarce de prisioneiros, e mesmo como prisioneiros nunca se tinha mais do que um vislumbre momentâneo deles. Tampouco se sabia o que aconteceu com eles, além dos poucos que foram enforcados como criminosos de guerra; os outros simplesmente desapareceram, presumivelmente em campos de trabalhos forçados. Os rostos redondos dos mongóis deram lugar a rostos de tipo mais europeu, sujos, barbudos e exaustos. O comboio estava chegando ao fim. No último caminhão, ele viu um homem idoso, seu rosto era uma massa de cabelos grisalhos, de pé com os pulsos cruzados à sua frente, como se estivesse acostumado a tê-los amarrados. Estava quase na hora de Winston e a garota se separarem. Mas no último momento, enquanto a multidão ainda os cercava, a mão dela procurou a dele e deu um aperto fugaz.

Não poderia ter sido dez segundos, e ainda assim parecia muito tempo que suas mãos estavam entrelaçadas. Ele teve tempo de aprender cada detalhe de sua mão. Ele explorou os dedos longos, as unhas bem torneadas, a palma endurecida pelo trabalho com sua fileira de calos, a carne lisa sob o pulso. Apenas por sentir, ele teria conhecido pelo olhar. No mesmo instante lhe ocorreu que não sabia de que cor eram os olhos da garota. Eles provavelmente eram castanhos, mas as pessoas com cabelos escuros às vezes tinham olhos azuis. Virar a cabeça e olhar para ela teria sido uma loucura inconcebível. Com as mãos entrelaçadas, invisíveis entre a pressão dos corpos, eles olhavam fixamente à frente deles, e em vez dos olhos da garota, os olhos do prisioneiro idoso olhavam tristemente para Winston por entre mechas de cabelo.

II

Winston subiu a trilha marcada por luz e sombra, pisando em poças douradas sempre que os galhos se separavam. Sob as árvores à esquerda deles, o chão estava enevoado de jacintos. O ar parecia beijar a pele. Era dois de maio. De algum lugar mais profundo no coração da floresta veio o zumbido de pombas.

Ele estava um pouco adiantado. Não houve dificuldades na viagem, e a garota era tão evidentemente experiente que ele estava menos assustado do que normalmente estaria. Presumivelmente, ela poderia ser confiável para encontrar um lugar seguro. Em geral, você não podia presumir que estava muito mais seguro no campo do que em Londres. Não havia teletelas, é claro, mas sempre havia o perigo de microfones ocultos pelos quais sua voz poderia ser captada e reconhecida; além disso, não era fácil fazer uma viagem sozinho sem chamar atenção. Para distâncias inferiores a cem quilômetros não era necessário ter o passaporte credenciado, mas às vezes havia patrulhas nas estações ferroviárias, que examinavam os papéis de qualquer membro do Partido que ali encontravam e faziam perguntas embaraçosas. No entanto, nenhuma patrulha havia aparecido, e na saída da estação ele se certificou, com cautelosos olhares para trás, de que não estava sendo seguido. O trem estava cheio de proletas, por causa do clima de verão. O vagão com assentos de madeira em que ele viajava estava lotado por uma única família numerosa, que ia de uma bisavó desdentada a um bebê de um mês, saindo para passar uma tarde com "sogros" no campo, e, como explicaram livremente a Winston, para conseguir um pouco de manteiga do mercado negro.

O caminho se alargou e, em um minuto ele chegou à trilha que ela lhe havia falado, uma mera trilha de gado que mergulhava entre os arbustos. Ele não tinha relógio, mas ainda não podia ser quinze horas. Os jacintos formavam uma camada tão densa debaixo de seus pés que era impossível não pisar neles. Ajoelhou-se e começou a colher alguns, em parte para passar o tempo, mas também por uma vaga ideia de que gostaria de ter um ramo de flores para oferecer à moça quando se encontrassem. Ele tinha reunido um buquê grande e estava sentindo seu cheiro fraco e enjoado quando um som em suas costas o fez congelar, o estalo inconfundível de um pé em galhos. Ele continuou colhendo jacintos. Era a melhor coisa a fazer. Pode ser a garota, ou ele pode ter sido seguido. Olhar em volta era mostrar culpa. Ele continuou colhendo as flores. Uma mão pousou levemente em seu ombro.

Ele olhou para cima. Era a garota. Ela balançou a cabeça, evidentemente como um aviso de que ele deveria ficar em silêncio, então separou os arbustos e rapidamente liderou o caminho ao longo da trilha estreita para a floresta. Obviamente, ela já tinha feito esse caminho antes, pois se esquivava dos trechos pantanosos como se fosse por hábito. Winston a seguiu, ainda segurando seu buquê de flores. Sua primeira sensação foi de alívio, mas enquanto observava o corpo forte e esbelto movendo-se à sua frente, com a faixa escarlate que era justa o suficiente para realçar a curva de seus quadris, a sensação de sua própria inferioridade pesava sobre ele. Mesmo agora, parecia bastante provável que, quando ela se virasse e olhasse para ele, ela acabaria fugindo. A doçura do ar e o verde das folhas o intimidavam. Já, na caminhada da estação, o sol de maio o fazia sentir-se sujo e esticado, uma criatura que vivia dentro de casa, com a poeira fuliginosa de Londres nos poros de sua pele. Ocorreu-lhe que até agora ela provavelmente nunca o tinha visto em plena luz do dia ao ar livre. Eles chegaram à árvore caída de que ela havia falado. A garota pulou e abriu os arbustos, revelando uma passagem oculta. Quando Winston a seguiu, descobriu que estavam em uma clareira natural, uma pequena colina gramada cercada por árvores altas que a fechavam completamente. A garota parou e se virou.

— Aqui estamos — disse ela.

Ele a encarava a vários passos de distância. Ainda não ousava aproximar-se dela.

— Eu não queria dizer nada na alameda — ela continuou —, no caso de haver um microfone escondido lá. Acho que não há, mas pode haver. Sempre há a chance de um daqueles suínos reconhecer sua voz. Estamos seguros aqui.

Ele ainda não teve coragem de se aproximar dela.

— Estamos seguros aqui? — ele repetiu estupidamente.

— Sim. Olhe para as árvores.

Eram pequenos freixos, que em algum momento foram cortados e brotaram novamente em uma floresta de postes, nenhum deles mais grosso que o pulso de alguém.

— Não há nada grande o suficiente para esconder um microfone. Além disso, eu já estive aqui antes.

Estavam apenas conversando. Ele conseguiu se aproximar dela. A garota estava diante dele muito ereta, com um sorriso no rosto que parecia levemente irônico, como se estivesse se perguntando por que ele demorava tanto para agir. Os jacintos caíram em cascata no chão. Pareciam ter caído por vontade própria. Ele pegou a mão dela.

— Você acredita — disse ele — que até este momento eu não sabia de que cor eram seus olhos? — Eles eram castanhos, ele notou, um tom bastante claro de marrom, com cílios escuros. — Agora que você viu como eu realmente sou, você ainda aguenta olhar para mim?

— Sim, facilmente.

— Tenho trinta e nove anos. Tenho uma esposa da qual não consigo me livrar. Tenho varizes. Tenho cinco dentes postiços.

— Não me importo nem um pouco — disse a garota.

No momento seguinte, era difícil dizer pelo ato de quem, ela estava em seus braços. No início, ele não sentiu nada além de pura incredulidade. O corpo jovem estava esticado contra o seu, a massa de cabelos escuros estava contra seu rosto, e sim! Na verdade, ela tinha virado o rosto e ele estava beijando aquela boca grande e vermelha. Com os braços em volta do pescoço dele, ela o estava chamando de querido, precioso, amado. Ele a havia puxado para o chão, a garota estava totalmente sem resistência, ele podia fazer o que quisesse com ela. Mas a verdade era que ele não tinha nenhuma sensação física, exceto a do mero contato. Tudo o que sentia era incredulidade e orgulho. Ele estava feliz que isso estava acontecendo, mas não tinha nenhum desejo físico. Era cedo demais, a juventude e a beleza dela o assustaram, ele estava acostumado demais a viver sem mulheres — não sabia o motivo. A garota se levantou e puxou um jacinto do cabelo. Ela se sentou contra ele, colocando o braço em volta de sua cintura.

— Não há pressa. Temos a tarde inteira. Não é um esconderijo esplêndido? Encontrei-o quando me perdi uma vez em uma caminhada comunitária. Se alguém vier nesta direção, a gente escuta a centenas de metros de distância.

— Qual é o seu nome? — perguntou Winston.

— Júlia. O seu é Winston... Winston Smith.

— Como você descobriu isso?

— Acho que sou melhor em descobrir as coisas do que você, querido. Diga-me, o que você achava de mim antes daquele dia em que lhe dei o bilhete?

Ele não sentiu nenhuma tentação de contar mentiras para ela. Era até uma espécie de oferenda de amor começar contando o pior.

— Eu odiei a visão de você — disse ele. — Eu queria te estuprar e depois te matar. Duas semanas atrás eu pensei seriamente em esmagar sua cabeça com um paralelepípedo. Se você realmente quer saber, eu imaginei que você tivesse algo a ver com a Polícia do Pensamento.

A garota riu deliciada, evidentemente interpretando isso como um tributo à excelência de seu disfarce.

— A Polícia do Pensamento? Você honestamente não achou isso!

— Bem, talvez não exatamente isso. Mas pela sua aparência geral — apenas porque você é jovem, fresca e saudável, você entende — eu pensei que provavelmente...

— Você pensou que eu fosse um bom membro do Partido. Puro em palavras e ações. Faixas, procissões, slogans, jogos, caminhadas comunitárias — todas essas coisas. E achou que na primeira oportunidade eu provocaria sua execução, denunciando-o como criminoso do pensamento.

— Sim, algo desse tipo. Muitas jovens são assim, você sabe.

— É essa maldita coisa que faz isso — disse ela, arrancando a faixa escarlate da Liga Juvenil Antissexo e jogando-a em um galho.

Então, como se tocar sua cintura a tivesse lembrado de algo, ela apalpou o bolso do macacão e tirou uma pequena barra de chocolate. Ela o partiu ao meio e deu um dos pedaços para Winston. Mesmo antes de pegá-lo, ele sabia pelo cheiro que era um chocolate muito incomum. Era escuro e brilhante, e estava embrulhado em papel prateado. As barras de chocolate normalmente eram coisas marrons, foscas, farelentas, cujo gosto, até onde era possível descrevê-lo, lembrava a fumaça saída dos incineradores de lixo. Mas em algum momento da sua vida ele provou chocolate como o pedaço que ela lhe dera. A primeira baforada de seu cheiro despertou alguma memória que ele não conseguia identificar, mas que era poderosa e perturbadora.

— Onde você conseguiu isso? — ele perguntou.

— Mercado negro — disse ela com indiferença. — Na verdade, eu sou esse tipo de garota, de se olhar. Sou boa em jogos. Fui líder de tropa nos Espiões. Faço trabalho voluntário três noites por semana para a Liga Juvenil Antissexo. Colando sua maldita podridão por toda Londres. Eu sempre carrego uma ponta de uma bandeira nas procissões. Sempre pareço alegre e nunca me esquivo de nada. Sempre grito com a multidão, é o que eu digo. É a única maneira de se estar seguro.

O primeiro fragmento de chocolate derreteu na língua de Winston. O sabor era delicioso. Mas ainda havia aquela memória movendo-se nas bordas de sua consciência, algo fortemente sentido, mas não redutível a uma forma definida, como um objeto visto pelo canto do olho. Ele a empurrou para longe dele, ciente apenas de que era a lembrança de alguma ação que ele gostaria de desfazer, mas não conseguiu.

— Você é muito jovem — disse ele. — Você é dez ou quinze anos mais nova do que eu. O que você poderia ver de atraente em um homem como eu?

— Foi algo no seu rosto. Eu pensei em arriscar. Eu sou boa em identificar pessoas que não pertencem. Assim que eu vi você eu soube que você estava contra eles.

Eles, ao que parecia, significava o Partido, e acima de tudo o Partido Interno, sobre quem ela falava com um ódio zombeteiro aberto que fazia Winston se sentir desconfortável, embora soubesse que eles estavam seguros aqui se pudessem estar seguros em qualquer lugar. Uma coisa que o surpreendeu nela foi a grosseria de sua linguagem. Os membros do partido deveriam não xingar, e o próprio Winston raramente xingava em voz alta, pelo menos. Júlia, no entanto, parecia incapaz de mencionar o Partido, e especialmente o Partido Interno, sem usar o tipo de palavras que você via escritas a giz nas paredes dos becos úmidos. Não que aquilo o desagradasse. Era apenas um sintoma de sua revolta contra o Partido e todos os seus modos, e de alguma forma parecia natural e saudável, como o espirro de um cavalo que cheira a feno ruim. Eles haviam deixado a clareira e estavam vagando novamente pela sombra quadriculada, com os braços em volta da cintura um do outro sempre que o caminho se alargava o suficiente para permitir que caminhassem lado a lado. Ele notou o quanto sua cintura parecia mais macia agora que a faixa havia sumido. Só falavam por sussurros. Fora da clareira, dizia Júlia, era melhor ir em silêncio. Logo chegaram à beira do pequeno bosque. Ela o parou.

— Não apareça em campo aberto. Pode haver alguém observando. Tudo bem se ficarmos atrás dos galhos.

Eles estavam parados à sombra de arbustos de aveleira. A luz do sol, filtrada por inúmeras folhas, ainda estava quente em seus rostos. Winston olhou para o campo adiante e sofreu um curioso e lento choque de reconhecimento. Conhecia o lugar de vista. Um pasto velho e muito ralo, atravessado por uma trilha e com montículos aqui e ali. Na sebe irregular do lado oposto, os galhos dos olmos balançavam perceptivelmente com a brisa, e suas folhas se agitavam levemente em massas densas como cabelos de mulheres. Em algum lugar bem próximo, mas que o olhar não alcançava, devia haver um riacho onde nadavam robalos.

— Não tem um riacho em algum lugar perto daqui? — ele sussurrou.

— Sim, tem um riacho. Fica na beira do campo ao lado, na verdade. Há peixes nele, são grandes. Você pode vê-los deitados nas poças sob os salgueiros, balançando a cauda.

— É o País Dourado... quase — ele murmurou.

— País Dourado?

— Não é nada, realmente. Uma paisagem que me apareceu algumas vezes em sonhos.

— Olhe! — sussurrou Júlia.

Um tordo pousou em um galho a menos de cinco metros de distância, quase na altura de seus rostos. Talvez não os tivesse visto. Foi no sol, eles estavam na sombra. Abriu as asas, tornou a encaixá-las cuidadosamente, abaixou a cabeça por um momento, como se estivesse fazendo uma espécie de reverência ao sol, e então começou a derramar uma torrente de canções. No silêncio da tarde, o volume do som era surpreendente. Winston e Júlia se abraçaram, fascinados. A música continuou, minuto após minuto, com variações surpreendentes, nunca se repetindo, quase como se o pássaro estivesse exibindo deliberadamente seu virtuosismo. Às vezes, parava por alguns segundos, abria e recolocava as asas, depois inchava o peito salpicado e novamente começava a cantar. Winston o observou com uma espécie de vaga reverência. Para quem, para quê, aquele pássaro estava cantando? Não havia parceiras nem rivais por perto. O que o fez sentar-se à beira da floresta solitária e despejar sua música no nada? Ele se perguntou se afinal havia um microfone escondido em algum lugar próximo. Ele e Júlia tinham falado apenas em sussurros, e não captaria o que eles disseram, mas captaria o tordo. Talvez do outro lado do instrumento algum homenzinho parecido com um besouro estivesse ouvindo atentamente — escutando aquilo. Mas, aos poucos, a enxurrada de música afastou todas as especulações de sua mente. Era como se fosse uma espécie de líquido que se derramava sobre ele e se misturava com a luz do sol que se filtrava pelas folhas. Ele parou de pensar e apenas sentiu. A cintura da garota na curva de seu braço era macia e quente. Ele a puxou para que ficassem peito a peito; seu corpo parecia derreter no dele. Por onde quer que suas mãos se movessem, tudo era tão flexível quanto a água. Suas bocas se agarraram; era bem diferente dos beijos duros que haviam trocado antes. Quando eles afastaram seus rostos novamente, ambos suspiraram profundamente. O pássaro se assustou e fugiu com um bater de asas.

Winston encostou os lábios no ouvido dela. — Agora — ele sussurrou.

— Não aqui — ela sussurrou de volta. — Volte para o esconderijo. É mais seguro.

Rapidamente, com um ocasional estalar de galhos, eles abriram caminho de volta para a clareira. Quando eles estavam no interior do anel de árvores, ela se virou e o encarou. Ambos estavam respirando rápido, mas o sorriso reapareceu nos cantos de sua boca. Ela ficou olhando para ele por um instante, então sentiu o zíper de seu macacão. E sim! Era quase como em seu sonho. Quase tão rápido quanto ele havia imaginado, ela rasgou as roupas, e quando as jogou de lado foi com aquele mesmo gesto magnífico pelo qual toda uma civilização parecia aniquilada. Seu corpo brilhava branco ao sol. Mas por um momento ele não olhou para o corpo dela; seus olhos estavam fixos no rosto sardento com seu sorriso fraco e ousado. Ele se ajoelhou diante dela e pegou suas mãos.

— Você já fez isso antes?

— Claro. Centenas de vezes — bem, dezenas de vezes.

— Com membros do Partido?

— Sim, sempre com membros do Partido.

— Com membros do Partido Interno?

— Não com esses porcos, não. Mas há muitos que fariam isso se tivessem uma chance. Eles não são tão santos quanto dizem.

Seu coração saltou. Dezenas de vezes ela tinha feito isso; ele desejou que fossem centenas — milhares. Qualquer coisa que sugerisse corrupção sempre o enchia de uma esperança selvagem. Quem sabia? Talvez o Partido estivesse podre sob a superfície, seu culto ao esforço e à abnegação fosse simplesmente uma farsa que ocultava a iniquidade. Se ele pudesse infectar todos eles com lepra ou sífilis, com que prazer o teria feito! Qualquer coisa para apodrecer, enfraquecer, minar! Ele a puxou para baixo para que eles ficassem ajoelhados face a face.

— Ouça. Quanto mais homens você teve, mais eu te amo. Você entende isso?

— Sim, perfeitamente.

— Eu odeio a pureza, eu odeio a bondade. Eu não quero que nenhuma virtude exista em qualquer lugar. Eu quero que todos sejam corruptos até os ossos.

— Bem, então, você vai gostar de mim, querido. Eu sou corrupta até os ossos.

— Você gosta de fazer isso? Não me refiro simplesmente a estar comigo; quero dizer a coisa em si?

— Eu adoro isto.

Isso era acima de tudo o que ele queria ouvir. Não apenas o amor de uma pessoa, mas o instinto animal, o simples desejo indiferenciado: essa era a força que despedaçaria o Partido. Ele a pressionou contra a grama, entre os jacintos caídos. Desta vez não houve dificuldade. Logo o subir e descer de seus seios diminuiu para a velocidade normal, e em uma espécie de desamparo agradável eles desmoronaram. O sol parecia ter ficado mais quente. Ambos estavam com sono. Ele estendeu a mão para o macacão descartado e puxou-o parcialmente sobre ela. Quase imediatamente eles adormeceram e dormiram por cerca de meia hora.

Winston acordou primeiro. Ele se sentou e observou o rosto sardento, ainda pacificamente adormecido, apoiado na palma da mão dela. Exceto por sua boca, você não poderia chamá-la de bonita. Havia uma ou duas linhas ao redor dos olhos, se você olhasse de perto. O cabelo escuro curto era extraordinariamente grosso e macio. Ocorreu-lhe que ainda não sabia o sobrenome dela nem onde ela morava.

O corpo jovem e forte, agora indefeso no sono, despertou nele um sentimento de piedade e proteção. Mas a ternura insensata que sentira debaixo da aveleira, enquanto o tordo cantava, ainda não tinha voltado. Ele puxou o macacão de lado e estudou o dorso branco liso de Júlia. Antigamente, pensou ele, um homem olhava para o corpo de uma garota e via que era desejável, e isso era o fim da história. Mas você não pode ter puro amor ou pura luxúria hoje em dia. Nenhuma emoção era pura, porque tudo estava misturado com medo e ódio. O abraço deles tinha sido uma batalha; o clímax, uma vitória. Foi um golpe desferido contra o Partido. Foi um ato político.

III

— Podemos vir aqui mais uma vez — disse Júlia. — Geralmente é seguro usar qualquer esconderijo duas vezes. Mas não por mais um mês ou dois, é claro.

Assim que ela acordou, seu comportamento mudou. Voltou a ficar alerta e profissional, vestiu-se, amarrou a faixa escarlate na cintura e começou a organizar os detalhes da viagem para casa. Parecia natural que ela assumisse esse papel. Ela obviamente tinha uma astúcia prática que faltava a Winston, e também parecia ter um conhecimento exaustivo do campo ao redor de Londres, guardado longe de inúmeras caminhadas comunitárias. O roteiro que forneceu a Winston era completamente diferente do da vinda, levando-o até outra estação ferroviária. "Nunca volte pelo mesmo caminho da chegada", disse ela, como se enunciasse um importante princípio geral. Ela sairia primeiro, e Winston deveria esperar meia hora antes de segui-la.

Ela havia mencionado um lugar onde eles poderiam se encontrar depois do trabalho, dali a quatro noites. Era uma rua de um dos bairros mais pobres, onde havia um mercado aberto, geralmente lotado e barulhento. Ela andaria entre as barracas, fingindo estar em busca de cadarços ou linhas de costura. Se ela julgasse que a área estava limpa, assoaria o nariz quando ele se aproximasse; caso contrário, ele passaria por ela sem reconhecê-la. Mas com sorte, no meio da multidão, seria seguro conversar por um quarto de hora e marcar outro encontro.

— Agora eu devo ir — ela disse assim que ele compreendeu suas instruções. — Tenho que voltar às dezenove e meia. Preciso trabalhar duas horas para a Liga Juvenil Antissexo, distribuindo panfletos, ou algo assim. Não é terrível? Tenho algum graveto no cabelo? Tem certeza? Então adeus, meu amor, adeus!

Ela se jogou em seus braços, beijou-o quase violentamente e, um momento depois, abriu caminho entre as árvores e desapareceu na floresta com muito pouco barulho. Mesmo agora ele não tinha descoberto seu sobrenome ou seu endereço. No entanto, não fazia diferença, pois era inconcebível que eles pudessem se encontrar dentro de casa ou trocar qualquer tipo de comunicação escrita.

Acontece que eles nunca voltaram para a clareira na floresta. Durante o mês de maio houve apenas mais uma ocasião em que eles realmente conseguiram fazer amor. Isso foi em outro esconderijo conhecido por Júlia, o campanário de uma igreja em ruínas em um trecho quase deserto do país onde uma bomba atômica havia caído trinta anos antes. Era um bom esconderijo uma vez que você chegasse lá, mas o caminho era muito perigoso. Quanto ao resto, eles só podiam se encontrar nas ruas, em um lugar diferente todas as noites e nunca por mais de meia hora de cada vez. Na rua geralmente era possível conversar, de certa forma. Enquanto vagavam pelas calçadas lotadas, não muito lado a lado e sem olhar um para o outro, eles mantinham uma conversa curiosa e intermitente que se acendia e apagava como as luzes de um farol, subitamente silenciada pela aproximação de um uniforme do Partido ou pela proximidade de uma teletela, retomada minutos depois no meio de uma frase, abruptamente interrompida ao se separarem no local combinado, depois continuada quase sem apresentação no dia seguinte. Júlia parecia estar bastante acostumada a esse tipo de conversa, que ela chamava de "falar por partes". Ela também era surpreendentemente hábil em falar sem mover os lábios. Apenas uma vez em quase um mês de encontros noturnos eles conseguiram trocar um beijo. Eles estavam passando em silêncio por uma rua lateral (Júlia nunca falava quando estavam longe das ruas principais) quando houve um rugido ensurdecedor, a terra se ergueu e o ar escureceu, e Winston se viu deitado de lado, machucado e aterrorizado. Uma bomba-foguete deve ter caído bem perto. De repente, percebeu o rosto de Júlia a poucos centímetros do seu, mortalmente branco, branco como giz. Até seus lábios ficaram brancos. Ela estava morta! Ele a apertou contra ele e descobriu que estava beijando um rosto vivo e quente. Mas havia alguma coisa em pó que ficou no caminho de seus lábios. Ambos os rostos estavam cobertos de gesso.

Havia noites em que chegavam ao ponto de encontro e depois tinham que passar um pelo outro sem se comunicar, porque uma patrulha acabava de dobrar a esquina ou um helicóptero pairava sobre eles. Mesmo que fosse menos perigoso, ainda teria sido difícil encontrar tempo para nos encontrarmos. A semana de trabalho de Winston era de sessenta horas, a de Júlia era ainda mais longa, e seus dias livres variavam de acordo com a pressão do trabalho e nem sempre coincidiam. Júlia, em todo caso, raramente tinha uma noite totalmente livre. Ela passou uma quantidade surpreendente de tempo participando de palestras e manifestações, distribuindo literatura para a Liga Juvenil Antissexo, preparando cartazes para a Semana do Ódio, fazendo coletas para a campanha de poupança e atividades afins. Compensava, ela dizia. Tudo pura camuflagem. Se você mantivesse as pequenas regras, poderia quebrar as grandes. Ela até induziu Winston a comprometer mais uma de suas noites, inscrevendo-se para o trabalho de meio período de munição que era feito voluntariamente por membros zelosos do Partido. Assim, uma noite por semana, Winston passava quatro horas de tédio paralisante, juntando pedacinhos de metal que provavelmente eram partes de fusíveis de bombas, em uma oficina mal iluminada, onde as batidas dos martelos se misturavam com a música das teletelas.

Quando eles se encontraram na torre da igreja, as lacunas em sua conversa fragmentada foram preenchidas. Foi uma tarde escaldante. O ar na pequena câmara quadrada acima dos sinos estava quente e estagnado, e cheirava a esterco de pombo. Ficaram sentados conversando por horas no chão empoeirado e cheio de galhos, um ou outro se levantando de vez em quando para dar uma olhada pelas fendas e se certificar de que ninguém estava vindo.

Júlia tinha vinte e seis anos. Ela morava em um albergue com trinta outras garotas ("Sempre no fedor de mulheres! Como eu odeio mulheres!", disse ela entre parênteses), e trabalhava, como ele havia imaginado, nas máquinas de escrever romances no Departamento de Ficção. Ela gostava de seu trabalho, que consistia principalmente em operar e fazer a manutenção de um motor elétrico poderoso, mas complicado. Ela "não era inteligente", mas gostava de usar as mãos e se sentia à vontade com máquinas. Ela podia descrever todo o processo de composição de um romance, desde a diretriz geral emitida pelo Comitê de Planejamento até o retoque final pelo Esquadrão de Reescrita. Mas não estava interessada no produto acabado. Júlia "não gostava muito de ler", dizia ela. Os livros eram apenas uma mercadoria que precisava ser produzida, como geleia ou cadarços.

Ela não se lembrava de nada antes do início dos anos sessenta, e a única pessoa que conhecia e que falava com frequência dos dias anteriores à Revolução era um avô que havia desaparecido quando ela tinha oito anos. Na escola, foi capitã do time de hóquei e ganhou o troféu de ginástica dois anos seguidos. Tinha sido líder de tropa dos Espiões e secretária de filial da Liga da Juventude antes de ingressar na Liga Juvenil Antissexo. Sempre teve um excelente caráter. Ela tinha até sido escolhida para trabalhar no Pornosec — sinal infalível de boa reputação —, a subseção do Departamento de Ficção que produzia pornografia barata para distribuição entre os proletas. A divisão recebera o apelido Casa do Nojo pelas pessoas que trabalhavam lá, ela comentou. Lá ela permaneceu por um ano, ajudando a produzir livretos em pacotes lacrados com títulos como *Histórias de espancamento* ou *Uma noite em uma escola de garotas*, para serem comprados furtivamente por jovens proletas que tinham a impressão de que estavam comprando algo ilegal.

— Como são esses livros? — perguntou Winston curioso.

— Na verdade são muito chatos. São apenas seis histórias, escritas de várias formas. Só trabalhei nos caleidoscópios, claro. Nunca fiz parte do Pelotão Reescritor. Não sou literata, querido — nem para isso sirvo.

Ele soube com espanto que todos os trabalhadores da Pornosec, exceto o chefe do departamento, eram garotas. A teoria era que os homens, cujos instintos sexuais eram menos controláveis do que os das mulheres, corriam maior risco de serem corrompidos pela sujeira que manipulavam.

— Eles não gostam de ter mulheres casadas lá — acrescentou. — As meninas sempre devem ser bem puras. Bom, aqui está uma que não é.

Ela teve seu primeiro caso de amor aos dezesseis anos. O parceiro era um membro do Partido e tinha sessenta anos, mais tarde ele cometeu suicídio para evitar a prisão. "Aliás, uma boa providência", observou Júlia. "Caso contrário, eles teriam tirado meu nome dele quando ele confessou." Desde então, houve vários outros. A vida como ela via era bastante simples. Você queria se divertir; "eles", significando o Partido, queriam impedir você de fazer isso; você fazia tudo para quebrar as regras da melhor maneira possível. Ela parecia achar muito natural que "eles" quisessem roubar você de seus prazeres e que você desejasse evitar ser pego. Ela odiava o Partido, e dizia isso nas palavras mais grosseiras, mas não fazia nenhuma crítica geral a ele. Exceto quando se tratava de sua própria vida, ela não tinha interesse na doutrina do Partido. Ele notou que ela nunca usava palavras de Novilíngua, exceto as que passaram para o uso diário. Ela nunca tinha ouvido falar da Irmandade e se recusava a acreditar em sua existência. Qualquer tipo de revolta organizada contra o Partido, que estava fadada ao fracasso, lhe parecia estúpida. A coisa inteligente era quebrar as regras e continuar vivo do mesmo jeito. Ele se perguntou vagamente quantos outros como ela poderiam existir na geração mais jovem — pessoas que cresceram no mundo da Revolução, sem saber mais nada, aceitando o Partido como algo inalterável, como o céu, não se rebelando contra sua autoridade, mas simplesmente esquivando-se dele, como um coelho se esquiva de um cachorro.

Eles não discutiram a possibilidade de se casar. Era muito remoto para valer a pena pensar nisso. Nenhum comitê imaginável sancionaria tal casamento, mesmo que Katharine, a esposa de Winston, pudesse de alguma forma ter sido eliminada. Era impossível, mesmo como um devaneio.

— Como ela era, sua esposa? — perguntou Júlia.

— Ela era... você conhece a palavra em Novilíngua boapensativa? Significando naturalmente ortodoxa, incapaz de pensar um pensamento ruim?

— Não, eu não conhecia a palavra, mas conheço bem o tipo de pessoa.

Ele começou a contar a ela a história de sua vida de casado, mas curiosamente ela parecia já conhecer as partes essenciais. Ela descreveu para ele, quase como se tivesse visto ou sentido, o enrijecimento do corpo de Katharine assim que ele a tocava, aquele jeito dela de parecer que o estava rechaçando com todas as suas forças mesmo quando enlaçava o corpo dele. Com Júlia ele não sentia dificuldade em falar sobre essas coisas; Katharine, em todo caso, há muito deixara de ser uma lembrança dolorosa e se tornara apenas uma lembrança desagradável.

— Eu poderia ter aguentado se não fosse por uma coisa — disse ele. Ele contou a ela sobre a pequena cerimônia frígida que Katharine o forçara a passar semanalmente, sempre no mesmo dia da semana. — Ela odiava, mas nada a faria parar de fazer isso. Ela costumava chamar de... mas você nunca vai adivinhar.

— Nosso dever com o Partido — disse Júlia prontamente.

— Como você sabia disso?

— Eu também estive na escola, querido. Conversas de sexo uma vez por mês para os maiores de dezesseis anos. E no Movimento da Juventude. Eles esfregam isso em você há anos. Eu ouso dizer que funciona em muitos casos. Mas é claro que você nunca pode dizer; as pessoas são muito hipócritas.

Ela começou a aprofundar o assunto. Com Júlia, tudo era reduzido à sua própria sexualidade. Quando algum ponto da questão era abordado, ela era capaz de grande perspicácia. Ao contrário de Winston, ela havia compreendido o significado interno do puritanismo sexual do Partido. Não era apenas que o instinto sexual criasse um mundo próprio que estava fora do controle do Partido e que, portanto, deveria ser destruído, se possível. O mais importante era que a privação sexual induzia a histeria, o que era desejável porque podia se transformar em febre de guerra e adoração de líderes. A forma como ela colocou foi:

— Quando você faz amor, você está gastando energia; e depois você se sente feliz e não dá a mínima para nada. Eles não suportam que você se sinta assim. Eles querem que você esteja explodindo de energia o tempo todo. Toda essa marcha para cima e para baixo, torcendo e agitando bandeiras é simplesmente o sexo azedado. Se você está feliz por dentro, por que deveria ficar empolgado com o Grande Irmão e os Planos de Três Anos e os Dois Minutos de Ódio e todo o resto deles?

Aquilo era verdadeiro, ele pensou. Havia uma conexão direta e íntima entre castidade e ortodoxia política. Pois como o medo, o ódio e a credulidade lunática de que o Partido precisava em seus membros poderiam ser mantidos no tom certo, exceto reprimindo algum instinto poderoso e usando-o como força motriz? O impulso sexual era perigoso para o Partido, e o Partido o havia aproveitado. Eles haviam feito um truque semelhante com o instinto da paternidade. A família não podia realmente ser abolida e, de fato, as pessoas eram encorajadas a gostar de seus filhos quase à moda antiga. As crianças, por outro lado, eram sistematicamente voltadas contra seus pais e ensinadas a espioná-los e relatar seus desvios. A família tornara-se, de fato, uma extensão da Polícia do Pensamento.

Abruptamente, sua mente voltou para Katharine. Sem dúvida, Katharine o teria denunciado à Polícia do Pensamento se não fosse estúpida demais para detectar a heterodoxia de suas opiniões. Mas o que realmente o lembrou naquele momento foi o calor sufocante da tarde, que fez o suor brotar em sua testa. Ele começou a contar a Júlia sobre algo que havia acontecido, ou melhor, não havia acontecido, em outra tarde sufocante de verão, onze anos atrás.

Fazia três ou quatro meses que eles estavam casados. Eles haviam se perdido em uma caminhada comunitária em algum lugar de Kent. Só ficaram atrás dos outros por alguns minutos, mas viraram errado e logo se viram parados na beira de uma velha pedreira de giz. Era uma queda abrupta de dez ou vinte metros, com pedregulhos no fundo. Não havia ninguém a quem pudessem perguntar o caminho. Assim que ela percebeu que eles estavam perdidos, Katharine ficou muito inquieta. Estar longe da multidão barulhenta de caminhantes, mesmo que por um momento, deu-lhe uma sensação de transgressão. Ela queria voltar correndo pelo caminho que eles tinham vindo e começar a procurar na outra direção. Mas neste momento Winston notou alguns tufos de salgueiros crescendo nas fendas do penhasco abaixo deles. Um tufo era de duas cores, magenta e vermelho-tijolo, aparentemente crescendo na mesma raiz. Ele nunca tinha visto nada do tipo antes, e chamou Katharine para dar uma olhada.

— Olhe, Katharine! Olhe para aquelas flores. Aquela moita perto do fundo. Você vê que são duas cores diferentes?

Ela já havia se virado para ir embora, mas por um momento voltou com certa aflição. Chegou a inclinar sobre o penhasco para ver para onde ele estava apontando. Winston estava um pouco atrás dela e colocou a mão em sua cintura para firmá-la. Nesse momento, de repente lhe ocorreu que estavam completamente sozinhos. Não havia uma criatura humana em nenhum lugar, nem uma folha se mexendo, nem mesmo um pássaro acordado. Em um lugar como este o perigo de haver um microfone escondido era muito pequeno, e mesmo que houvesse um microfone ele só captava sons. Era a hora mais quente e sonolenta da tarde. O sol brilhava sobre eles, o suor fazia cócegas em seu rosto. E o pensamento o atingiu...

— Por que você não deu um bom empurrão nela? — disse Júlia. — Eu teria dado.

— Sim, querida, você teria. Eu teria, se eu fosse a mesma pessoa que sou agora. Ou talvez eu fosse — não tenho certeza.

— Você se arrependeu de não ter feito isso?

— Sim. No geral, sinto muito por não ter feito isso.

Eles estavam sentados lado a lado no chão empoeirado. Ele a puxou para mais perto dele. A cabeça dela descansou em seu ombro, o cheiro agradável de seu cabelo se sobrepôs ao esterco dos pombos. Ela era muito jovem, pensou, ainda esperava algo da vida, não entendia que empurrar uma pessoa inconveniente de um penhasco não resolve nada.

— Na verdade, não teria feito diferença — disse ele.

— Então por que você está arrependido de não ter feito isso?

— Só porque prefiro o positivo ao negativo. Neste jogo que estamos jogando, não podemos vencer. Alguns tipos de fracasso são melhores que outros, só isso.

Ele sentiu os ombros dela se contorcerem de discordância. Ela sempre o contradizia quando ele dizia qualquer coisa desse tipo. Ela não aceitaria como uma lei da natureza que o indivíduo fosse sempre derrotado. De certa forma, ela percebeu que estava condenada, que mais cedo ou mais tarde a Polícia do Pensamento iria pegá-la e matá-la, mas com outra parte de sua mente ela acreditava que era de alguma forma possível construir um mundo secreto no qual você pudesse viver como escolhesse. Tudo o que você precisava era de sorte, astúcia e ousadia. Ela não entendia que não existia felicidade, que a única vitória estava no futuro distante, muito depois de você estar morto, que a partir do momento em que se declara guerra ao Partido era melhor pensar em si mesmo como um cadáver.

— Nós somos os mortos — disse ele.

— Ainda não estamos mortos — disse Júlia prosaicamente.

— Não fisicamente. Seis meses, um ano — cinco anos, concebivelmente. Tenho medo da morte. Você é jovem, então provavelmente tem mais medo dela do que eu. Obviamente, vamos adiar o quanto pudermos. Mas faz muito pouca diferença. Enquanto os seres humanos permanecerem humanos, morte e vida são a mesma coisa.

— Oh, lixo! Com quem você prefere dormir, eu ou um esqueleto? Você não gosta de estar vivo? Você não gosta de sentir: este sou eu, esta é minha mão, esta é minha perna, eu sou real. Estou sólido, estou vivo! Você não gosta disso?

Ela se virou e apertou o peito contra ele. Ele podia sentir seus seios maduros, mas firmes, através de seu macacão. Seu corpo parecia estar derramando um pouco de sua juventude e vigor no dele.

— Sim, eu gosto disso — disse ele.

— Então pare de falar sobre morrer. E agora escute, querido, nós temos que nos acertar sobre a próxima vez que nos encontrarmos. Podemos muito bem voltar para o lugar na floresta. Nós demos um bom e longo descanso. Mas você deve chegar lá por um caminho diferente desta vez. Eu tenho tudo planejado. Você pega o trem — mas veja, eu vou desenhá-lo para você.

E, à sua maneira prática, ela juntou um pequeno quadrado de poeira e, com um galho de um ninho de pombos, começou a desenhar um mapa no chão.

IV

Winston olhou ao redor do quartinho gasto acima da loja do Sr. Charrington. Ao lado da janela, a enorme cama estava arrumada, com cobertores esfarrapados e um travesseiro sem fronha. O relógio antiquado com o mostrador de doze horas estava tiquetaqueando na lareira. No canto, sobre a mesa do portão, o peso de papel de vidro que ele comprara em sua última visita brilhava suavemente na penumbra.

No guarda-fogo havia um fogareiro a óleo de lata surrado, uma panela e duas xícaras, fornecidas pelo Sr. Charrington. Winston acendeu o fogo e colocou uma panela de água para ferver. Ele havia trazido um envelope cheio de café Vitória e alguns tabletes de sacarina. Os ponteiros do relógio marcavam sete e vinte; era realmente dezenove e vinte. Ela chegaria às dezenove e meia.

Tolice, tolice, seu coração não parava de dizer: tolice consciente, gratuita, suicida! De todos os crimes que um membro do Partido poderia cometer, este era o menos possível de esconder. Na verdade, a ideia primeiro flutuou em sua cabeça na forma de uma visão do peso de papel de vidro espelhado pela superfície da mesa. Como previra, o Sr. Charrington não teve dificuldade em alugar o quarto. Ele estava obviamente feliz com os poucos dólares que isso lhe traria. Tampouco pareceu chocado ou ficou escandalizado quando ficou claro que Winston queria o quarto com o propósito de um caso de amor. Em vez disso, olhou a meia distância e falou em generalidades, com um ar tão delicado que dava a impressão de que se tornara parcialmente invisível. Privacidade, disse ele, era uma coisa muito valiosa. Todos queriam um lugar onde pudessem ficar sozinhos de vez em quando. E quando eles tinham um lugar assim, era apenas uma cortesia comum em qualquer outra pessoa que o conhecesse guardar seu conhecimento para si mesmo. Ele mesmo, parecendo quase desaparecer ao fazê-lo, acrescentou que havia duas entradas para a casa, uma delas pelo quintal, que dava para um beco.

Sob a janela alguém cantava. Winston espiou, seguro na proteção da cortina de musselina. O sol de junho ainda estava alto no céu, e no pátio ensolarado abaixo uma mulher gigantesca, sólida como um pilar normando, com antebraços vermelhos fortes e um avental de saco amarrado na cintura, estava cambaleando de um lado para o outro entre uma tina e um varal, pregando uma série de coisas brancas quadradas que Winston reconheceu como fraldas de bebê. Sempre que sua boca não estava arrolhada com prendedores de roupa, ela cantava em um poderoso contralto:

Foi apenas uma fantasia vil,
Passou como um corante anil.
Mas o olhar e os sonhos secretos,
Tornaram o meu coração inquieto!

A música vinha assombrando Londres há semanas. Foi uma das inúmeras canções semelhantes publicadas em benefício dos proletas por uma subseção do Departamento de Música. As palavras dessas canções foram compostas sem qualquer intervenção humana em um instrumento conhecido como versificador. Mas a mulher cantou com tanta afinação que transformou o terrível lixo em um som quase agradável. Ele podia ouvir a mulher cantando e o raspar de seus sapatos nas lajes, e os gritos das crianças na rua, e em algum lugar ao longe um débil barulho de tráfego, e ainda assim a sala parecia curiosamente silenciosa, graças à ausência de uma teletela.

"Tolice, tolice, tolice!", ele pensou novamente. Era inconcebível que pudessem frequentar aquele lugar por mais de algumas semanas sem serem pegos. Mas a tentação de ter um esconderijo que fosse realmente seu, dentro de casa e próximo, fora demais para os dois. Por algum tempo, depois da visita ao campanário da igreja, foi impossível marcar reuniões. As horas de trabalho foram drasticamente aumentadas em antecipação à Semana do Ódio. Faltava mais de um mês, mas os enormes e complexos preparativos que isso implicava estavam dando trabalho extra a todos. Finalmente os dois conseguiram garantir uma tarde livre no mesmo dia. Eles concordaram em voltar para a clareira na floresta. Na noite anterior, eles se encontraram brevemente na rua. Como sempre, Winston mal olhou para Júlia enquanto eles se aproximavam um do outro na multidão; porém ao vê-la de relance, achou-a mais pálida que de costume.

— Está tudo cancelado — ela murmurou assim que julgou seguro falar. — Amanhã, quero dizer.

— O quê?

— Amanhã à tarde. Não posso ir.

— Por que não?

— Oh, o motivo de sempre. Começou cedo desta vez.

Por um momento ele ficou violentamente zangado. Durante o mês em que a conhecera, a natureza de seu desejo por ela havia mudado. No começo havia pouca sensualidade verdadeira nele. O primeiro ato de amor deles foi simplesmente um ato de vontade. Mas depois da segunda vez foi diferente. O cheiro de seu cabelo, o gosto de sua boca, a maciez de sua pele, pareciam ter entrado nele, ou no ar ao redor dele. Ela se tornou uma necessidade física, algo que ele não só queria, mas sentia que tinha direito. Quando ela disse que não poderia vir, ele teve a sensação de que ela o estava traindo. Mas nesse momento a multidão os pressionou e suas mãos acidentalmente se encontraram. Ela deu um aperto rápido nas pontas dos dedos dele que parecia convidar não ao desejo, mas a afeição. Ocorreu-lhe que, quando se vivia com uma mulher, essa decepção em particular devia ser um evento normal e recorrente; e uma profunda ternura, como ele não sentira por ela antes, de repente o tomou. Ele desejou que eles fossem um casal de dez anos de união. Ele desejou estar andando pelas ruas com ela exatamente como eles estavam fazendo agora, mas abertamente e sem medo, falando de trivialidades e comprando bugigangas para a casa. Desejava sobretudo que tivessem um lugar onde pudessem ficar a sós sem sentir a obrigação de fazer amor cada vez que se encontrassem. Não foi realmente naquele momento, mas em algum momento do dia seguinte, que lhe ocorreu a ideia de alugar o quarto do Sr. Charrington. Quando ele sugeriu isso a Júlia, ela concordou com uma prontidão inesperada. Ambos sabiam que era loucura. Era como se eles estivessem intencionalmente se aproximando de seus túmulos. Enquanto esperava sentado na beira da cama, pensou novamente nos porões do Ministério do Amor. Era curioso como aquele horror predestinado entrava e saía da consciência. Lá estava ela, fixada no tempo futuro, precedendo a morte tão seguramente quanto 99 precede 100. Não se podia evitá-la, mas talvez se pudesse adiá-la; todavia, em vez disso, a pessoa muitas vezes optava, graças a um ato consciente e voluntário, por abreviar o tempo de sua ocorrência.

 Nesse momento, houve um passo rápido na escada. Júlia irrompeu no quarto. Ela carregava uma bolsa de ferramentas de lona marrom áspera, como ele às vezes a vira carregando de um lado para o outro no Ministério. Ele se adiantou para tomá-la nos braços, mas ela se soltou com bastante pressa, em parte porque ainda estava segurando a bolsa de ferramentas.

 — Meio segundo — disse ela. — Apenas deixe-me mostrar o que eu trouxe.

 — Você trouxe um pouco daquele imundo Café Vitória? Eu pensei que você iria. Você pode jogá-lo fora de novo, porque nós não vamos precisar dele. Olhe aqui.

 Ela caiu de joelhos, abriu a bolsa e tirou algumas chaves inglesas e uma chave de fenda que preenchia a parte de cima da bolsa. Embaixo havia vários pacotes de papel arrumados. O primeiro pacote que ela passou para Winston tinha uma consistência estranha, mas vagamente familiar. Estava cheio de algum tipo de material pesado, parecido com areia, que cedia onde quer que você o tocasse.

— É açúcar? — ele perguntou.

— Açúcar de verdade. Não é sacarina, não; é açúcar. E aqui está um pedaço de pão — pão branco adequado, não aquele maldito pão que estamos acostumados — e um potinho de geleia. E aqui está uma lata de leite — mas olhe! É disto que eu mais me orgulho. Eu tive que enrolar um pouco de pano em volta dele porque...

Mas ela não precisava dizer a ele por que tivera que fazer aquilo. O cheiro já estava enchendo a sala, um cheiro quente e rico que parecia uma emanação de sua infância, mas que ocasionalmente se sentia, soprando por uma passagem antes de uma porta bater, ou se espalhando misteriosamente em uma rua movimentada, farejando por um instante e depois se perdendo novamente.

— É café — ele murmurou —, café de verdade.

— É o café do Partido Interno. Tem um quilo aqui — disse ela.

— Como você conseguiu se apossar de todas essas coisas?

— É tudo coisa do Partido Interno. Não há nada que esses porcos não tenham, nada. Mas é claro que garçons, criados e pessoas beliscam coisas e — olhe, eu tenho um pacotinho de chá também.

Winston se agachou ao lado dela. Ele rasgou um canto do pacote.

— É chá de verdade. Não folhas de amora.

— Tem aparecido muito chá ultimamente. Eles conquistaram a Índia, ou algo assim — ela disse vagamente. — Mas escute, querido. Quero que você me dê as costas por três minutos. Vá e sente-se do outro lado da cama. Não chegue muito perto da janela. E não se vire até que eu diga.

Winston olhou distraidamente através da cortina de musselina. Lá embaixo, no pátio, a mulher de braços vermelhos ainda marchava de um lado para o outro entre a tina e o varal. Ela tirou mais dois pinos da boca e cantou com sentimento profundo:

Eles dizem que o tempo cura todas as coisas,
Eles dizem que você sempre pode esquecer,
Mas os sorrisos e as lágrimas ao longo dos anos,
Estes perduram e provocam danos!

A mulher parecia saber de cor toda a canção boba. Sua voz flutuava para cima com o doce ar de verão, muito melodiosa, carregada de uma espécie de feliz melancolia. Tinha-se a sensação de que ela estaria perfeitamente contente se a noite de junho fosse interminável e o estoque de roupas inesgotável, para ficar ali por mil anos, catando fraldas e cantando bobagens. Pareceu-lhe um fato curioso nunca ter ouvido um membro do Partido cantando sozinho e espontaneamente. Até pareceria um pouco heterodoxo, uma excentricidade perigosa, como falar consigo mesmo. Talvez fosse apenas quando as pessoas estavam em algum lugar perto do nível de fome que elas tinham algo para cantar.

— Você pode se virar agora — disse Júlia.

Ele se virou e por um segundo quase não a reconheceu. O que ele realmente esperava era vê-la nua. Mas ela não estava nua. A transformação que aconteceu foi muito mais surpreendente do que isso. Ela tinha maquiado o rosto.

Ela deve ter entrado em alguma loja do bairro dos proletas e comprado um conjunto completo de materiais de maquiagem. Seus lábios estavam profundamente avermelhados, suas bochechas pintadas de vermelho, seu nariz empoado; havia até um toque de algo sob os olhos para torná-los mais brilhantes. Não foi feito com muita habilidade, mas os padrões de Winston em tais assuntos não eram altos. Ele nunca tinha visto ou imaginado uma mulher do Partido com cosméticos no rosto. A melhora em sua aparência foi surpreendente. Com apenas algumas pinceladas de cor nos lugares certos, ela se tornara não apenas muito mais bonita, mas, acima de tudo, muito mais feminina. Seu cabelo curto e macacão de menino apenas aumentavam o efeito. Quando ele a tomou em seus braços, uma onda de violetas sintéticas inundou suas narinas. Lembrou-se da penumbra de uma cozinha no porão e da boca cavernosa de uma mulher. Era o mesmo perfume que ela havia usado; mas no momento não parecia importar.

— Perfume também! — ele disse.

— Sim, querido, perfumada. E você sabe o que vou fazer a seguir? Vou pegar um vestido de mulher de verdade de algum lugar e usá-lo no lugar dessas malditas calças. Vou usar seda meias e sapatos de salto alto! Nesta sala vou ser uma mulher, não uma camarada do Partido.

Eles tiraram as roupas e subiram na enorme cama de mogno. Foi a primeira vez que ele se despiu na presença dela. Até agora ele tinha muita vergonha de seu corpo pálido e magro, com as varizes salientes nas panturrilhas e a mancha descolorida no tornozelo. Não havia lençóis, mas o cobertor em que estavam estava puído e macio, e o tamanho e a elasticidade da cama surpreenderam os dois.

— Com certeza está cheio de insetos, mas quem se importa? — disse Júlia. Não havia mais cama de casal em lugar nenhum, exceto nas casas dos proletas. Winston ocasionalmente dormia em uma em sua infância; Júlia, até onde se lembrava, jamais se deitara numa.

Logo eles adormeceram um pouco. Quando Winston acordou, os ponteiros do relógio marcavam quase nove horas. Ele não se mexeu, porque Júlia dormia com a cabeça na dobra do braço dele. A maior parte de sua maquiagem havia se transferido para o próprio rosto dele ou para o travesseiro, mas uma leve mancha de ruge ainda realçava a beleza de sua bochecha. Um raio amarelo do sol poente caiu ao pé da cama e iluminou a lareira, onde a água da panela fervia rápido. Lá embaixo, no pátio, a mulher havia parado de cantar, mas os gritos fracos das crianças vinham da rua. Ele se perguntou vagamente se no passado abolido não teria sido uma experiência normal deitar na cama assim, no frescor de uma noite de verão, um homem e uma mulher sem roupa, fazendo amor quando quisessem, falando sobre o que quisessem, sem sentir nenhuma compulsão para se levantar, simplesmente deitado e ouvindo sons pacíficos do lado de fora. Certamente nunca poderia ter havido uma época em que isso parecesse comum. Júlia acordou, esfregou os olhos e se apoiou no cotovelo para olhar o fogão a óleo.

— Metade dessa água ferveu — disse ela. — Vou levantar e fazer um café. Temos uma hora. A que horas eles cortam as luzes em seus apartamentos?

— Às vinte e três e trinta.

— No albergue eles cortam às vinte e três. Mas a gente tem que chegar mais cedo do que isso. Saia daí, seu bicho imundo!

De repente, ela se virou na cama, pegou um sapato do chão e o arremessou para o canto com um puxão de braço juvenil, exatamente como ele a vira jogar o dicionário em Goldstein, naquela manhã durante os Dois Minutos de Ódio.

— O que foi isso? — ele perguntou surpreso.

— Um rato. Eu o vi enfiar o nariz bestial para fora dos lambris. Há um buraco lá embaixo. De qualquer maneira, dei-lhe um bom susto.

— Ratos! — murmurou Winston. — Nesse quarto!

— Eles estão por toda parte — disse Júlia com indiferença enquanto se deitava novamente. — Nós os temos até na cozinha do albergue. Algumas partes de Londres estão infestadas deles. Você sabia que eles atacam crianças? Sim, eles atacam. Em algumas dessas ruas uma mulher não ousa deixar um bebê sozinho por dois minutos. São os grandes marrons que fazem isso. E o pior é que os brutos sempre...

— Não continue! — disse Winston, com os olhos bem fechados.

— Querido! Você ficou muito pálido. Qual é o problema? Eles fazem você se sentir doente?

— O pior dos horrores que há no mundo — um rato!

Júlia se apertou contra ele e enrolou suas pernas em volta dele, como se quisesse tranquilizá-lo com o calor de seu corpo. Ele não reabriu os olhos imediatamente. Por vários momentos teve a sensação de estar de volta a um pesadelo que se repetira de tempos em tempos ao longo de sua vida. Sempre foi muito igual. Ele estava parado na frente de uma parede da escuridão, e do outro lado dela havia algo insuportável, algo terrível demais para ser enfrentado. No sonho, seu sentimento mais profundo era sempre de autoengano, porque ele de fato sabia o que havia por trás do muro da escuridão. Com um esforço mortal, como arrancar um pedaço de seu próprio cérebro, ele poderia até ter arrastado a coisa para fora. Ele sempre acordava sem descobrir o que era, mas de alguma forma estava conectado com o que Júlia estava dizendo quando ele a interrompeu.

— Sinto muito — disse ele. — Não é nada. Eu não gosto de ratos, só isso.

— Não se preocupe, querido, não vamos ter os brutos imundos aqui. Vou encher o buraco com um pouco de saco antes de irmos. E da próxima vez que viermos aqui, trarei um pouco de gesso e vou tampar tudo direitinho.

O instante negro de pânico já estava meio esquecido. Sentindo-se um pouco envergonhado de si mesmo, ele se sentou contra a cabeceira da cama. Júlia saiu da cama, vestiu o macacão e fez o café. O cheiro que saía da panela era tão forte e excitante que eles fecharam a janela para que ninguém do lado de fora percebesse e ficasse curioso. O que era ainda melhor do que o sabor do café era a textura sedosa dada pelo açúcar, algo que Winston quase esquecera depois de anos de sacarina. Com uma mão no bolso e um pedaço de pão com geleia na outra, Júlia perambulava pela sala, olhando com indiferença para a estante, apontando a melhor maneira de consertar a mesa de apoio, enfiando-se na poltrona esfarrapada para ver se era confortável e examinava o absurdo relógio de doze horas com uma espécie de diversão tolerante. Ela levou o peso de papel de vidro até a cama, para dar uma olhada em uma luz melhor. Ele o tirou da mão dela, fascinado como sempre pela aparência suave e úmida do vidro.

— Você tem ideia do que seja isto? — perguntou Júlia.

— Eu não acho que seja alguma coisa — quer dizer, eu não acho que isso tenha sido usado. É disso que eu gosto. É um pequeno pedaço da história que eles esqueceram de alterar. É uma mensagem de cem anos atrás, se alguém soubesse como interpretá-la.

— E aquela foto ali — ela acenou com a cabeça para o quadro na parede oposta —, será que tem cem anos?

— Mais. Duzentos, ouso dizer. Não se pode dizer. É impossível descobrir a idade de qualquer coisa hoje em dia.

Ela foi até lá para olhar. — Aqui é onde aquele bicho colocou o focinho para fora — disse ela, chutando o lambril imediatamente abaixo da foto. — Aqui é o quê? Eu já vi esse prédio antes em algum lugar.

— É uma igreja, ou pelo menos costumava ser São Clemente dos Dinamarqueses. O fragmento de rima que o Sr. Charrington lhe ensinara voltou à sua mente, e ele acrescentou meio nostálgico:

— *Laranjas e limões sem sementes, dizem os sinos de São Clemente!*

Para sua surpresa, ela finalizou a rima:

— *Você deve três vinténs para mim, dizem os sinos de São Martim, quando você vai me pagar, afinal? dizem os sinos do Tribunal...*

— Não me lembro mais como continuava. Só sei que terminava assim:

Quando eu tiver dinheiro, dizem os sinos de Shoreditch sempre sorrateiros.

Era como as duas metades de um contrassinal. Mas deve haver outro verso depois dos sinos do tribunal. Talvez pudesse ser escavado na memória do Sr. Charrington, se ele fosse devidamente estimulado.

— Quem te ensinou isso? — ele perguntou.

— Meu avô. Ele costumava dizer isso para mim quando eu era uma garotinha. Ele foi pulverizado quando eu tinha oito anos — de qualquer forma, ele desapareceu. Eu me pergunto o que era um limão — acrescentou inconsequentemente. — Já vi laranjas. São uma espécie de fruta amarela redonda com casca grossa.

— Eu me lembro de limões — disse Winston. — Eles eram bastante comuns nos anos cinquenta. Eram tão azedos que você ficava arrepiado quando cheirava.

— Aposto que está cheio de percevejos atrás desse quadro — disse Júlia. — Vou desmontá-lo e dar uma boa limpeza algum dia. Acho que está quase na hora de irmos embora. Preciso começar a tirar essa maquiagem. Que chato! Vou limpar o batom do seu rosto depois.

Winston não se levantou por mais alguns minutos. O quarto estava escurecendo. Ele se virou para a luz e ficou olhando para o peso de papel de vidro. O inesgotável não era o fragmento de coral, mas o próprio interior do vidro. Havia uma profundidade tão grande e, no entanto, era quase tão transparente quanto o ar. Era como se a superfície do vidro fosse o arco do céu, envolvendo um mundo minúsculo com sua atmosfera completa. Ele teve a sensação de que poderia entrar ali e de que na verdade estava ali dentro, junto com a cama de mogno, a mesa de apoio, o relógio, a gravura em aço e o próprio peso de papel. O peso de papel era o quarto em que ele estava, e o coral era a vida de Júlia e a dele, fixada numa espécie de eternidade no coração do cristal.

V

Syme havia desaparecido. Certa manhã ele faltou ao trabalho; algumas pessoas sem pensar comentaram sobre sua ausência. No dia seguinte ninguém o mencionou. No terceiro dia, Winston foi ao vestíbulo do Departamento de Registros para olhar o quadro de avisos. Um dos avisos trazia uma lista impressa dos membros do Comitê de Xadrez, do qual Syme havia sido um. Parecia quase exatamente como antes — nada havia sido riscado — mas era um nome mais curto. Foi o suficiente — Syme deixou de existir; ele nunca existiu.

O tempo estava escaldante. No labiríntico Ministério, os quartos sem janelas e com ar-condicionado mantinham a temperatura normal, mas do lado de fora as calçadas queimavam os pés e o fedor dos metrôs na hora do pico era um horror. Os preparativos para a Semana do Ódio estavam em pleno andamento, e as equipes de todos os Ministérios estavam trabalhando horas extras. Procissões, reuniões, desfiles militares, palestras, exibições de cera, exibições de filmes, programas de teletela, tudo isso precisava ser organizado; arquibancadas tiveram que ser erguidas, efígies construídas, slogans cunhados, canções escritas, rumores divulgados, fotografias falsificadas. A unidade de Júlia no Departamento de Ficção fora desligada da produção de romances e estava lançando uma série de panfletos de atrocidades. Winston, além de seu trabalho regular, passava longos períodos todos os dias vasculhando arquivos antigos do *Times*, alterando e embelezando itens de notícias que deveriam ser citados em discursos. Tarde da noite, quando multidões de proletas desordeiros percorriam as ruas, a cidade tinha um ar curiosamente febril. As bombas-foguetes caíam com mais frequência do que nunca, e às vezes ao longe havia explosões enormes que ninguém conseguia explicar e sobre as quais havia rumores malucos.

A nova música que seria o tema da Semana do Ódio (a "Canção do Ódio", como se chamava) já havia sido composta e estava sendo interminavelmente ligada nas teletelas. Tinha um ritmo selvagem de latido que não podia ser exatamente chamada de música, mas lembrava o bater de um tambor. Rugida por centenas de vozes ao som de pés em marcha, era aterrorizante. Os proletas se interessaram pela música e, na madrugada das ruas competia com a popular "Era apenas uma fantasia sem esperança". As crianças Parsons tocavam a Canção do Ódio, insuportavelmente, usando um pente e um pedaço de papel higiênico. As noites de Winston estavam mais cheias do que nunca. Esquadrões de voluntários, organizados por Parsons, estavam preparando a rua para a Semana do Ódio, costurando faixas, pintando cartazes, erigindo mastros nos telhados e lançando perigosamente fios do outro lado da rua para a recepção de serpentinas. Parsons se gabou de que só as Mansões Vitória sozinhas exibiriam quatrocentos metros de bandeiras. Ele estava em seu elemento nativo e feliz como uma cotovia. O calor e o trabalho manual até lhe deram um pretexto para voltar a usar bermuda e camisa aberta à noite. Ele estava em todos os lugares ao mesmo tempo, empurrando, puxando, serrando, martelando, improvisando, animando a todos com exortações de camaradagem e liberando de cada dobra de seu corpo o que parecia um suprimento inesgotável de suor de cheiro azedo.

Um novo pôster apareceu de repente por toda Londres. Não tinha legenda e representava simplesmente a figura monstruosa de um soldado eurasiano, de três ou quatro metros de altura, avançando com um rosto mongol inexpressivo e botas enormes, uma metralhadora apontada do quadril. De qualquer ângulo que você olhasse para o pôster, o cano da arma, ampliado pelo escorço, parecia estar apontado diretamente para você. A imagem tinha sido colada em cada espaço em branco de cada parede, superando até mesmo os retratos do Grande Irmão. Os proletas, normalmente apáticos em relação à guerra, estavam sendo incitados a entrar em um de seus surtos periódicos de patriotismo. Como que para harmonizar com o clima geral, as bombas-foguete estavam matando um número maior de pessoas do que o normal. Uma caiu em um cinema lotado em Stepney, enterrando várias centenas de vítimas entre as ruínas. Toda a população do bairro compareceu a um longo e demorado funeral que durou horas e foi na verdade uma reunião de indignação. Outra bomba caiu em um terreno baldio que foi usado como playground, e várias dezenas de crianças foram explodidas em pedaços. Houve outras manifestações furiosas, Goldstein foi queimado em efígie, centenas de cópias do pôster do soldado eurasiano foram derrubadas e adicionadas às chamas, e várias lojas foram saqueadas no tumulto; então correu o boato de que espiões estavam direcionando as bombas-foguete por meio de ondas sem fio, e um velho casal suspeito de ser de origem estrangeira teve sua casa incendiada e morreu asfixiado.

No quarto em cima da loja do Sr. Charrington, quando eles conseguiram chegar lá, Júlia e Winston ficavam deitados lado a lado na cama despojada sob a janela aberta, nus por uma questão de frieza. O rato nunca mais voltou, mas os insetos se multiplicaram horrivelmente com o calor. Não pareciam importar. Sujo ou limpo, o quarto era o paraíso. Assim que chegavam, polvilhavam tudo com pimenta comprada no mercado negro, arrancavam a roupa e faziam amor com corpos suados, depois adormeciam e acordavam para descobrir que os insetos haviam se reunido e estavam se aglomerando para o contra-ataque.

Quatro, cinco, seis — sete vezes eles se encontraram durante o mês de junho. Winston abandonou o hábito de beber gim a toda hora. Ele parecia ter perdido a necessidade disso. Ele engordou, sua úlcera varicosa havia diminuído, deixando apenas uma mancha marrom na pele acima do tornozelo, seus acessos de tosse no início da manhã haviam parado. O processo da vida tinha deixado de ser intolerável, ele não tinha mais nenhum impulso de fazer caretas para a teletela ou xingar a plenos pulmões. Agora que eles tinham um esconderijo seguro, quase um lar, nem parecia uma dificuldade que eles só pudessem se encontrar com pouca frequência e por algumas horas de cada vez. O que importava era que o quarto sobre a loja de quinquilharias existia. Saber que estava ali, inviolável, era quase o mesmo que estar nele. O quarto era um mundo, um bolsão do passado onde animais extintos podiam andar. O Sr. Charrington, pensou Winston, era outro animal extinto. Ele geralmente parava para conversar com o Sr. Charrington por alguns minutos enquanto subia. O velho parecia raramente ou nunca sair de casa e, por outro lado, quase não tinha clientes. Ele levava uma existência fantasmagórica entre a loja minúscula e escura e uma cozinha ainda menor nos fundos onde preparava suas refeições e que continha, entre outras coisas, um gramofone inacreditavelmente antigo com uma enorme corneta. Ele parecia feliz com a oportunidade de falar. Vagando entre seu estoque inútil, com seu nariz comprido e óculos grossos e seus ombros curvados no paletó de veludo, ele sempre teve o ar de ser um colecionador e não um comerciante. Com uma espécie de entusiasmo desvanecido, ele dedilhava este ou aquele pedaço de lixo — uma rolha de porcelana, a tampa pintada de uma caixa de rapé quebrada, um medalhão sem valor contendo um fio de cabelo de algum bebê morto há muito tempo — nunca pedindo que Winston comprasse algo, apenas que ele admirasse. Falar com ele era como ouvir o tilintar de uma caixa de música gasta. Dos recantos da memória, ele extraíra novos fragmentos de rimas esquecidas. Havia uma sobre vinte e quatro melros, outra sobre uma vaca com um chifre amassado e outra sobre a morte do pobre Cock Robin. "Apenas me ocorreu que você pode estar interessado", ele dizia com uma risadinha depreciativa sempre que produzia um novo fragmento. Mas ele nunca conseguia se lembrar de mais do que alguns versos de uma rima.

Ambos sabiam — de certa forma, isso nunca estava fora de suas mentes — que o que estava acontecendo agora não poderia durar muito. Houve momentos em que o fato da morte iminente parecia tão palpável quanto a cama em que estavam deitados, e eles se agarravam com uma espécie de sensualidade desesperada, como uma alma agarrando-se ao último resquício de prazer minutos antes de o relógio dar a hora fatal. Mas também havia vezes em que acreditavam na ilusão não só da segurança como da permanência. Enquanto eles estivessem realmente naquele quarto, ambos sentiam que nenhum mal poderia acontecer a eles. Chegar lá era difícil e perigoso, mas o quarto em si era um santuário. Foi como quando Winston olhou para o centro do peso de papel, com a sensação de que seria possível entrar naquele mundo vítreo, e que uma vez dentro dele o tempo poderia ser detido. Muitas vezes eles se entregavam a devaneios de fuga. Sua sorte duraria indefinidamente, e eles continuariam sua intriga, assim, pelo resto de suas vidas naturais. Ou Katharine morreria e, por meio de manobras sutis, Winston e Júlia conseguiriam se casar. Ou eles se suicidariam juntos. Ou eles desapareceriam, mudariam de posição, aprenderiam a falar com sotaque proleta, conseguiriam empregos em uma fábrica e viveriam suas vidas sem serem detectados em uma rua secundária. Era tudo bobagem, como ambos sabiam. Na realidade não havia escapatória. Mesmo o único plano que era praticável, o suicídio, eles não tinham intenção de executar. Agarrar-se dia a dia e semana a semana, tecendo um presente que não tinha futuro, parecia um instinto invencível, assim como os pulmões continuariam a respirar enquanto houvesse ar.

Às vezes também falavam em se engajar em uma rebelião ativa contra o Partido, mas sem noção de como dar o primeiro passo. Mesmo que a fabulosa Irmandade fosse uma realidade, ainda permanecia a dificuldade de encontrar o caminho para ela. Ele contou a ela sobre a estranha intimidade que existia, ou parecia existir, entre ele e O'Brien, e do impulso que às vezes sentia simplesmente de entrar na presença de O'Brien, anunciar que ele era o inimigo do Partido e exigir sua ajuda. Curiosamente, isso não lhe pareceu uma coisa impossivelmente precipitada de se fazer. Ela estava acostumada a julgar as pessoas por seus rostos, e parecia natural para ela que Winston acreditasse que O'Brien era confiável com a força de um único lampejo de olhos. Além disso, ela tinha como certo que todos, ou quase todos, odiavam secretamente o Partido e quebrariam as regras se achassem seguro fazê-lo. Mas ela se recusou a acreditar que existia ou poderia existir uma oposição organizada e generalizada. As histórias sobre Goldstein e seu exército clandestino, dizia ela, eram simplesmente um monte de lixo que o Partido havia inventado para seus próprios propósitos e nas quais você tinha que fingir acreditar. Muitas vezes, nos comícios e manifestações espontâneas do Partido, ela pedira a plenos pulmões a execução de pessoas cujos nomes jamais ouvira antes e em cujos supostos crimes não acreditava nem por sombra. Quando os julgamentos públicos aconteciam, ela ocupava seu lugar nos destacamentos da Liga da Juventude que cercavam os tribunais de manhã à noite, cantando em intervalos "Morte aos traidores!" Durante os Dois Minutos de Ódio, ela sempre superava todos os outros ao gritar insultos a Goldstein. No entanto, ela tinha apenas uma vaga ideia de quem era Goldstein e quais doutrinas ele deveria representar. Ela havia crescido desde a Revolução e era jovem demais para se lembrar das batalhas ideológicas dos anos cinquenta e sessenta. Algo como um movimento político independente estava fora de sua imaginação; e em qualquer caso o Partido era invencível. Sempre existiria, e seria sempre o mesmo. Você só poderia se rebelar contra ele por desobediência secreta ou, no máximo, por atos isolados de violência, como matar alguém ou explodir alguma coisa.

De certa forma, ela era muito mais perspicaz do que Winston e muito menos suscetível à propaganda do Partido. Certa vez, quando ele mencionou por algum motivo a guerra contra a Eurásia, ela o surpreendeu dizendo casualmente que, em sua opinião, a guerra não estava acontecendo. Os foguetes-bomba que caíam diariamente sobre Londres provavelmente foram disparados pelo próprio governo da Oceania, "só para manter as pessoas amedrontadas". Essa era uma ideia que literalmente nunca lhe ocorrera. Ela também despertou nele uma espécie de inveja ao lhe dizer que durante os Dois Minutos de Ódio sua grande dificuldade era não cair na gargalhada. Mas ela só questionou os ensinamentos do Partido quando eles de alguma forma tocaram em sua própria vida. Muitas vezes ela estava pronta para aceitar a mitologia oficial, simplesmente porque a diferença entre verdade e falsidade não parecia importante para ela. Ela acreditou, por exemplo, tendo aprendido na escola, que o Partido havia inventado os aviões. (Em seus próprios tempos de escola, Winston lembrou, no final dos anos cinquenta, era apenas o helicóptero que o Partido alegava ter inventado; uma dúzia de anos depois, quando Júlia estava na escola, já reivindicava o avião; uma geração mais, e seria reivindicar a máquina a vapor.) E quando ele lhe disse que os aviões já existiam antes de ele nascer, e muito antes da Revolução, o fato lhe pareceu totalmente desinteressante. Afinal, o que importava quem tinha inventado os aviões? Foi mais um choque para ele quando descobriu por algum comentário casual que ela não se lembrava de que a Oceania, quatro anos atrás, estivera em guerra com a Lestásia e em paz com a Eurásia. Era verdade que ela considerava toda a guerra uma farsa; mas aparentemente ela nem havia notado que o nome do inimigo havia mudado. "Achei que sempre estivemos em guerra com a Eurásia", disse ela vagamente. Isso o assustou um pouco. A invenção dos aviões datava muito antes de seu nascimento, mas a mudança na guerra acontecera apenas quatro anos atrás, bem depois de ela ter crescido. Ele discutiu com ela sobre isso por talvez um quarto de hora. No final, ele conseguiu forçar sua memória de volta até que ela se lembrasse vagamente de que em certa época a Lestásia e não a Eurásia havia sido a inimiga. Mas a questão ainda lhe parecia sem importância. "Quem se importa?", ela disse impaciente. "É sempre uma guerra sangrenta atrás da outra, e a gente sabe que as notícias são todas mentiras de qualquer maneira".

Às vezes ele falava com ela sobre o Departamento de Registros e as falsificações descaradas que ele cometeu lá. Tais coisas não pareciam horrorizá-la. Ela não sentia o abismo se abrindo sob seus pés com o pensamento de mentiras se tornando verdades. Ele contou a ela a história de Jones, Aaronson e Rutherford e o importante pedaço de papel que ele segurava entre os dedos. Não lhe causou muita impressão. A princípio, na verdade, ela nem entendeu direito do que ele estava falando.

— Eles eram amigos seus? — ela perguntou.

— Não, eu nunca os conheci. Eles eram membros do Partido Interno. Além disso, eles eram homens muito mais velhos do que eu. Pertenciam aos velhos tempos, antes da Revolução. Eu mal os conhecia de vista.

— Então, com o que se preocupar? Pessoas estão sendo mortas o tempo todo, não estão?

Ele tentou fazê-la entender.

— Aquele foi um caso excepcional. Não era apenas uma questão de alguém ser morto. Você percebe que o passado, a partir de ontem, foi realmente abolido? Se sobrevive em algum lugar, é em alguns objetos sólidos sem palavras anexadas para eles, como aquele pedaço de vidro ali. Já não sabemos quase nada literalmente sobre a Revolução e os anos anteriores à Revolução. Todos os registros foram destruídos ou falsificados, todos os livros foram reescritos, todos os quadros foram repintados, todas as estátuas, ruas e edifícios foram renomeados, todas as datas foram alteradas. E esse processo continua dia a dia e minuto a minuto. A história parou. Nada existe exceto um presente sem fim em que o Partido está sempre certo. Eu sei, é claro, que o passado é falsificado, mas nunca seria possível para mim prová-lo, mesmo que tenha sido eu mesmo o autor da falsificação. Depois que a coisa é feita, nenhuma evidência permanece. A única evidência está dentro da minha própria mente, e não sei com certeza se qualquer outro ser humano compartilha minhas memórias. Apenas naquele caso, em toda a minha vida, eu possuía evidências concretas reais após o evento — anos depois do fato acontecido.

— E que diferença faz tudo isso?

— Nenhuma, porque alguns minutos depois eu me desfiz da prova. Mas se a mesma coisa acontecesse hoje, eu ficaria com ela.

— Bem, eu não ficaria! — disse Júlia. Estou disposta a correr riscos, mas apenas por algo que valha a pena, não por pedaços de jornal velho. O que você poderia ter feito com ele mesmo que o tivesse guardado?

— Não muito, talvez. Mas era uma evidência. Talvez pudesse ter plantado algumas dúvidas aqui e ali, supondo que eu ousasse mostrá-lo a alguém. Não imagino que possamos alterar alguma coisa em nossa própria vida. Mas pode-se imaginar pequenos nós de resistência surgindo aqui e ali — pequenos grupos de pessoas se unindo e crescendo gradualmente, e até deixando alguns registros para trás, para que a próxima geração possa continuar de onde paramos.

— Não estou interessada na próxima geração, querido. Estou interessado em nós.

— Você é apenas uma rebelde da cintura para baixo — ele disse a ela.

Ela achou isso brilhantemente espirituoso e jogou os braços ao redor dele com prazer.

Nas ramificações da doutrina do Partido ela não tinha o menor interesse. Sempre que ele começava a falar dos princípios do Socing, do duplipensar, da mutabilidade do passado e da negação da realidade objetiva, e a usar palavras de Novilíngua, ela ficava entediada e confusa e dizia que nunca prestava atenção a esse tipo de coisa. Sabia-se que era tudo lixo, então por que se preocupar com isso? Ela sabia quando aplaudir e quando vaiar, e isso era tudo o que se precisava. Se ele insistia em falar de tais assuntos, ela tinha o desconcertante hábito de adormecer. Ela era uma daquelas pessoas que podem dormir a qualquer hora e em qualquer posição. Conversando com ela, ele percebeu como era fácil apresentar uma aparência de ortodoxia sem ter nenhuma compreensão do que significava ortodoxia. De certa forma, a visão de mundo do Partido impôs-se com mais sucesso a pessoas incapazes de compreendê-la. Eles podiam ser levados a aceitar as mais flagrantes violações da realidade, porque nunca compreenderam completamente a enormidade do que lhes era exigido e não estavam suficientemente interessados em eventos públicos para perceber o que estava acontecendo. Por falta de compreensão eles permaneceram sãos. Eles simplesmente engoliram tudo, e o que eles engoliram não lhes fez mal, porque não deixou nenhum resíduo para trás, assim como um grão de milho passa sem ser digerido pelo corpo de um pássaro.

VI

Tinha acontecido, finalmente. A mensagem esperada havia chegado. Durante toda a sua vida, parecia-lhe, estivera esperando que isso acontecesse.

Ele estava andando pelo longo corredor do Ministério, quase no local onde Júlia havia colocado o bilhete em sua mão, quando percebeu que alguém maior do que ele estava andando logo atrás. A pessoa, quem quer que fosse, pigarreou, evidentemente como um prelúdio para falar. Winston parou abruptamente e se virou. Era O'Brien.

Finalmente estavam cara a cara, e parecia que seu único impulso era fugir. Seu coração saltou violentamente. Ele seria incapaz de falar. O'Brien, no entanto, continuou avançando no mesmo movimento, pousando por um momento uma mão amiga no braço de Winston, de modo que os dois caminhavam lado a lado. Começou a falar com a peculiar cortesia grave que o diferenciava da maioria dos membros do Partido Interno.

— Eu estava esperando por uma oportunidade de falar com você — disse ele. — Eu estava lendo um de seus artigos de Novilíngua no *Times* outro dia. Você tem um interesse acadêmico em Novilíngua, não tem?

Winston havia recuperado parte de seu autocontrole.

— Estou longe de ser acadêmico — disse ele. — Sou apenas um amador. Não é meu assunto. Nunca tive nada a ver com a construção real da linguagem.

— Mas você escreve com muita elegância — disse O'Brien. — Essa não é apenas minha opinião. Eu estava conversando recentemente com um amigo seu que certamente é um especialista. Seu nome escapou da minha memória no momento.

Novamente o coração de Winston se agitou dolorosamente. Era inconcebível que isso fosse outra coisa que não uma referência a Syme. Mas Syme não estava apenas morto, ele foi abolido, era uma "nãopessoa". Qualquer referência identificável a ele teria sido mortalmente perigosa. A observação de O'Brien deve obviamente ter a intenção de ser um sinal, uma palavra-código. Ao compartilhar um pequeno ato de pensamento-crime, ele transformou os dois em cúmplices. Eles continuaram a caminhar lentamente pelo corredor, mas agora O'Brien parou. Com a simpatia curiosa e apaziguadora que sempre conseguia colocar no gesto, recolocou os óculos no nariz. Então ele continuou:

— O que eu realmente pretendia dizer era que em seu artigo eu notei que você usou duas palavras que se tornaram obsoletas. Mas elas só se tornaram muito recentemente. Você já viu a décima edição do dicionário Novilíngua?

— Não — disse Winston. — Eu não achei que tivesse sido emitido ainda. Ainda estamos usando o nono no Departamento de Registros.

— A décima edição não deve sair por alguns meses, eu acredito. Mas algumas cópias antecipadas foram distribuídas. Eu mesmo tenho uma. Talvez lhe interesse dar uma olhada, talvez?

— Muito — disse Winston, vendo imediatamente para onde isso tendia.

— Alguns dos novos desenvolvimentos são muito engenhosos. A redução no número de verbos — esse é o ponto que vai agradar a você, eu acho. Deixe-me ver, devo enviar um mensageiro para você com o dicionário? Eu invariavelmente esqueço qualquer coisa desse tipo. Talvez você possa buscá-lo em meu apartamento em algum momento que lhe convier. Espere. Deixe-me dar-lhe meu endereço.

Eles estavam em frente a uma teletela. Um tanto distraído, O'Brien apalpou dois bolsos e então tirou um pequeno caderno com capa de couro e uma caneta-tinteiro dourada. Imediatamente abaixo da teletela, em uma posição tal que qualquer um que estivesse olhando do outro lado do instrumento pudesse ler o que ele estava escrevendo, ele rabiscou um endereço, rasgou a página e a entregou a Winston.

— Geralmente estou em casa à noite — disse ele. — Se não, meu criado lhe dará o dicionário.

Ele foi embora, deixando Winston segurando o pedaço de papel, que desta vez não havia necessidade de esconder. Mesmo assim, ele memorizou cuidadosamente o que estava escrito nele e, algumas horas depois, o jogou no buraco da memória junto com uma massa de outros papéis.

A conversa durou alguns minutos no máximo. Havia apenas um significado que o episódio poderia ter. Fora planejado como uma forma de informar a Winston o endereço de O'Brien. Isso era necessário porque, exceto por inquérito direto, nunca era possível descobrir onde alguém morava. Não havia diretórios de qualquer tipo. "Se você quiser me ver, é aqui que posso ser encontrado", era o que O'Brien estava dizendo a ele. Talvez até houvesse uma mensagem escondida em algum lugar do dicionário. Mas de qualquer forma, uma coisa era certa. A conspiração com a qual sonhara existia, e ele chegara ao seu limite.

Ele sabia que mais cedo ou mais tarde obedeceria à convocação de O'Brien. Talvez amanhã, talvez depois de um longo atraso — ele não tinha certeza. O que estava acontecendo era apenas a elaboração de um processo que havia começado anos atrás. O primeiro passo fora um pensamento secreto e involuntário; a segunda foi o início do diário. Ele havia passado de pensamentos para palavras, e agora de palavras para ações. O último passo era algo que aconteceria no Ministério do Amor. Ele havia aceitado. O fim estava contido no começo. Mas era assustador; ou, mais exatamente, era como um antegozo da morte, como estar um pouco menos vivo. Mesmo enquanto falava com O'Brien, quando o significado das palavras já havia sido compreendido, uma sensação de calafrio tomou conta de seu corpo. Teve a sensação de pisar na umidade de um túmulo, e o fato de sempre ter sabido que o túmulo estava ali à sua espera não melhorava muito a situação.

VII

Winston acordou com os olhos cheios de lágrimas. Júlia rolou sonolenta contra ele, murmurando algo que poderia ter sido "Qual é o problema?"

— Eu sonhei — ele começou, e parou.

Era complexo demais para ser colocado em palavras. Havia o sonho em si, e havia uma memória ligada a ele que nadava em sua mente poucos segundos depois de acordar.

Ele se deitou com os olhos fechados, ainda encharcado na atmosfera do sonho. Era um sonho vasto e luminoso em que toda a sua vida parecia se estender diante dele como uma paisagem em uma noite de verão depois da chuva. Tudo ocorrera dentro do peso de papel de vidro, mas a superfície do vidro era a cúpula do céu, e dentro da cúpula tudo estava inundado de uma luz clara e suave na qual se podia ver distâncias intermináveis. O sonho também fora compreendido por — na verdade, em certo sentido consistia em — um gesto do braço feito por sua mãe, e repetido trinta anos depois pela judia que ele vira no noticiário, tentando abrigar o garotinho das balas, antes que os helicópteros explodissem os dois em pedaços.

— Você sabe — disse ele — que até este momento eu acreditava que tinha assassinado minha mãe?

— Por que você a matou? — perguntou Júlia, quase dormindo.

— Eu não a matei. Não fisicamente.

No sonho, ele se lembrou de seu último vislumbre de sua mãe e, poucos momentos depois de acordar, o conjunto de pequenos eventos que o cercavam voltou. Era uma lembrança que ele deve ter deliberadamente afastado de sua consciência ao longo de muitos anos. Ele não tinha certeza da data, mas não podia ter menos de dez anos, possivelmente doze, quando aconteceu.

Seu pai havia desaparecido algum tempo antes; o quanto antes, ele não conseguia se lembrar. Ele se lembrava melhor das circunstâncias agitadas e incômodas da época: os pânicos periódicos sobre os ataques aéreos e os abrigos nas estações de metrô, as pilhas de escombros por toda parte, as proclamações ininteligíveis afixadas nas esquinas, as gangues de jovens com camisas da mesma cor, as enormes filas do lado de fora das padarias, os disparos intermitentes de metralhadoras ao longe — sobretudo, o fato de que nunca havia o suficiente para comer. Ele se lembrava das longas tardes passadas com outros garotos vasculhando latas de lixo redondas e montes de lixo, tirando as nervuras de folhas de repolho, cascas de batata, às vezes até pedaços de crosta de pão velho dos quais cuidadosamente raspavam as cinzas; e lembrava-se também de esperar pela passagem dos caminhões que viajavam por determinada estrada e que transportavam ração para gado e que, ao passarem por um remendo malfeito da estrada, com o tranco, às vezes deixavam cair alguns pedaços de bolo de linhaça.

Quando seu pai desapareceu, sua mãe não mostrou nenhuma surpresa ou nenhuma dor violenta, mas uma mudança repentina sobreveio a ela. Ela parecia ter se tornado completamente sem espírito. Era evidente até para Winston que ela estava esperando por algo que ela sabia que deveria acontecer. Ela fazia tudo o que era necessário — cozinhava, lavava, remendava, arrumava a cama, varria o chão, tirava o pó da lareira — sempre muito devagar e com uma curiosa falta de movimento supérfluo, como a figura leiga de um artista se movendo por conta própria. Seu grande corpo bem torneado parecia recair naturalmente na quietude. Por horas a fio ela ficava quase imóvel na cama, amamentando sua irmã mais nova, uma criança pequena, doente e muito silenciosa de dois ou três anos, com um rosto feito de símio pela magreza. Muito ocasionalmente ela pegava Winston em seus braços e o apertava contra ela por um longo tempo sem dizer nada. Ele estava ciente, apesar de sua juventude e egoísmo, que isso estava de alguma forma relacionado com a coisa nunca mencionada que estava prestes a acontecer.

Lembrou-se de onde moravam, um quarto escuro e cheirando a lugar fechado, onde uma cama coberta por uma colcha branca ocupava o espaço quase por inteiro. Havia um bujão de gás e uma prateleira onde se guardava comida, e no patamar do lado de fora tinha uma pia de barro marrom, comum a vários cômodos. Ele se lembrou do corpo escultural de sua mãe curvando-se sobre o bico de gás para mexer em alguma coisa em uma panela. Acima de tudo, ele se lembrava de sua fome contínua e das batalhas sórdidas e ferozes na hora das refeições. Ele perguntava à mãe de forma irritante, repetidas vezes, por que não havia mais comida, ele gritava e a atacava (ele até se lembrava do tom de sua própria voz, que prematuramente começava a mudar e às vezes ribombava de maneira peculiar), ou então recorria a um tom patético para ver se ela lhe dava mais do que sua parte. Sua mãe sempre estava pronta para lhe dar mais do que sua parte. Ela dava como certo que ele, "o menino", deveria ficar com a maior parte; mas por mais que ela lhe desse, ele invariavelmente exigia mais. A cada refeição ela pedia para ele não ser egoísta e lembrar que sua irmãzinha estava doente e também precisava de comida, mas não adiantava. Ele gritava de raiva quando ela parava de servir, ele tentava arrancar a panela e a colher das mãos dela, ele pegava pedaços do prato de sua irmã. Ele sabia que estava deixando as duas famintas, mas não podia evitar; até sentia que tinha o direito de fazê-lo. A fome clamorosa em sua barriga parecia justificá-lo. Entre as refeições, se sua mãe não ficasse de guarda, ele furtava o miserável estoque de comida na prateleira.

Um dia, uma ração de chocolate foi distribuída. Havia semanas ou meses que não acontecia isso. Ele se lembrava muito claramente daquele precioso pedacinho de chocolate. Era uma placa de duas onças (eles ainda falavam sobre onças naqueles dias) para ser repartida entre os três. Era óbvio que deveria ser dividido em três partes iguais. De repente, como se estivesse ouvindo outra pessoa, Winston se ouviu exigindo em voz alta e retumbante que lhe entregassem a peça inteira. Sua mãe lhe disse para não ser ganancioso. Houve uma discussão longa e incômoda que deu voltas e mais voltas, com gritos, lamúrias, lágrimas, protestos e barganhas. Sua irmãzinha, agarrada à mãe com as duas mãos, exatamente como um macaquinho, estava sentada olhando por cima do ombro para ele com olhos grandes e tristes. No final, sua mãe quebrou três quartos do chocolate e deu a Winston, dando o outro quarto para sua irmã. A garotinha pegou-o e olhou para ele com um olhar tedioso, talvez sem saber o que era. Winston ficou olhando para ela por um momento. Então, com um salto repentino, ele arrancou o pedaço de chocolate da mão de sua irmã e fugiu.

— Winston, Winston! — sua mãe chamou por ele. — Volte! Devolva o chocolate à sua irmã!

Parou, mas não voltou. Os olhos ansiosos de sua mãe estavam fixos em seu rosto. Mesmo agora ela estava pensando na coisa, ele não sabia o que era, isso estava prestes a acontecer. Sua irmã, consciente de ter sido roubada de alguma coisa, soltou um gemido débil. Sua mãe passou o braço em volta da criança e pressionou seu rosto contra seu peito. Algo no gesto lhe disse que sua irmã estava morrendo. Ele se virou e desceu correndo as escadas, com o chocolate cada vez mais pegajoso em sua mão.

Ele nunca mais viu sua mãe. Depois de ter devorado o chocolate, sentiu um pouco de vergonha de si mesmo e ficou nas ruas por várias horas, até que a fome o levou para casa. Quando voltou, sua mãe havia desaparecido. Isso já estava se tornando normal naquela época. Nada havia desaparecido do quarto, exceto sua mãe e sua irmã. Elas não levaram nenhuma roupa, nem mesmo o sobretudo de sua mãe. Até hoje ele não sabia com certeza que sua mãe estava morta. Era perfeitamente possível que ela tivesse sido simplesmente enviada para um campo de trabalhos forçados. Quanto à irmã, ela poderia ter sido transferida, como o próprio Winston, para uma das colônias para crianças sem-teto (Centros de Recuperação, como eram chamados) que cresceram como resultado da guerra civil; ou ela pode ter sido enviada para o campo de trabalho junto com sua mãe, ou simplesmente abandonada em algum lugar para morrer.

O sonho ainda estava vívido em sua mente, especialmente o gesto envolvente e protetor do braço em que todo o seu significado parecia estar contido. Sua mente voltou para outro sonho de dois meses atrás. Exatamente como sua mãe havia se sentado na cama acolchoada e suja, com a criança agarrada a ela, ela se sentara no navio afundado, bem embaixo dele e se afogando mais a cada minuto, mas ainda olhando para ele através da água que escurecia.

Ele contou a Júlia a história do desaparecimento de sua mãe. Sem abrir os olhos, ela rolou e se acomodou em uma posição mais confortável.

— Eu suponho que você era um porquinho bestial naqueles dias — ela disse indistintamente. — Todas as crianças são porcos.

— Sim. Mas o verdadeiro ponto da história...

Pela respiração dela, era evidente que ela ia dormir novamente. Ele gostaria de continuar falando sobre sua mãe. Ele não supôs, pelo que conseguia se lembrar dela, que ela tivesse sido uma mulher incomum, muito menos inteligente; e, no entanto, ela possuía uma espécie de nobreza, uma espécie de pureza, simplesmente porque os padrões que ela obedecia eram privados. Seus sentimentos eram seus e não podiam ser alterados de fora. Não teria ocorrido a ela que uma ação que é ineficaz torna-se assim sem sentido. Se você amava alguém, você simplesmente amava, e quando você não tinha mais nada para dar, você ainda lhe dava amor. Quando o último chocolate acabou, sua mãe pegou a criança nos braços. Não adiantou, não mudou nada, não produziu mais chocolate, não evitou a morte da criança ou a sua própria; mas parecia natural para ela fazer isso. A mulher refugiada no barco também cobriu o menino com o braço, que não era mais útil contra as balas do que uma folha de papel. A coisa terrível que o Partido fez foi persuadir as pessoas de que meros impulsos, meros sentimentos, não tinham importância, enquanto ao mesmo tempo roubavam delas todo o poder sobre o mundo material. Quando você estava nas garras do Partido, o que você sentia ou não sentia, o que você fazia ou deixava de fazer, literalmente não fazia diferença. O que quer que tivesse acontecido a você desapareceria, e nem você nem suas ações seriam ouvidas novamente. Você era retirado do fluxo da história. E, no entanto, para as pessoas de apenas duas gerações atrás, isso não pareceria muito importante, porque ninguém estava tentando alterar a história. Eram governados por lealdades privadas que não questionavam. O que importava eram as relações individuais, e um gesto completamente desamparado, um abraço, uma lágrima, uma palavra dita a um moribundo, poderia ter valor em si mesmo. Os proletas, de repente lhe ocorreu, permaneceram nessa condição. Não eram leais a um partido, a um país ou a uma ideia, eram leais uns aos outros. Pela primeira vez em sua vida não desprezou os proletas nem os considerou apenas como uma força inerte que um dia renasceria e regeneraria o mundo. Os proletas permaneceram humanos. Eles não haviam endurecido por dentro. Eles se apegaram às emoções primitivas que ele próprio teve de reaprender por esforço consciente. E ao pensar isso ele se lembrou, sem relevância aparente, de como algumas semanas antes vira uma mão decepada caída no calçamento e a chutara para a sarjeta como se fosse um talo de repolho.

— Os proletas são seres humanos — disse em voz alta. — Nós não somos humanos.

— Por que não? — indagou Júlia, que tinha acordado novamente.

Ele pensou um pouco.

— Já lhe ocorreu — disse ele — que a melhor coisa a fazermos seria simplesmente sair daqui antes que seja tarde demais e nunca mais nos vermos?

— Sim, querido, isso me ocorreu várias vezes. Mas eu não vou fazer isso, mesmo assim.

— Tivemos sorte — disse ele —, mas não pode durar muito mais. Você é jovem. Você parece normal e inocente. Se você ficar longe de pessoas como eu, você pode continuar viva por mais cinquenta anos.

— Não. Eu pensei em tudo. O que você fizer, eu vou fazer. E não fique muito desanimado. Eu sou muito boa em permanecer viva.

— Podemos ficar juntos por mais seis meses — um ano talvez — não há como saber. No final, com certeza estaremos separados. Você percebe como ficaremos completamente sozinhos? Quando eles nos pegarem, não haverá nada, literalmente nada, que qualquer um de nós possa fazer pelo outro. Se eu confessar, eles vão atirar em você, e se eu me recusar a confessar, eles vão atirar em você do mesmo jeito. Nada que eu possa fazer ou dizer, ou me impedir de dizer, adiará sua morte por mais de cinco minutos. Nenhum de nós saberá se o outro estará vivo ou morto. Ficaremos totalmente sem poder de qualquer tipo. A única coisa que importa é que não devemos trair uns aos outros, embora nem isso possa fazer a menor diferença.

— Se você se refere à confissão — ela disse —, nós faremos isso com certeza. Todo mundo sempre confessa. Você não pode evitar. Eles torturam você.

— Eu não quero dizer confessar. Confissão não é traição. O que você diz ou faz não importa; apenas os sentimentos importam. Se eles pudessem me fazer parar de te amar, essa seria a verdadeira traição.

Ela pensou sobre isso. — Eles não podem fazer isso — disse ela finalmente. — É a única coisa que eles não podem fazer. Eles podem fazer você dizer qualquer coisa, qualquer coisa, mas eles não podem fazer você acreditar. Eles não podem entrar em você.

— Não — ele disse um pouco mais esperançoso —, não; isso é bem verdade. Eles não podem entrar em você. Se você pode sentir que vale a pena permanecer humano, mesmo quando não pode ter nenhum resultado, você os venceu.

Winston pensou na teletela com seu ouvido que nunca dorme. Eles poderiam espioná-lo dia e noite, mas se você não perdesse a cabeça, ainda poderia enganá-los. Com toda a sua esperteza, eles nunca dominaram o segredo de descobrir o que outro ser humano estava pensando. Talvez isso fosse menos verdade quando você estava realmente nas mãos deles. Não se sabia o que acontecia dentro do Ministério do Amor, mas era possível adivinhar: torturas, arrastamentos, instrumentos delicados que registravam suas reações nervosas, desgaste gradual pela insônia e solidão e questionamentos persistentes. De qualquer forma, os fatos não podiam ser mantidos ocultos. Eles podem ser rastreados por inquérito, eles podem ser arrancados de você pela tortura. Mas se o objetivo não era permanecer vivo, mas permanecer humano, que diferença isso faria no final das contas? Eles não poderiam alterar seus sentimentos; aliás, você mesmo não poderia alterá-los, mesmo que quisesse. Eles podiam revelar nos mínimos detalhes tudo o que você fez, disse ou pensou; mas o coração interior, cujo funcionamento era misterioso até para você, permaneceu inexpugnável.

VIII

Eles tinham feito isso, eles tinham feito isso finalmente!

A sala em que estavam era alongada e levemente iluminada. A teletela foi reduzida a um murmúrio baixo; a riqueza do tapete azul-escuro dava a impressão de pisar em veludo. No outro extremo da sala, O'Brien estava sentado a uma mesa sob um abajur verde, com um monte de papéis de cada lado dele. Ele não se preocupou em olhar para cima quando o criado fez Júlia e Winston entrar.

O coração de Winston batia tão forte que ele duvidava se conseguiria falar. Eles tinham feito isso, eles tinham feito isso finalmente, era tudo que ele conseguia pensar. Tinha sido um ato precipitado ir até lá, e pura loucura chegarem juntos; embora fosse verdade que tinham feito caminhos diferentes e só se encontraram na porta de O'Brien. Mas simplesmente entrar em tal lugar exigia coragem. Só em raras ocasiões se via o interior das moradias do Partido Interior, ou mesmo passar pelo bairro da cidade onde viviam. Toda a atmosfera do enorme bloco de apartamentos, a riqueza e o espaço de tudo, os cheiros desconhecidos de boa comida e bom tabaco, os elevadores silenciosos e incrivelmente rápidos deslizando para cima e para baixo, os criados de paletó branco correndo de um lado para o outro — tudo era intimidador. Embora tivesse um bom pretexto para ir até ali, a cada passo Winston continuava sendo perseguido pelo medo de que um guarda de uniforme preto aparecesse de repente na esquina, exigindo seus papéis e mandando-o sair. O criado de O'Brien, no entanto, havia admitido os dois sem objeção. Era um homenzinho de cabelos escuros e paletó branco, com um rosto em forma de diamante, completamente inexpressivo, que poderia ser o de um chinês. A passagem por onde ele os conduziu era suavemente acarpetada, com paredes de papel creme e lambris brancos, tudo primorosamente limpo. Isso também era intimidante. Winston não conseguia se lembrar de ter visto uma passagem cujas paredes não estivessem sujas pelo contato de corpos humanos.

O'Brien tinha um pedaço de papel entre os dedos e parecia estudá-lo atentamente. Seu rosto pesado, curvado para que se pudesse ver a linha do nariz, parecia ao mesmo tempo formidável e inteligente. Por talvez vinte segundos ele ficou sentado sem se mexer. Então puxou o transcritor em direção a ele e gravou uma mensagem no jargão híbrido dos Ministérios:

> *Itens um vírgula cinco vírgula sete aprovados sugestão de parada total continha item seis duplo mais ridículo beirando crimepensar cancelar parar não prosseguir construção antecipando mais estimativas despesas gerais de máquinas parar mensagem final.*

Ele se levantou deliberadamente de sua cadeira e veio em direção a eles através do tapete silencioso. Um pouco da atmosfera oficial parecia ter desaparecido dele com as palavras de Novilíngua, mas sua expressão estava mais sombria do que de costume, como se ele não estivesse satisfeito por ser perturbado. O terror que Winston já sentia foi subitamente atravessado por um traço de embaraço comum. Parecia-lhe bem possível que tivesse simplesmente cometido um erro estúpido. Para que provas ele tinha na realidade de que O'Brien era algum tipo de conspirador político? Nada além de um lampejo de olhos e uma única observação ambígua; além disso, apenas suas próprias imaginações secretas, fundadas em um sonho. Não podia nem mesmo fingir que viera pedir emprestado o dicionário, porque nesse caso era impossível explicar a presença de Júlia. Ao passar pela teletela, O'Brien pareceu lembrar-se de alguma coisa. Ele parou, virou de lado e apertou um interruptor na parede. Houve um estalo agudo. A voz havia parado.

Júlia emitiu um pequeno som, uma espécie de guincho de surpresa. Mesmo em meio ao pânico, Winston estava muito surpreso para poder segurar a língua.

— Você pode desligá-lo! — ele exclamou.

— Sim — disse O'Brien —, podemos desligá-lo. Temos esse privilégio.

Ele estava em frente a eles agora. Sua forma sólida se elevava sobre os dois, e a expressão em seu rosto ainda era indecifrável. Ele estava esperando, um tanto severo, que Winston falasse, mas sobre o quê? Mesmo agora, era bastante concebível que ele fosse simplesmente um homem ocupado se perguntando irritado por que havia sido interrompido. Ninguém falou. Após a interrupção da teletela, a sala parecia mortalmente silenciosa. Os segundos passaram, ficaram longos. Com dificuldade, Winston continuou a manter os olhos fixos nos de O'Brien. Então, de repente, o rosto sombrio se transformou no que poderia ter sido o início de um sorriso. Com seu gesto característico, O'Brien recolocou os óculos no nariz.

— Devo dizer isso, ou você vai dizer? — ele indagou.

— Eu vou dizer isso — disse Winston prontamente. — Essa coisa está realmente desligada?

— Sim, tudo está desligado. Estamos sozinhos.

— Nós viemos aqui porque...

Ele fez uma pausa, percebendo pela primeira vez a imprecisão de seus próprios motivos. Como ele de fato não sabia que tipo de ajuda esperava de O'Brien, não era fácil dizer por que tinha vindo para lá. Ele continuou, consciente de que o que estava dizendo devia soar ao mesmo tempo fraco e pretensioso:

— Acreditamos que há algum tipo de conspiração, algum tipo de organização secreta trabalhando contra o Partido, e que você está envolvido nisso. Queremos nos juntar e trabalhar para isso. Somos inimigos do Partido. Nós somos criminosos do pensamento. Também somos adúlteros. Digo isso porque queremos nos colocar à sua mercê. Se você quiser que nos incriminemos de qualquer outra forma, estamos prontos.

Ele parou e olhou por cima do ombro, com a sensação de que a porta havia se aberto. Com certeza, o pequeno criado de rosto amarelo entrou sem bater. Winston viu que ele carregava uma bandeja com uma garrafa e copos.

— Martin é um de nós — disse O'Brien impassível. — Traga as bebidas aqui, Martin. Coloque-as na mesa redonda. Temos cadeiras suficientes? Então podemos sentar e conversar confortavelmente. Traga uma cadeira para você, Martin. Isso é negócio. Pode deixar de ser criado pelos próximos dez minutos.

O homenzinho sentou-se, bastante à vontade, mas ainda com um ar de criado, o ar de um criado desfrutando de um privilégio. Winston o observou com o canto do olho. Ocorreu-lhe que toda a vida do homem estava desempenhando um papel, e que ele achava perigoso abandonar sua personalidade assumida, mesmo que por um momento. O'Brien pegou a garrafa pelo gargalo e encheu os copos com um líquido vermelho-escuro. Despertou em Winston lembranças obscuras de algo visto há muito tempo em uma parede ou um tapume — uma enorme garrafa composta de luzes elétricas que pareciam se mover para cima e para baixo e derramar seu conteúdo em um copo. Visto de cima, o material parecia quase preto, mas na garrafa brilhava como um rubi. Tinha um cheiro agridoce. Ele viu Júlia pegar seu copo e cheirá-lo com franca curiosidade.

— Chama-se vinho — disse O'Brien com um leve sorriso. — Você terá lido sobre isso nos livros, sem dúvida. Não muito disso chega ao Partido Externo, infelizmente. Seu rosto tornou-se solene novamente, e ele ergueu o copo: — Acho apropriado que comecemos com um brinde. Ao nosso Líder: Emmanuel Goldstein.

Winston pegou seu copo com certa ansiedade. Vinho era uma coisa que ele tinha lido e sonhado. Como o peso de papel de vidro ou as rimas parcialmente lembradas do Sr. Charrington, pertencia ao passado romântico e desaparecido, os velhos tempos como ele gostava de dizer em seus pensamentos secretos. Por alguma razão, ele sempre pensara no vinho como tendo um sabor intensamente doce, como o de geleia de amora, e um efeito inebriante imediato. Na verdade, quando ele engoliu, a coisa foi claramente decepcionante. A verdade era que, depois de anos bebendo gim, ele mal conseguia sentir o gosto. Ele pousou o copo vazio.

— Então existe um homem chamado Goldstein? — ele perguntou.

— Sim, existe tal pessoa, e ele está vivo. Onde, eu não sei.

— E a conspiração — a organização? É real? Não é simplesmente uma invenção da Polícia do Pensamento?

— É real também. A Irmandade, nós a chamamos. A única coisa que você aprenderá sobre a Irmandade é que ela existe e que você pertence a ela. Voltarei a isso em breve — ele olhou para o relógio de pulso. — Não é sensato que os membros do Partido Interno desliguem a teletela por mais de meia hora. Vocês não deveriam ter vindo aqui juntos e terão que sair separadamente. Você, camarada — ele inclinou a cabeça para Júlia —, vai sair primeiro. Temos cerca de vinte minutos à nossa disposição. Você entenderá que devo começar fazendo algumas perguntas. Em termos gerais, o que você está preparado para fazer?

— Qualquer coisa de que somos capazes — disse Winston.

O'Brien virou-se um pouco na cadeira para ficar de frente para Winston. Ele quase ignorou Júlia, parecendo ter certeza de que Winston poderia falar por ela. Por um momento, as pálpebras caíram sobre seus olhos. Ele começou a fazer suas perguntas em voz baixa e inexpressiva, como se isso fosse uma rotina, uma espécie de catecismo, cuja maioria das respostas já eram conhecidas por ele.

— Vocês estão preparados para dar suas vidas?
— Sim.
— Você está preparado para cometer assassinato?
— Sim.
— Para cometer atos de sabotagem que podem causar a morte de centenas de pessoas inocentes?
— Sim.
— Para trair seu país para potências estrangeiras?
— Sim.
— Você está preparado para enganar, forjar, chantagear, corromper a mente das crianças, distribuir drogas viciantes, encorajar a prostituição, disseminar doenças venéreas — fazer qualquer coisa que possa causar desmoralização e enfraquecer o poder do Partido?
— Sim.
— Se, por exemplo, de alguma forma servir aos nossos interesses jogar ácido sulfúrico no rosto de uma criança, você está preparado para fazer isso?
— Sim.
— Você está preparado para perder sua identidade e viver o resto de sua vida como garçom ou estivador?
— Sim.
— Você está preparado para cometer suicídio, e quando lhe for ordenado fazer isso?
— Sim.
— Vocês estão preparados, vocês dois, para se separarem e nunca mais se verem?
— Não! — interveio Júlia.

Pareceu a Winston que muito tempo se passou antes que ele respondesse. Por um momento, ele pareceu até ter sido privado do poder da fala. Sua língua trabalhava silenciosamente, formando as sílabas iniciais de uma palavra, depois da outra, repetidas vezes. Até que ele disse isso, ele não sabia que palavra ele iria dizer.

— Não — ele disse finalmente.
— Você fez bem em me dizer — disse O'Brien. — É necessário que saibamos tudo.

Ele se virou para Júlia e acrescentou com uma voz um pouco mais expressiva:
— Você entende que mesmo que ele sobreviva, pode ser como uma pessoa diferente? Podemos ser obrigados a dar a ele uma nova identidade. Seu rosto, seus movimentos, o formato de suas mãos, a cor de seu cabelo, até sua voz seria diferente. E você mesmo pode se tornar uma pessoa diferente. Nossos cirurgiões podem alterar as pessoas além do reconhecimento. Às vezes é necessário. Às vezes até amputamos um membro.

Winston não pôde deixar de lançar outro olhar de soslaio para o rosto mongol de Martin. Não havia cicatrizes que ele pudesse ver. Júlia tinha ficado um pouco mais pálida, de modo que suas sardas estavam aparecendo, mas ela encarou O'Brien corajosamente. Ela murmurou algo que parecia ser um assentimento.

— Bom. Então isso está resolvido.

Sobre a mesa havia um maço de cigarros de prata. Com um ar um tanto distraído, O'Brien empurrou-os na direção dos outros, pegou um, então se levantou e começou a andar devagar de um lado para o outro, como se pudesse pensar melhor em pé. Eram cigarros muito bons, grossos e bem embalados, com um papel de uma sedosidade desconhecida. O'Brien olhou novamente para o relógio de pulso.

— É melhor você voltar para sua despensa, Martin — disse ele. — Vou ligar dentro de um quarto de hora. Dê uma boa olhada nos rostos desses camaradas antes de ir. Você os verá novamente. Talvez não.

Exatamente como eles tinham feito na porta da frente, os olhos escuros do homenzinho piscaram sobre seus rostos. Não havia um traço de amizade em suas maneiras. Ele estava memorizando a aparência deles, mas não sentia nenhum interesse neles, ou parecia não sentir nenhum. Ocorreu a Winston que um rosto sintético talvez fosse incapaz de mudar sua expressão. Sem falar ou fazer qualquer tipo de saudação, Martin saiu, fechando a porta silenciosamente atrás de si. O'Brien estava andando para cima e para baixo, uma mão no bolso do macacão preto, a outra segurando o cigarro.

— Devem entender — disse —, que lutarão no escuro. Estarão sempre no escuro. Receberão ordens e as obedecerão sem saber por quê. Mais tarde lhes enviarei um livro que os instruirá sobre a verdadeira natureza da sociedade em que vivemos e a estratégia por meio da qual pretendemos destruí-la. Quando tiverem lido o livro, serão membros plenos da Irmandade. Mas quanto à relação entre os objetivos gerais pelos quais lutamos e as tarefas imediatas do momento, vocês nunca saberão coisa nenhuma. Garanto-lhes que a Irmandade existe, mas não posso dizer se seus membros chegam a uma centena ou a dez milhões. Por conhecimento próprio, vocês jamais serão capazes de dizer se seus integrantes chegam até mesmo a uma dúzia. Terão três ou quatro contatos, que de vez em quando desaparecerão e serão renovados. Como este foi o primeiro contato, ele será preservado. Quando você receber ordens, elas virão de mim. Se acharmos necessário nos comunicar com você, será por meio de Martin. Quando você finalmente for pego, você vai confessar. Isso é inevitável. Mas você terá muito pouco a confessar, além de suas próprias ações. Você não será capaz de trair mais do que um punhado de pessoas sem importância. Provavelmente você nem vai me trair. A essa altura eu posso estar morto, ou terei me tornado uma pessoa diferente, com outro rosto.

Ele continuou a se mover de um lado para o outro sobre o tapete macio. Apesar do volume de seu corpo, havia uma graça notável em seus movimentos. Isso se evidenciava até na maneira como enfiava a mão no bolso ou manipulava um cigarro. Mais até do que de força, dava uma impressão de confiança e de uma compreensão tingida de ironia. Por mais sério que fosse, não tinha nada da obstinação que pertence a um fanático. Quando falava de assassinato, suicídio, doenças venéreas, membros amputados e rostos alterados, era com um leve ar de perseverança. "Isso é inevitável", sua voz parecia dizer; "é isso que temos que fazer, sem vacilar. Mas não é isso que faremos quando a vida valer a pena ser vivida novamente." Uma onda de admiração, quase de adoração, fluiu de Winston para O'Brien. No momento, ele havia esquecido a figura sombria de Goldstein. Quando você olhava para os ombros poderosos de O'Brien e seu rosto de feições rombas, tão feio e ao mesmo tempo tão civilizado, era impossível acreditar que ele pudesse ser derrotado. Não havia estratagema a que não estivesse à altura, nenhum perigo que não pudesse prever. Até Júlia parecia impressionada. Ela havia deixado o cigarro se apagar e estava ouvindo atentamente. O'Brien continuou:

— Vocês já devem ter ouvido rumores sobre a existência da Irmandade. Sem dúvida formaram sua própria imagem dela. Certamente, imaginam um vasto submundo de conspiradores reunindo-se secretamente em porões, rabiscando mensagens em muros, reconhecendo uns aos outros por meio de códigos ou movimentos especiais da mão. Nada disso existe. Os membros da Irmandade não têm como identificar uns aos outros, e um membro nunca conhece mais que um pequeno número de outros membros. O próprio Goldstein, se caísse nas mãos da Polícia do Pensamento, não teria como fornecer a lista completa dos membros do movimento nem disporia de informações que lhes permitissem completar a lista. Não existe essa lista. A Irmandade não pode ser liquidada porque não é uma organização no sentido usual do termo. Nada a mantém unida, exceto uma ideia que é indestrutível. Você nunca terá nada para sustentá-la, exceto a ideia. Você não terá camaradagem nem encorajamento. Quando finalmente você for pego, não terá ajuda. Nós nunca ajudamos nossos membros. No máximo, quando é absolutamente necessário que alguém seja silenciado, às vezes podemos contrabandear uma lâmina de barbear na cela de um prisioneiro. Você terá que se acostumar a viver sem resultados e sem esperança. Você trabalhará por um tempo, será pego, confessará e depois morrerá. Esses são os únicos resultados que verá. Não há possibilidade de que qualquer mudança perceptível aconteça dentro de nossa própria vida. Nós somos os mortos. Nossa única vida verdadeira está no futuro. Participaremos dela como punhados de pó e lascas de osso. Mas o quão longe esse futuro pode estar, não há como saber. Pode ser mil anos. Atualmente, nada é possível, exceto ampliar a área de sanidade pouco a pouco. Não podemos agir coletivamente. Só podemos espalhar nosso conhecimento de indivíduo para indivíduo, geração após geração. Diante da Polícia do Pensamento, não há outro caminho.

Ele parou e olhou pela terceira vez para o relógio de pulso.

— Está quase na hora de você ir embora, camarada — disse ele a Júlia. — Espere, a garrafa ainda está pela metade.

Ele encheu os copos e ergueu seu próprio copo pela haste.

— O que brindaremos desta vez? — ele indagou, ainda com a mesma ironia sutil. — À confusão da Polícia do Pensamento? À morte do Grande Irmão? À humanidade? Ao futuro?

— Ao passado — disse Winston.

— O passado é mais importante — concordou O'Brien gravemente.

Eles esvaziaram os copos e, um momento depois, Júlia se levantou para sair. O'Brien pegou uma caixinha de cima de um armário e entregou a ela um comprimido branco e achatado que ele disse para ela colocar na língua. Era importante, disse ele, não sair cheirando a vinho: os ascensoristas eram muito atentos. Assim que a porta se fechou atrás dela, ele pareceu esquecer sua existência. Ele deu mais um ou dois passos para cima e para baixo, então parou.

— Há detalhes a serem resolvidos — disse ele. — Suponho que você tenha algum tipo de esconderijo, não é?

Winston explicou sobre o quarto na sobreloja do Sr. Charrington.

— Isso vai servir por enquanto. Mais tarde arranjaremos outro lugar para você. É importante mudar de esconderijo com frequência. Também lhe mandarei um exemplar do livro.

Winston notou que até O'Brien parecia pronunciar as palavras como se estivessem em itálico.

— O livro de Goldstein, você entende, envio o mais rápido possível. Pode levar alguns dias até que eu consiga um. Não existem muitos, como você pode imaginar. A Polícia do Pensamento caça e os destrói quase tão rapidamente quanto podemos produzi-los. Faz pouca diferença. O livro é indestrutível. Se a última cópia se foi, poderíamos reproduzi-lo quase palavra por palavra. Você carrega uma maleta para trabalhar?

— Geralmente, sim.

— Como é?

— Preta, muito surrada. Com duas tiras.

— Preta, duas tiras, muito gasta — bom. Um dia em um futuro próximo — não posso dar uma data — haverá uma palavra com um erro de impressão e você terá de solicitar uma retransmissão. No dia seguinte, irá para o trabalho sem sua maleta. Em algum momento do dia, na rua, um homem vai te tocar no braço e dizer: "Acho que você deixou cair sua maleta". O que ele lhe der conterá uma cópia do livro de Goldstein. Você o devolverá em quatorze dias.

Eles ficaram em silêncio por um momento.

— Restam dois minutos para você ir — disse O'Brien. — Nós nos encontraremos de novo... Se de fato nos encontrarmos de novo...

Winston olhou para ele.

— No lugar onde não há escuridão? — ele disse hesitante.

O'Brien assentiu sem parecer surpreso. — No lugar onde não há escuridão — disse ele, como se tivesse reconhecido a alusão. — E enquanto isso, há alguma coisa que você queira dizer antes de sair? Alguma mensagem? Alguma pergunta?

Winston pensou. Não parecia haver mais nenhuma pergunta que ele quisesse fazer; menos ainda sentiu qualquer impulso de proferir generalidades pomposas. Em vez de qualquer coisa diretamente ligada a O'Brien ou à Irmandade, veio-lhe à mente uma espécie de imagem composta do quarto escuro onde sua mãe passara seus últimos dias, o quartinho sobre a loja do Sr. Charrington, o peso de papel de vidro e a gravura em aço em sua moldura de jacarandá. Quase ao acaso ele disse:

— Você já ouviu uma rima antiga que começa assim: *Laranjas e limões sem sementes, dizem os sinos de São Clemente*?

Novamente O'Brien assentiu. Com uma espécie de grave cortesia completou a estrofe:

Laranjas e limões sem sementes, dizem os sinos de São Clemente,
Você deve três vinténs a mim, dizem os sinos de São Martim,
Quando você vai me pagar, afinal? dizem os sinos do Tribunal,
Quando eu tiver dinheiro, dizem os sinos de Shoreditch sempre sorrateiros.

— Você sabia a última linha! — exclamou Winston.

— Sim, eu sei a última linha. E agora, infelizmente, é hora de você ir. Mas espere. É melhor você me deixar lhe dar um desses comprimidos.

Quando Winston se levantou, O'Brien estendeu a mão. Seu aperto poderoso esmagou os ossos da palma de Winston. Na porta, ele olhou para trás, mas O'Brien parecia já estar prestes a tirá-lo da cabeça. Ele estava esperando com a mão no interruptor que controlava a teletela. Atrás dele, Winston podia ver a escrivaninha com seu abajur verde, o transcritor e os cestos de arame carregados de papéis. O episódio estava encerrado. Dentro de trinta segundos, ocorreu-lhe, O'Brien estaria de volta ao seu trabalho interrompido e importante em nome do Partido.

IX

Winston estava gelatinoso de fadiga. Gelatinoso era a palavra certa. Tinha vindo à sua cabeça espontaneamente. Seu corpo parecia ter não apenas a fraqueza de uma geleia, mas sua translucidez. Ele sentiu que, se levantasse a mão, seria capaz de ver a luz através dela. Todo o sangue e linfa haviam sido drenados dele por uma enorme carga de trabalho, deixando apenas uma frágil estrutura de nervos, ossos e pele. Todas as sensações pareciam ser ampliadas. O macacão fazia cócegas em seus ombros, o chão fazia cócegas em seus pés, até mesmo abrir e fechar uma mão era um esforço que fazia suas juntas estalarem.

Havia trabalhado mais de noventa horas em cinco dias. Assim como todos os outros no Ministério. Agora estava tudo acabado, e ele não tinha literalmente nada para fazer, nenhum trabalho do Partido de qualquer tipo, até amanhã de manhã. Ele poderia passar seis horas no esconderijo e outras nove em sua própria cama. Lentamente, sob o sol suave da tarde, ele caminhou por uma rua suja em direção à loja do Sr. Charrington, mantendo um olho aberto para as patrulhas, mas irracionalmente convencido de que esta tarde não havia perigo de alguém interferir com ele. A maleta pesada que ele carregava batia em seus joelhos a cada passo, enviando uma sensação de formigamento para cima e para baixo na pele de sua perna. Dentro estava o livro, que ele já tinha em seu poder há seis dias e ainda não abrira, nem sequer olhara.

No sexto dia da Semana do Ódio, após as procissões, os discursos, os gritos, os cantos, as faixas, os cartazes, os filmes, os bonecos de cera, o rufar dos tambores e o guinchar das trombetas, o bater de pés marchando, o ranger das lagartas dos tanques, o rugido dos aviões em massa, o estrondo dos canhões — depois de seis dias disso tudo, quando o grande orgasmo estava chegando ao clímax e o ódio geral da Eurásia havia se transformado em tal delírio que, se a multidão pusesse as mãos nos dois mil criminosos de guerra eurasiáticos que seriam enforcados publicamente no último dia do processo, sem dúvida os teriam despedaçado — neste exato momento foi anunciado que a Oceania não estava afinal em guerra com Eurásia. A Oceania estava em guerra com a Lestásia. A Eurásia era uma aliada.

Não havia, é claro, nenhuma admissão de que qualquer mudança tivesse ocorrido. Apenas se tornou conhecido, com extrema rapidez e em todos os lugares ao mesmo tempo, que a Lestásia e não a Eurásia era o inimigo. Winston estava participando de uma manifestação em uma das praças centrais de Londres no momento em que aconteceu. Era noite, e os rostos brancos e os estandartes escarlates estavam iluminados por holofotes. A praça estava lotada com vários milhares de pessoas, incluindo um bloco de cerca de mil alunos com o uniforme dos Espiões. Em uma plataforma coberta de escarlate, um orador do Partido Interno, um homenzinho magro com braços desproporcionalmente longos e um crânio grande e calvo sobre o qual alguns cachos escorridos se espalhavam, discursava para a multidão. Uma pequena figura de Rumpelstiltskin, contorcida de ódio, pendurava-se ao microfone com uma mão enquanto a outra, enorme na ponta de um braço ossudo, arranhava o ar ameaçadoramente acima de sua cabeça. Sua voz, que amplificadores tornavam metálica, ressoava um catálogo interminável de atrocidades, massacres, deportações, saques, estupros, tortura de prisioneiros, bombardeios de civis, propaganda mentirosa, agressões injustas, tratados quebrados. Era quase impossível ouvi-lo sem primeiro ser convencido e depois enlouquecido. A cada poucos minutos, a fúria da multidão transbordava e a voz do orador era abafada por um rugido de fera selvagem que subia incontrolavelmente de milhares de gargantas. Os gritos mais selvagens de todos vinham dos alunos. O discurso estava acontecendo há talvez vinte minutos quando um mensageiro correu para a plataforma e um pedaço de papel foi colocado na mão do orador. Ele o desenrolou e o leu sem pausar seu discurso. Nada mudou em sua voz ou maneira, ou no conteúdo do que ele estava dizendo, mas de repente os nomes eram diferentes. Sem palavras ditas, uma onda de compreensão percorreu a multidão. A Oceania estava em guerra com a Lestásia! No momento seguinte, houve uma tremenda comoção. As faixas e cartazes com os quais a praça foi decorada estavam todos errados! Metade deles tinha os rostos errados. Foi sabotagem! Os agentes de Goldstein estavam trabalhando! Houve um interlúdio tumultuado enquanto cartazes eram arrancados das paredes, faixas rasgadas em pedaços e pisoteadas. Os Espiões realizaram prodígios de atividade escalando os telhados e cortando as serpentinas que esvoaçavam das chaminés. Mas em dois ou três minutos estava tudo acabado. O orador, ainda segurando o microfone, os ombros curvados para a frente, sua mão livre arranhando o ar, foi direto com seu discurso. Um minuto mais, e os rugidos ferozes de raiva estavam novamente explodindo da multidão. O Ódio continuou exatamente como antes, exceto que o alvo havia sido alterado.

O que impressionou Winston ao olhar para trás foi que o orador havia mudado de uma linha para outra realmente no meio da frase, não apenas sem uma pausa, mas sem quebrar a sintaxe. No momento, contudo, preocupava-se com outras coisas. Foi durante o momento de desordem, enquanto os cartazes estavam sendo derrubados, que um homem cujo rosto ele não viu deu um tapinha no ombro dele e disse: "Desculpe-me, acho que você deixou cair sua maleta". Ele pegou a maleta distraidamente, sem falar. Ele sabia que levaria dias até que ele tivesse a oportunidade de olhar dentro dela. No instante em que a manifestação terminou, ele foi direto ao Ministério da Verdade, embora agora fossem quase vinte e três horas. Todo o pessoal do Ministério tinha feito o mesmo. As ordens já emitiam das teletelas, convocando todos a ocupar seus postos, mas eram ordens totalmente desnecessárias.

A Oceania estava em guerra com a Lestásia: a Oceania sempre esteve em guerra com a Lestásia. Uma grande parte da literatura política de cinco anos estava agora completamente obsoleta. Relatórios e registros de todos os tipos, jornais, livros, panfletos, filmes, trilhas sonoras, fotografias — tudo teve que ser retificado na velocidade da luz. Embora nenhuma diretriz tenha sido emitida, sabia-se que os chefes do Departamento pretendiam que, dentro de uma semana, nenhuma referência à guerra com a Eurásia ou à aliança com a Lestásia permanecesse em qualquer lugar. O trabalho era avassalador, ainda mais porque os processos que envolvia não podiam ser chamados pelos seus verdadeiros nomes. Todos no Departamento de Registros trabalhavam dezoito horas por dia com dois intervalos de três horas para dormir. Colchões foram trazidos dos porões e espalhados por todos os corredores; as refeições consistiam em sanduíches e Café Vitória transportados em carrinhos por atendentes da cantina. Cada vez que Winston parava para um de seus períodos de sono, ele tentava deixar sua mesa livre do trabalho, e cada vez que ele se arrastava para trás, com os olhos pegajosos e doloridos, era para descobrir que outra chuva de cilindros de papel cobria a sua escrivaninha como um monte de neve, meio que enterrando o transcritor e transbordando no chão, de modo que o primeiro trabalho era sempre empilhá-los em uma pilha arrumada o suficiente para lhe dar espaço para trabalhar. O pior de tudo era que o trabalho não era de modo algum puramente mecânico. Muitas vezes bastava substituir um nome por outro, mas qualquer relato detalhado dos acontecimentos exigia cuidado e imaginação. Mesmo o conhecimento geográfico necessário para transferir a guerra de uma parte do mundo para outra era considerável.

 No terceiro dia, seus olhos doíam insuportavelmente e seus óculos precisavam ser limpos a cada poucos minutos. Era como lutar com alguma tarefa física esmagadora, algo que se tinha o direito de recusar e que, no entanto, estava neuroticamente ansioso por realizar. Na medida em que teve tempo para se lembrar, não se incomodou com o fato de que cada palavra que murmurava no transcritor, cada traço de sua caneta-tinteiro, era uma mentira deliberada. Ele estava tão ansioso quanto qualquer outra pessoa no Departamento para que a falsificação fosse perfeita. Na manhã do sexto dia, a chuva de cilindros diminuiu. Durante meia hora, nada saiu do tubo; depois mais um cilindro, depois nada. Em todos os lugares, mais ou menos ao mesmo tempo, o trabalho estava diminuindo. Um suspiro profundo e secreto percorreu o Departamento. Um feito poderoso, que nunca poderia ser mencionado, havia sido alcançado. Agora era impossível para qualquer ser humano provar por evidências documentais que a guerra com a Eurásia havia acontecido. À meia-noite houve um anúncio inesperado que todos os trabalhadores do Ministério estavam livres até amanhã de manhã. Winston, ainda carregando a maleta contendo o livro, que ficara entre seus pés enquanto trabalhava e sob seu corpo enquanto dormia, foi para casa, barbeou-se e quase adormeceu no banho, embora a água estivesse pouco mais que morna.

 Com uma espécie de rangido voluptuoso nas articulações, ele subiu a escada que levava aos altos da loja do Sr. Charrington. Ele estava cansado, mas já não sentia sono. Ele abriu a janela, acendeu o pequeno fogão a óleo sujo e colocou uma panela de água para o café. Júlia chegaria logo; enquanto isso tinha o livro. Sentou-se na poltrona ordinária e desfez as alças da maleta.

Um pesado volume preto, encadernado de forma amadora, sem nome ou título na capa. A impressão também parecia ligeiramente irregular. As páginas estavam gastas nas bordas e se desfaziam com facilidade, como se o livro tivesse passado por muitas mãos. A inscrição na página de título dizia:

A TEORIA E A PRÁTICA DO COLETIVISMO OLIGÁRQUICO
de Emmanuel Goldstein

Winston começou a ler.

Capítulo 1
IGNORÂNCIA É FORÇA

Ao longo do tempo registrado, e provavelmente desde o final da Era Neolítica, houve três tipos de grupos de pessoas no mundo: o Alto, o Médio e o Baixo. Eles foram subdivididos de muitas maneiras, receberam inúmeros nomes diferentes, e seus números relativos, bem como sua atitude em relação ao outro, variaram de época para época; mas a estrutura essencial da sociedade nunca se alterou. Mesmo depois de enormes comoções e mudanças aparentemente irrevogáveis, o mesmo padrão sempre se reafirmou, assim como um giroscópio sempre retornará ao equilíbrio, por mais longe que seja empurrado para um lado ou outro. Os objetivos desses três grupos são inteiramente irreconciliáveis...

Winston parou de ler, principalmente para apreciar o fato de estar lendo com conforto e segurança. Ele estava sozinho: sem teletela, sem ouvido no buraco da fechadura, sem impulso nervoso de olhar por cima do ombro ou cobrir a página com a mão. O ar doce de verão soprou contra sua bochecha. De algum lugar distante flutuavam os gritos fracos de crianças; na própria sala não havia som, exceto a voz de inseto do relógio. Ele se acomodou mais fundo na poltrona e apoiou os pés no guarda-fogo. Era felicidade, era eternidade. De repente, como às vezes se faz com um livro do qual se sabe que acabará por ler e reler cada palavra, ele o abriu em um lugar diferente e se viu no terceiro capítulo. Ele continuou lendo:

Capítulo 3
GUERRA É PAZ

A divisão do mundo em três grandes superestados foi um evento que poderia ser — e de fato — foi previsto antes da metade do século XX. Com a absorção da Europa pela Rússia e do Império Britânico pelos Estados Unidos, duas das três potências existentes, Eurásia e Oceania, já existiam efetivamente. A terceira, Lestásia, só emergiu como uma unidade distinta após mais uma década de lutas confusas. As fronteiras entre os três superestados são em alguns lugares arbitrárias e em outros flutuam de acordo com os destinos da guerra, mas em geral seguem linhas geográficas. A Eurásia compreende toda a parte norte da massa de terra europeia e asiática, de Portugal ao Estreito de Bering. A Oceania compreende as Américas, as ilhas do Atlântico, incluindo as Ilhas Britânicas, Australásia e a porção sul da África. A Lestásia, menor que as outras e com uma fronteira ocidental menos definida, compreende a China e os países ao sul dela, as ilhas japonesas e uma porção grande, mas flutuante, da Manchúria, Mongólia e Tibete.

Em uma combinação ou outra, esses três superestados estão permanentemente em guerra, e têm estado assim nos últimos vinte e cinco anos. A guerra, no entanto, não é mais a luta desesperada e aniquiladora que era nas primeiras décadas do século XX. É uma guerra de objetivos limitados entre combatentes que são incapazes de destruir uns aos outros, não têm causa material para lutar e não estão divididos por nenhuma diferença ideológica genuína. Isso não quer dizer que a condução da guerra, ou a atitude predominante em relação a ela, tenha se tornado menos sanguinária ou mais cavalheiresca. Pelo contrário, a histeria de guerra é contínua e universal em todos os países, e atos como estupros, saques, matança de crianças, redução de populações inteiras à escravidão e represálias contra prisioneiros que chegam a ser feridos e enterrados vivos, são considerados normais e, quando cometidos pelo próprio lado e não pelo inimigo, meritórios. Mas, em um sentido físico, a guerra envolve um número muito pequeno de pessoas, principalmente especialistas altamente treinados, e causa comparativamente poucas baixas. A luta, quando há, ocorre nas vagas fronteiras, cujo paradeiro o homem comum só pode adivinhar, ou ao redor das Fortalezas Flutuantes que guardam pontos estratégicos nas rotas marítimas. Nos centros da civilização, a guerra não significa mais do que uma escassez contínua de bens de consumo e a ocasional queda de uma bomba-foguete que pode causar algumas dezenas de mortes. A guerra, de fato, mudou seu caráter. Mais exatamente, as razões pelas quais a guerra é travada mudaram em sua ordem de importância. Motivos que até certo ponto já estavam presentes nas grandes guerras do início do século XX tornaram-se preponderantes e são conscientemente reconhecidos e levados em consideração.

Para compreender a natureza da guerra atual – pois apesar do reagrupamento que ocorre a cada poucos anos, é sempre a mesma guerra – é preciso perceber em primeiro lugar que é impossível que seja decisiva. Nenhum dos três superestados poderia ser definitivamente conquistado mesmo pelos outros dois em combinação. Eles são muito equilibrados e suas defesas naturais são formi-

dáveis. A Eurásia é protegida por seus vastos espaços terrestres, a Oceania pela largura do Atlântico e do Pacífico, a Lestásia pela fecundidade e laboriosidade de seus habitantes. Em segundo lugar, não há mais, no sentido material, nada pelo que lutar. Com o estabelecimento de economias autossuficientes, em que a produção e o consumo se orientam mutuamente, a disputa por mercados, que foi a principal causa das guerras anteriores, chegou ao fim, enquanto a competição por matérias-primas não é mais uma questão de vida ou morte. De qualquer forma, cada um dos três superestados é tão vasto que pode obter quase todos os materiais de que precisa dentro de seus próprios limites. Na medida em que a guerra tem um propósito econômico direto, é uma guerra pela força de trabalho. Entre as fronteiras dos superestados, e não permanentemente na posse de nenhum deles, encontra-se um quadrilátero grosseiro com seus cantos em Tânger, Brazzaville, Darwin e Hong Kong, contendo em seu interior cerca de um quinto da população da terra. É pela posse dessas regiões densamente povoadas e da calota de gelo do norte que as três potências lutam constantemente. Na prática, nenhum poder jamais controla toda a área disputada. Partes dele estão constantemente mudando de mãos, e é a possibilidade de tomar este ou aquele fragmento mediante um ato súbito de traição que determina as infinitas alterações de alinhamento.

Todos os territórios disputados contêm minerais valiosos, e alguns deles produzem importantes produtos vegetais, como a borracha, que em climas mais frios é necessário sintetizar por métodos comparativamente caros. Mas, acima de tudo, eles contêm uma reserva inesgotável de mão de obra barata. Qualquer que seja o poder que controle a África equatorial, ou os países do Oriente Médio, ou o sul da Índia, ou o arquipélago indonésio, dispõe também dos corpos de dezenas ou centenas de milhões de trabalhadores braçais operosos e mal pagos. Os habitantes dessas áreas, reduzidos mais ou menos abertamente à condição de escravos, passam continuamente das mãos de um para as mãos de outro conquistador, e são gastos como carvão ou petróleo na corrida para produzir mais armamentos, capturar mais territórios, controlar mais força de trabalho, produzir mais armamentos, capturar mais territórios, e assim por diante indefinidamente. Deve-se notar que a luta nunca realmente se move além das bordas das áreas disputadas. As fronteiras da Eurásia fluem entre a bacia do Congo e a margem norte do Mediterrâneo; as ilhas do Índico e do Pacífico são constantemente capturadas e recapturadas pela Oceania ou pela Lestásia; na Mongólia, a linha divisória entre a Eurásia e a Lestásia nunca é estável; ao redor do Polo, as três potências reivindicam enormes territórios que, de fato, são em grande parte desabitados e inexplorados; mas o equilíbrio de poder sempre permanece mais ou menos uniforme, e o território que forma o coração de cada superestado per-

manece sempre inviolável. Além disso, o trabalho dos povos explorados ao redor do Equador não é realmente necessário para a economia mundial. Nada acrescentam à riqueza do mundo, uma vez que tudo o que eles produzem é usado para fins de guerra, e o objetivo de travar uma guerra é sempre estar em melhor posição para travar outra guerra. Com seu trabalho, as populações escravas permitem que o ritmo da guerra contínua seja acelerado. Mas se não existissem, a estrutura da sociedade mundial e o processo pelo qual ela se mantém não seriam essencialmente diferentes.

O objetivo principal da guerra moderna (de acordo com os princípios do duplipensamento, este objetivo é ao mesmo tempo reconhecido e não reconhecido pelos cérebros dirigentes do Partido Interno) é usar os produtos da máquina sem elevar o padrão geral de vida. Desde o final do século XIX, o problema do que fazer com o excedente de bens de consumo tem estado latente na sociedade industrial. Atualmente, quando poucos seres humanos têm o suficiente para comer, este problema obviamente não é urgente, e poderia não ter se tornado assim, mesmo que nenhum processo artificial de destruição estivesse em ação. O mundo de hoje é um lugar vazio, faminto e dilapidado em comparação com o mundo que existia antes de 1914, e ainda mais se comparado com o futuro imaginário que as pessoas daquele período esperavam. No início do século XX, a visão de uma sociedade futura incrivelmente rica, ociosa, ordenada e eficiente — um mundo antisséptico brilhante de vidro, aço e concreto branco como a neve — fazia parte da consciência de quase todas as pessoas alfabetizadas. A ciência e a tecnologia estavam se desenvolvendo a uma velocidade prodigiosa, e parecia natural supor que continuariam se desenvolvendo. Isso não aconteceu, em parte por causa do empobrecimento causado por uma longa série de guerras e revoluções, em parte porque o progresso científico e técnico dependia do hábito empírico do pensamento, que não poderia sobreviver em uma sociedade estritamente regimentada. Como um todo, o mundo é mais primitivo hoje do que há cinquenta anos. Certas áreas atrasadas avançaram, e vários dispositivos, sempre de alguma forma ligados à guerra e espionagem policial, foram desenvolvidos, mas experimentos e invenções pararam em grande parte, e os estragos da guerra atômica dos anos 1950 nunca foram totalmente reparados. No entanto, os perigos inerentes à máquina ainda estão lá. Desde o momento em que a máquina apareceu pela primeira vez, ficou claro para todas as pessoas que pensavam que a necessidade da labuta humana e, portanto, em grande medida, da desigualdade humana, havia desaparecido. Se a máquina fosse usada deliberadamente para esse fim, a fome, o excesso de trabalho, a sujeira, o analfabetismo e as doenças poderiam ser eliminados em poucas gerações. E, de fato, sem ser usada para tal propósito, mas por uma espécie de processo automático — produzindo rique-

za que às vezes era impossível não distribuir — a máquina elevou enormemente o padrão de vida do ser humano médio num período de cerca de cinquenta anos, entre o fim do século XIX e início do XX.

Mas também ficou claro que um aumento global da riqueza ameaçava a destruição — na verdade, em certo sentido era a destruição — de uma sociedade hierárquica. Em um mundo em que todos trabalhassem poucas horas, tivessem o suficiente para comer, morassem em uma casa com banheiro e geladeira e possuíssem um automóvel ou mesmo um avião, a forma mais óbvia e talvez a mais importante de desigualdade já teria desaparecido. Se uma vez se tornasse geral, a riqueza não conferiria distinção. Era possível, sem dúvida, imaginar uma sociedade em que a riqueza, no sentido de bens e luxos pessoais, deveria ser distribuída uniformemente, enquanto o poder permanecia nas mãos de uma pequena casta privilegiada. Mas, na prática, tal sociedade não poderia permanecer estável por muito tempo. Pois se o lazer e a segurança fossem usufruídos por todos igualmente, a grande massa de seres humanos que normalmente são estupefatos pela pobreza se alfabetizaria e aprenderia a pensar por si mesma; e quando tivessem feito isso, mais cedo ou mais tarde perceberiam que a minoria privilegiada não tinha função e a varreriam. A longo prazo, uma sociedade hierárquica só era possível com base na pobreza e na ignorância. Voltar ao passado agrícola, como sonhavam alguns pensadores do início do século XX, não era uma solução viável, pois entraria em conflito com a tendência à mecanização que se tornara quase instintiva em quase todo o mundo e, além disso, todo o país que permanece industrialmente atrasado seria dominado, direta ou indiretamente, por seus antagonistas mais desenvolvidos.

Tampouco era uma solução satisfatória manter as massas na pobreza restringindo a produção de bens. Isso aconteceu em grande medida durante a fase final do capitalismo, aproximadamente entre 1920 e 1940. A economia de muitos países ficou estagnada, a terra deixou de ser cultivada, os equipamentos de capital não foram adicionados, grandes blocos da população foram impedidos de trabalharem e mantidos meio vivos pela caridade do Estado. Mas isso também acarretava fraqueza militar e, como as privações que infligia eram obviamente desnecessárias, tornava inevitável a oposição. O problema era como manter as rodas da indústria girando sem aumentar a riqueza real do mundo. Os bens deviam ser produzidos, mas não deviam ser distribuídos. E, na prática, a única maneira de conseguir isso foi pela guerra contínua.

O ato essencial da guerra é a destruição, não necessariamente de vidas humanas, mas dos produtos do trabalho humano. A guerra é uma maneira de despedaçar, ou despejar na estratosfera, ou afundar nas profundezas do mar, materiais que de outra forma poderiam ser usados para tornar as massas muito *confortáveis e, portanto, a longo prazo, muito inteligentes. Mesmo quando as armas de guerra não são realmente destruídas, sua fabricação ainda é uma maneira conveniente de gastar força de trabalho sem produzir nada que possa ser consumido. Uma Fortaleza Flutuante, por exemplo, encerra nela o trabalho que construiria várias centenas de navios de carga. Em última análise, é descartado como obsoleto, nunca tendo trazido nenhum benefício material a ninguém, e com enorme trabalho, outra Fortaleza Flutuante é construída. Em princípio, o esforço de guerra é sempre planejado de modo a consumir qualquer excedente que possa existir depois de atender às necessidades básicas da população. Na prática, as necessidades da população são sempre subestimadas, resultando numa carência crônica de metade das necessidades da vida; mas isso é visto como uma vantagem. É uma política deliberada manter até mesmo os grupos favorecidos em algum lugar à beira das dificuldades, porque um estado geral de escassez aumenta a importância dos pequenos privilégios e, assim, amplia a distinção entre um grupo e outro. Pelos padrões do início do século XX, mesmo um membro do Partido Interno vive uma vida austera e laboriosa. No entanto, os poucos luxos que ele desfruta — seu apartamento grande e bem decorado, a melhor textura de suas roupas, a melhor qualidade de sua comida, bebida e tabaco, seus dois ou três empregados, seu automóvel ou helicóptero particular — colocam-no em um mundo diferente de um membro do Partido Externo, e os membros do Partido Externo têm uma vantagem similar em comparação com as massas submersas que chamamos de "os proletas". A atmosfera social é a de uma cidade sitiada, onde a posse de um pedaço de carne de cavalo faz a diferença entre a riqueza e a pobreza. E, ao mesmo tempo, a consciência de estar em guerra e, portanto, em perigo, faz com que a entrega de todo o poder a uma pequena casta pareça a condição natural e inevitável de sobrevivência.*

 A guerra, como se verá, não apenas realiza a destruição necessária, mas a realiza de uma maneira psicologicamente aceitável. Em princípio, seria muito simples desperdiçar o trabalho excedente do mundo construindo templos e pirâmides, cavando buracos e enchendo-os novamente, ou mesmo produzindo grandes quantidades de bens e depois incendiando-os. Mas isso forneceria apenas a base econômica e não emocional para uma sociedade hierárquica. O que está em causa aqui não é o moral das massas, cuja atitude não é importante desde que sejam mantidas em constante trabalho, mas o moral do próprio Partido. Espera-se que mesmo o mais humilde membro do Partido seja competente, trabalhador e até inteligente dentro de limites estreitos, mas também é necessário que ele seja um fanático crédulo e ignorante cujos humores predominantes sejam medo, ódio, adulação e triunfo orgiástico. Em outras palavras, é necessário que ele tenha a mentalidade adequada a um estado de guerra. Não importa se a guerra está realmente acontecendo e, como nenhuma vitória decisiva é possível, não importa se a guerra está indo bem ou mal. Tudo o que é necessário é que exista um estado de guerra. A divisão da inteligência que o Partido exige de seus membros, e que é mais facilmente alcançada em um clima de guerra, é agora quase universal, mas quanto mais alto se sobe nas fileiras, mais marcante se torna. É precisamente no Partido Interno que a histeria de guerra e o ódio ao inimigo são mais fortes. Na sua qualidade de administrador, muitas vezes é necessário que um membro do Partido Interno saiba que esta ou aquela notícia de guerra é falsa, e muitas vezes ele pode estar ciente de que toda a guerra é espúria e não está acontecendo ou está sendo travada para propósitos bem diferentes dos declarados; mas tal conhecimento é facilmente neutralizado pela técnica de duplipensamento. Enquanto isso, nenhum membro do Partido Interno vacila por um instante em sua crença mística de que a guerra é real e que está fadada a terminar vitoriosa, com a Oceania o mestre indiscutível de todo o mundo.

Todos os membros do Partido Interior acreditam nesta conquista vindoura como um artigo de fé. Isso deve ser alcançado adquirindo gradualmente mais e mais territórios e, assim, construindo uma esmagadora preponderância de poder, ou pela descoberta de alguma arma nova e incontestável. A busca por novas armas continua incessantemente e é uma das poucas atividades remanescentes em que o tipo de mente inventiva ou especulativa pode encontrar alguma saída. Na Oceania de hoje, a Ciência, no sentido antigo, quase deixou de existir. Em Novilíngua não há palavra para "Ciência". O método empírico de pensamento, sobre o qual se basearam todas as realizações científicas do passado, se opõe aos princípios mais fundamentais do Socing. E mesmo o progresso tecnológico só acontece quando seus produtos podem de alguma forma ser usados para a diminuição da liberdade humana. Em todas as artes úteis, o mundo está parado ou retrocedendo. Os campos são cultivados com arados, enquanto os livros são escritos por máquinas. Mas em assuntos de importância vital — ou seja, na verdade, guerra e espionagem policial — a abordagem empírica ainda é encorajada, ou pelo menos tolerada. Os dois objetivos do Partido são conquistar toda a superfície da terra e extinguir de uma vez por todas a possibilidade de pensamento independente. Há, portanto, dois grandes problemas que o Partido está preocupado em resolver. Uma é como descobrir, contra sua vontade, o que outro ser humano está pensando, e a outra é como matar várias centenas de milhões de pessoas em poucos segundos sem avisar antes. Na medida em que a pesquisa científica ainda continua, este é o seu assunto. O cientista de hoje é uma mistura de psicólogo e inquisidor, estudando com extraordinária minúcia o significado de expressões faciais, gestos e tons de voz, e testando os efeitos produtores de verdade das drogas, terapia de choque, hipnose e tortura física; ou ele é um químico, físico ou biólogo preocupado apenas com os ramos de seu assunto especial que são relevantes para tirar a vida. Nos vastos laboratórios do Ministério da Paz, e nas estações experimentais escondidas nas florestas brasileiras, ou no deserto australiano, ou nas ilhas perdidas da Antártida, as equipes de especialistas trabalham incansavelmente. Alguns estão preocupados simplesmente em planejar a logística de guerras futuras; outros inventam bombas-foguetes cada vez maiores, explosivos cada vez mais poderosos e blindagem cada vez mais impenetrável; outros procuram gases novos e mais mortíferos, ou venenos solúveis capazes de serem produzidos em quantidades que destruam a vegetação de continentes inteiros, ou raças de germes de doenças imunizados contra todos os anticorpos possíveis; outros se esforçam para produzir um veículo que possa cavar seu caminho sob o solo como um submarino sob a água, ou um avião tão independente de sua base quanto um veleiro; outros exploram possibilidades ainda mais remotas, como focalizar os raios do sol através de lentes suspensas a milhares de quilômetros de distância no espaço, ou produzir terremotos artificiais e maremotos, aproveitando o calor no centro da Terra.

Mas nenhum desses projetos chega perto da realização, e nenhum dos três superestados ganha uma liderança significativa sobre os outros. O mais notável é que todos os três poderes já possuem, na bomba atômica, uma arma muito mais poderosa do que qualquer outra que suas pesquisas atuais possam descobrir. Embora o Partido, de acordo com seu hábito, reivindique a invenção para si, as bombas atômicas apareceram pela primeira vez nos anos 1940 e foram usadas pela primeira vez em grande escala cerca de dez anos depois. Naquela época, algumas centenas de bombas foram lançadas em centros industriais, principalmente na Rússia europeia, Europa Ocidental e América do Norte. O efeito foi convencer os grupos dirigentes de todos os países de que mais algumas bombas atômicas significariam o fim da sociedade organizada e, portanto, de seu próprio poder. Depois disso, embora nenhum acordo formal tenha sido feito ou sugerido, nenhuma bomba foi lançada. Todas as três potências apenas continuam a produzir bombas atômicas e armazená-las para a oportunidade decisiva que todos acreditam que virá mais cedo ou mais tarde. E enquanto isso a arte da guerra permaneceu quase estacionária por trinta ou quarenta anos. Helicópteros são mais usados do que antigamente, aviões de bombardeio foram amplamente substituídos por projéteis autopropulsados, e o frágil navio de guerra móvel deu lugar à Fortaleza Flutuante, praticamente impossível de afundar; mas, fora isso, houve pouco desenvolvimento. O tanque, o submarino, o torpedo, a metralhadora, até o rifle e a granada de mão ainda estão em uso. E apesar das intermináveis chacinas relatadas na imprensa e nas teletelas, jamais se repetiram as batalhas desesperadas de antes, em que centenas de milhares ou mesmo milhões de ho-

mens muitas vezes eram mortos em poucas semanas.

Nenhum dos três superestados jamais tenta qualquer manobra que envolva o risco de uma derrota séria. Quando qualquer grande operação é realizada, geralmente é um ataque surpresa contra um aliado. A estratégia que todos os três poderes estão seguindo, ou fingem que estão seguindo, é a mesma. O plano é adquirir, graças a uma combinação de combates, barganhas e golpes de traição oportunos, um círculo de bases circundando completamente um ou outro dos estados rivais e, em seguida, assinar um pacto de amizade com esse rival e permanecer no poder por tantos anos que adormecem as suspeitas. Durante esse período, foguetes carregados de bombas atômicas podem ser montados em todos os pontos estratégicos; finalmente, todos serão disparados simultaneamente, com efeitos tão devastadores que impossibilitam a retaliação. Será então a hora de assinar um pacto de amizade com a potência mundial remanescente, em preparação para outro ataque. Esse esquema, nem é preciso dizer, é um mero devaneio, impossível de realizar. Além disso, nenhuma luta ocorre, exceto nas áreas disputadas ao redor do Equador e do Polo; nenhuma invasão de território inimigo é realizada. Isso explica o fato de que em alguns lugares as fronteiras entre os superestados são arbitrárias. A Eurásia, por exemplo, poderia facilmente conquistar as Ilhas Britânicas, que geograficamente fazem parte da Europa, ou, por outro lado, seria possível que a Oceania avançasse suas fronteiras até o Reno ou mesmo o Vístula. Mas isso violaria o princípio, seguido por todos os lados, embora nunca formulado, da integridade cultural. Se a Oceania conquistasse as áreas que outrora eram conhecidas como França e Alemanha, seria necessário ou exterminar os habitantes, tarefa de grande dificuldade física, ou assimilar uma população de cerca de cem milhões de pessoas, que, assim no que diz respeito ao desenvolvimento técnico, estão aproximadamente no nível oceânico. O problema é o mesmo para os três superestados. É absolutamente necessário à sua estrutura que não haja contato com estrangeiros, exceto, de forma limitada, com prisioneiros de guerra e escravos de cor. Mesmo o aliado oficial do momento é sempre visto com a mais sombria suspeita. Além dos prisioneiros de guerra, o cidadão médio da Oceania nunca põe os olhos em um cidadão da Eurásia ou da Lestásia, e é proibido o conhecimento de línguas estrangeiras. Se lhe fosse permitido o contato com estrangeiros, descobriria que são criaturas semelhantes a ele e que a maior parte do que lhe foi dito sobre eles é mentira. O mundo selado em que ele vive seria quebrado, e o medo, o ódio e a justiça própria dos quais sua moral depende poderiam evaporar. Portanto, percebe-se de todos os lados que, por mais que a Pérsia, o Egito, o Java ou o Ceilão troquem de mãos, as principais fronteiras nunca devem ser atravessadas por nada, exceto bombas.

Sob isso está um fato nunca mencionado em voz alta, mas tacitamente en-

tendido e posto em prática: a saber, que as condições de vida em todos os três superestados são praticamente as mesmas. Na Oceania, a filosofia predominante é chamada de Socing, na Eurásia é chamada de neobolchevismo, e na Lestásia é chamada por um nome chinês geralmente traduzido como Adoração da Morte, mas talvez melhor traduzido como Obliteração da Identidade. O cidadão da Oceania não tem permissão para saber nada dos princípios das outras duas filosofias, mas é ensinado a execrá-los como bárbaros ultrajes à moralidade e ao bom senso. Na verdade, as três filosofias são quase indistinguíveis, e os sistemas sociais que elas sustentam não são distinguíveis. Em todos os lugares há a mesma estrutura piramidal, a mesma adoração de um líder semidivino, a mesma economia existente pela e para a guerra contínua. Segue-se que os três superestados não apenas não podem conquistar um ao outro, mas também não obteriam nenhuma vantagem ao fazê-lo. Ao contrário, enquanto permanecem em conflito, sustentam-se mutuamente, como três feixes de milho. E, como sempre, os grupos dominantes dos três poderes estão simultaneamente conscientes e inconscientes do que estão fazendo. Suas vidas são dedicadas à conquista do mundo, mas também sabem que é necessário que a guerra continue eternamente e sem vitórias. Enquanto isso, o fato de não haver perigo de conquista torna possível a negação da realidade, que é a característica especial do Socing e de seus sistemas de pensamento rivais. Aqui é necessário repetir o que foi dito anteriormente, que ao se tornar contínua a guerra mudou fundamentalmente seu caráter.

Em épocas passadas, uma guerra, quase por definição, era algo que mais cedo ou mais tarde chegava ao fim, geralmente em vitória ou derrota inconfundíveis. No passado, também, a guerra foi um dos principais instrumentos pelos quais as sociedades humanas se mantinham em contato com a realidade física. Todos os governantes de todas as épocas tentaram impor uma falsa visão do mundo a seus seguidores, mas não podiam se dar ao luxo de encorajar qualquer ilusão que tendesse a prejudicar a eficiência militar. Enquanto a derrota significasse a perda da independência, ou algum outro resultado geralmente considerado indesejável, as precauções contra a derrota tinham que ser sérias. Os fatos físicos não podiam ser ignorados. Em filosofia, religião, ética ou política, dois mais dois podem ser cinco, mas quando se está projetando uma arma ou um avião, devem ser quatro. Nações ineficientes sempre foram conquistadas mais cedo ou mais tarde, e a luta pela eficiência era inimiga das ilusões. Além disso, para ser eficiente era necessário ser capaz de aprender com o passado, o que significava ter uma ideia bastante precisa do que havia acontecido no passado. Jornais e livros de história foram, é claro, sempre coloridos e tendenciosos, mas a falsificação do tipo que é praticado hoje teria sido impossível. A guerra era uma garantia segura da sanidade e, no que dizia respeito às classes dominantes, era provavelmente a mais importante de todas as salvaguardas. Embora as guerras pudessem ser vencidas ou perdidas, nenhuma classe dominante poderia ser completamente irresponsável.

Mas quando a guerra se torna literalmente contínua, também deixa de ser perigosa. Quando a guerra é contínua, não existe necessidade militar. O progresso técnico pode cessar e os fatos mais palpáveis podem ser negados ou desconsiderados. Como vimos, pesquisas que poderiam ser chamadas de científicas ainda são realizadas para fins de guerra, mas são essencialmente uma espécie de devaneio, e sua falha em mostrar resultados não é importante. A eficiência, mesmo a eficiência militar, não é mais necessária. Nada é eficiente na Oceania, exceto a Polícia do Pensamento. Como cada um dos três superestados é invencível, cada um é, na verdade, um universo separado dentro do qual quase qualquer perversão de pensamento pode ser praticada com segurança. A realidade só exerce sua pressão através das necessidades da vida cotidiana; a necessidade de comer e beber, de obter abrigo e roupas, para evitar engolir veneno ou sair das janelas do último andar, e coisas do gênero. Entre a vida e a morte, e entre o prazer físico e a dor física, ainda há uma distinção, mas isso é tudo. Cortado do contato com o mundo exterior e com o passado, o cidadão da Oceania é como um homem no espaço interestelar, que não tem como saber qual direção é para cima e qual é para baixo. Os governantes de tal estado são absolutos, como os faraós ou os césares não poderiam ser. Eles são obrigados a evitar que seus seguidores morram de fome em números grandes o suficiente para serem inconvenientes, e eles são obrigados a permanecer no mesmo nível baixo de técnica militar que seus rivais; mas uma vez que esse mínimo é alcançado, eles podem torcer a realidade na forma que escolherem.

A guerra, portanto, se a julgarmos pelos padrões das guerras anteriores, é apenas uma impostura. É como as batalhas entre certos animais ruminantes cujos chifres são colocados em tal ângulo que são incapazes de ferir um ao outro. Mas embora seja irreal, não é sem sentido. Devora o excedente de bens consumíveis e ajuda a preservar a atmosfera mental especial que uma sociedade hierárquica precisa. A guerra, como se verá, é agora um assunto puramente interno. No passado, os grupos dominantes de todos os países, embora pudessem reconhecer seu interesse comum e, portanto, limitar a força destruidora da guerra, lutavam uns contra os outros, e o vencedor sempre saqueava o vencido. Em nossos dias, eles não estão lutando uns contra os outros. A guerra é travada por cada grupo dominante contra seus próprios súditos, e o objetivo da guerra não é fazer ou impedir conquistas de território, mas manter intacta a estrutura da sociedade. A própria palavra "guerra", portanto, tornou-se enganosa. Provavelmente seria correto dizer que, ao se tornar contínua, a guerra deixou de existir. A pressão peculiar que exerceu sobre os seres humanos entre o Neolítico e o início do século XX desapareceu e foi substituída por algo bem diferente. O efeito seria o mesmo se os três superestados, em vez de lutarem entre si, concordassem em viver em paz perpétua, cada um inviolado dentro de seus próprios limites. Pois nesse caso cada um ainda seria um universo autocontido, livre para sempre da influência sóbria do perigo externo. Uma paz que fosse verdadeiramente permanente seria o mesmo que uma guerra permanente. Esse — embora a imensa maioria dos membros do Partido só o compreenda de forma superficial — é o significado profundo do lema do Partido: Guerra é Paz.

Winston parou de ler por um momento. Em algum lugar distante, uma bomba-foguete trovejou. A sensação feliz de estar sozinho com o livro proibido, em uma sala sem teletela, não havia passado. Solidão e segurança eram sensações físicas, misturadas de alguma forma com o cansaço de seu corpo, a maciez da cadeira, o toque da brisa fraca da janela que batia em seu rosto. O livro o fascinava, ou mais exatamente o tranquilizava. Em certo sentido, isso não lhe dizia nada de novo, mas fazia parte da atração. Dizia o que ele teria dito, se lhe fosse possível pôr em ordem seus pensamentos dispersos. Era o produto de uma mente semelhante à sua, mas enormemente mais poderosa, mais sistemática, menos dominada pelo medo. Os melhores livros, ele percebeu, são aqueles que dizem o que você já sabe. Ele tinha acabado de voltar ao Capítulo 1 quando ouviu os passos de Júlia na escada e começou a sair de sua cadeira para encontrá-la. Ela jogou sua bolsa marrom de ferramentas no chão e se jogou em seus braços. Fazia mais de uma semana que não se viam.

— Eu tenho o livro — disse ele.

— Ah, que bom — ela disse sem muito interesse, e quase imediatamente se ajoelhou ao lado do fogão a óleo para fazer o café.

Eles não retornaram ao assunto até que estivessem na cama por meia hora. A noite estava fria o suficiente para fazer valer a pena puxar a colcha. De baixo veio o som familiar de canto e o raspar de botas nas lajes. A mulher musculosa de braços vermelhos que Winston tinha visto lá em sua primeira visita era quase um acessório no quintal. Parecia não haver nenhuma hora de luz do dia em que ela não estivesse marchando para lá e para cá entre a tina e o varal, alternadamente amordaçando-se com prendedores de roupa e irrompendo em uma canção luxuriosa. Júlia se acomodou de lado e parecia já estar a ponto de adormecer. Ele estendeu a mão para o livro, que estava no chão, e sentou-se na cabeceira da cama.

— Devemos lê-lo — disse ele. — Você também. Todos os membros da Irmandade têm que ler.

— Por que você não lê? — sugeriu ela com os olhos fechados. — Leia em voz alta. Essa é a melhor maneira. Então você pode me explicar à medida que avança.

Os ponteiros do relógio marcavam seis, significando dezoito. Eles tinham três ou quatro horas pela frente. Apoiou o livro nos joelhos e começou a ler:

Capítulo 1
IGNORÂNCIA É FORÇA

Ao longo do tempo registrado, e provavelmente desde o final da Era Neolítica, houve três tipos de grupos de pessoas no mundo: o Alto, o Médio e o Baixo. Eles foram subdivididos de muitas maneiras, receberam inúmeros nomes diferentes, e seus números relativos, bem como sua atitude em relação ao outro, variaram de época para época; mas a estrutura essencial da sociedade nunca se alterou. Mesmo depois de enormes comoções e mudanças aparentemente irrevogáveis, o mesmo padrão sempre se reafirmou, assim como um giroscópio sempre retornará ao equilíbrio, por mais longe que seja empurrado para um lado ou outro...

— Júlia, você está acordada? — perguntou Winston.
— Sim, meu amor, estou ouvindo. Continue. É maravilhoso.
Ele continuou lendo:

Os objetivos desses três grupos são inteiramente irreconciliáveis. O objetivo do grupo da classe Alta é permanecer onde está. O objetivo do grupo da classe Média é trocar de lugar com o da Alta. O objetivo do grupo da classe Baixa, quando eles têm um objetivo — pois é uma característica permanente que eles sejam esmagados pelo trabalho penoso para serem mais do que intermitentemente conscientes de qualquer coisa fora de suas vidas diárias — é abolir todas as distinções e criar uma sociedade em que todos os homens sejam iguais. Assim, ao longo da história, uma luta que é a mesma em seus principais contornos se repete repetidamente. Por longos períodos, a classe Alta parece estar segura no poder, mas mais cedo ou mais tarde sempre chega um momento em que eles perdem sua crença em si mesmos, ou sua capacidade de governar com eficiência, ou ambos. Eles são então derrubados pela classe Média, que alistam o grupo da classe Baixa ao seu lado, fingindo que estão lutando por liberdade e justiça. Assim que atingem seu objetivo, a classe Média empurra a Baixa de volta à sua antiga posição de servidão, e ela própria se torna a Alta. Atualmente, um novo grupo Médio se separa de um dos outros grupos, ou de ambos, e a luta recomeça. Dos três grupos, apenas o da classe Baixa nunca são nem mesmo temporariamente bem-sucedidos em alcançar seus objetivos. Seria um exagero dizer que ao longo da história não houve nenhum progresso material. Ainda hoje, em um período de declínio, o ser humano médio está fisicamente melhor do que há alguns séculos. Mas nenhum avanço na riqueza, nenhuma suavização de costumes, nenhuma reforma ou revolução aproximou um milímetro a igualdade humana.

No final do século XIX, a recorrência desse padrão tornou-se óbvia para muitos observadores. Surgiram então escolas de pensadores que interpretaram a história como um processo cíclico e alegaram mostrar que a desigualdade era a lei inalterável da vida humana. Essa doutrina, é claro, sempre teve seus adeptos, mas houve uma mudança significativa na maneira como agora era apresentada. No passado, a necessidade de uma forma hierárquica de sociedade tinha sido a doutrina especificamente da classe Alta. Tinha sido pregado por reis e aristocratas e pelos padres, advogados e afins que os parasitavam, e geralmente tinha sido suavizado por promessas de compensação em um mundo imaginário além-túmulo. A classe Média, enquanto lutava pelo poder, sempre fez uso de termos como liberdade, justiça e fraternidade. Agora, porém, o conceito de fraternidade humana começou a ser atacado por pessoas que ainda não estavam em posições de comando, mas apenas esperavam estar em breve. No passado, a classe Média havia feito revoluções sob a bandeira da igualdade, e então estabeleceu uma nova tirania assim que a antiga foi derrubada. Os novos grupos da classe Média, com efeito, proclamaram sua tirania de antemão. O socialismo, uma teoria que surgiu no início do século XIX e foi o último elo de uma corrente de pensamento que remonta às rebeliões escravas da antiguidade, ainda estava profundamente infectado pelo utopismo de Eras passadas. Mas em cada variante do socialismo que apareceu a partir de 1900 em diante, o objetivo de estabelecer a liberdade e a igualdade foi cada vez mais abertamente abandonado. Os novos movimentos que surgiram em meados do século, Socing na Oceania, neobolchevismo na Eurásia, A adoração da morte, como é comumente chamada, na Lestásia, tinha o objetivo consciente de perpetuar a falta de liberdade e a desigualdade. Esses novos movimentos, é claro, surgiram dos antigos e tendiam a manter seus nomes e a defender sua ideologia da boca para fora. Mas o objetivo de todos eles era deter o progresso e congelar a história em um momento escolhido. A oscilação do pêndulo familiar aconteceria mais uma vez e depois pararia. Como de costume, a classe Alta deveria ser formado pela Média, que então se tornaria a Alta; mas desta vez, por estratégia consciente, a Alta seria capaz de manter sua posição permanentemente.

As novas doutrinas surgiram em parte por causa do acúmulo de conhecimento histórico e do crescimento do sentido histórico, que mal existia antes do século XIX. O movimento cíclico da história era agora inteligível, ou parecia ser; e se era inteligível, então era alterável. Mas a causa principal e subjacente era que, já no início do século XX, a igualdade humana tornou-se tecnicamente possível. Ainda era verdade que os homens não eram iguais em seus talentos nativos e que as funções tinham de ser especializadas de modo a favorecer alguns indivíduos em detrimento de outros; mas não havia mais nenhuma necessidade real de distinções de classe ou de grandes diferenças de riqueza. Em épocas anteriores, as distinções de classe eram não apenas inevitáveis, mas desejáveis. A desigualdade era o preço da civilização. Com o desenvolvimento da produção mecanizada, no entanto, o caso foi alterado. Mesmo que ainda fosse necessário que os seres humanos fizessem diferentes tipos de trabalho, não era mais necessário que eles vivessem em diferentes níveis sociais ou econômicos. Portanto, do ponto de vista dos novos grupos que estavam prestes a tomar o poder, a igualdade humana não era mais um ideal a ser perseguido, mas um perigo a ser evitado. Em épocas mais primitivas, quando uma sociedade justa e pacífica de fato não era possível, era bastante fácil acreditar nela. A ideia de um paraíso terrestre em que os homens deveriam viver juntos em estado de fraternidade, sem leis e sem trabalho bruto, assombrava a imaginação humana há milhares de anos. E essa visão teve certa influência até mesmo nos grupos que realmente lucraram com cada mudança histórica. Os herdeiros das revoluções francesa, inglesa e americana acreditaram em parte em suas próprias frases sobre os direitos do homem, liberdade de expressão, igualdade perante a lei e coisas semelhantes, permitindo inclusive, dentro de certos limites, que sua conduta fosse influenciada por eles. Mas na quarta década do século XX todas as principais correntes do pensamento político eram autoritárias. O paraíso terrestre foi desacreditado exatamente no momento em que se tornou realizável. Toda nova teoria política, fosse qual fosse o nome com que se denominou, levava de volta à hierarquia e à arregimentação. E no endurecimento geral de perspectivas que se instalou por volta de 1930, práticas há muito abandonadas, em alguns casos por centenas de anos — prisão sem julgamento, uso de prisioneiros de guerra como escravos, execuções públicas, tortura para extrair confissões, uso de reféns e deportação de populações inteiras —, não apenas voltaram a se tornar comuns como eram toleradas e defendidas até por pessoas consideradas esclarecidas e progressistas.

Foi somente após uma década de guerras nacionais, guerras civis, revoluções e contrarrevoluções em todas as partes do mundo que o Socing e seus rivais emergiram como teorias políticas plenamente elaboradas. Mas eles foram prefigurados pelos vários sistemas, geralmente chamados totalitários, que surgiram no início do século, e os principais contornos do mundo que emergiriam do caos prevalecente há muito eram óbvios. Que tipo de pessoas controlariam este mun-

do tinha sido igualmente óbvio. A nova aristocracia era composta em sua maior parte por burocratas, cientistas, técnicos, sindicalistas, especialistas em publicidade, professores, jornalistas, sociólogos e políticos profissionais. Essas pessoas, cujas origens estão na classe média assalariada e nas camadas superiores da classe trabalhadora, haviam sido moldadas e agrupadas pelo mundo desolado do monopólio industrial e do governo centralizado. Em comparação com seus números opostos em épocas passadas, eles eram menos avarentos, menos tentados pelo luxo, mais famintos por poder puro e, acima de tudo, mais conscientes do que estavam fazendo e mais decididos a esmagar a oposição. Esta última diferença foi fundamental. Em comparação com o que existe hoje, todas as tiranias do passado foram tímidas e ineficientes. Os grupos dominantes sempre foram infectados até certo ponto por ideias liberais e se contentavam em deixar pontas soltas em todos os lugares, em considerar apenas o ato manifesto e em não se interessar pelo que seus súditos estavam pensando. Mesmo a Igreja Católica da Idade Média era tolerante pelos padrões modernos. Parte da razão para isso foi que no passado nenhum governo tinha o poder de manter seus cidadãos sob vigilância constante. A invenção da imprensa, no entanto, facilitou a manipulação da opinião pública, e o cinema e o rádio levaram o processo adiante. Com o desenvolvimento da televisão e o avanço técnico que tornou possível receber e transmitir simultaneamente no mesmo instrumento, a vida privada chegou ao fim. Todo cidadão, ou pelo menos todo cidadão importante o suficiente para valer a pena vigiar, podia ser mantido vinte e quatro horas por dia sob os olhos da polícia e ao som da propaganda oficial, com todos os outros canais de comunicação fechados. A possibilidade de impor não apenas completa obediência à vontade do Estado, mas completa uniformidade de opinião sobre todos os assuntos, existia agora pela primeira vez.

Após o período revolucionário dos anos cinquenta e sessenta, a sociedade se reagrupou, como sempre, em Alta, Média e Baixa. Mas o novo grupo Alto, ao contrário de todos os seus antecessores, não agiu por instinto, mas sabia o que era necessário para salvaguardar sua posição. Há muito se percebeu que a única base segura para a oligarquia é o coletivismo. Riqueza e privilégio são mais facilmente defendidos quando possuídos em conjunto. A chamada "abolição da propriedade privada" que ocorreu em meados do século significava, com efeito, a concentração da propriedade em muito menos mãos do que antes; mas com esta diferença, que os novos proprietários eram um grupo em vez de uma massa de indivíduos. Individualmente, nenhum membro do Partido possui nada, exceto pequenos pertences pessoais. Coletivamente, o Partido é dono de tudo na Oceania, porque controla tudo e descarta os produtos como acha conveniente. Nos anos que se seguiram à Revolução, conseguiu assumir essa posição de comando quase sem oposição, pois todo o processo foi representado como um ato de coletivização. Sempre se assumiu que, se a classe capitalista fosse expropriada, o socialismo deveria seguir-se; e inquestionavelmente os capitalistas foram expropriados. Fábricas, minas, terrenos, casas, transportes — tudo lhes foi tirado; e como essas coisas não eram mais propriedade privada, seguia-se que deviam ser propriedade pública. O Socing, que nasceu do movimento socialista anterior e herdou sua fraseologia, de fato executou o principal item do programa socialista, com o resultado, previsto e pretendido de antemão, de que a desigualdade econômica se tornou permanente.

Mas os problemas de perpetuar uma sociedade hierárquica são mais profundos do que isso. Existem apenas quatro maneiras pelas quais um grupo dominante pode cair do poder. Ou é conquistado de fora, ou governa tão ineficientemente que as massas se revoltam, ou permite que um Grupo Médio forte e descontente surja, ou perde sua própria autoconfiança e vontade de governar. Essas causas não operam isoladamente e, via de regra, todas as quatro estão presentes em algum grau. Uma classe dominante que pudesse se proteger contra todos eles permaneceria no poder permanentemente. Em última análise, o fator determinante é a atitude mental da própria classe dominante.

Depois de meados do presente século, o primeiro perigo na realidade desapareceu. Cada uma das três potências que agora dividem o mundo é de fato invencível, e só poderia se tornar conquistável por meio de lentas mudanças demográficas que um governo com amplos poderes pode facilmente evitar. O segundo perigo, também, é apenas teórico. As massas nunca se revoltam por conta própria, e nunca se revoltam simplesmente porque são oprimidas. De fato, enquanto não lhes é permitido ter padrões de comparação, eles nunca se dão conta de que são oprimidos. As recorrentes crises econômicas de tempos passados eram totalmente desnecessárias e não podem acontecer agora, mas outros deslocamentos igualmente grandes podem e acontecem sem resultados políticos, porque não há como o descontentamento se articular. Quanto ao problema do excedente de produção, latente em nossa sociedade desde o desenvolvimento do aparato técnico, esse se soluciona por intermédio do mecanismo da atividade guerreira permanente (veja o Capítulo 3), que também é útil para elevar o moral público ao nível necessário. Do ponto de vista de nossos atuais governantes, portanto, os únicos perigos genuínos são a cisão de um novo grupo de pessoas capazes, subempregadas e sedentas de poder, e o crescimento do liberalismo e do ceticismo em suas próprias fileiras. O problema, ou seja, é educacional. É um problema de moldar continuamente a consciência tanto do grupo diretor quanto do grupo executivo maior que está imediatamente abaixo dele. A consciência das massas precisa apenas ser influenciada de forma negativa.

Dado este pano de fundo, pode-se inferir, se já não o conhecemos, a estrutura geral da sociedade oceânica. No ápice da pirâmide vem o Grande Irmão. O Grande Irmão é infalível e todo-poderoso. Todo sucesso, toda conquista, toda vitória, toda descoberta científica, todo conhecimento, toda sabedoria, toda felicidade, toda virtude, são considerados como provenientes diretamente de sua liderança e inspiração. Ninguém nunca viu o Grande Irmão. Ele é um rosto nos painéis, uma voz na teletela. Podemos estar razoavelmente certos de que ele nunca morrerá, e já existe uma incerteza considerável sobre quando ele nasceu. O Grande Irmão é o disfarce com que o Partido escolhe se exibir ao mundo. Sua função é atuar como um ponto focal para o amor, o medo e a reverência, emoções que são mais facilmente sentidas em relação a um indivíduo do que a uma organização. Abaixo do Grande Irmão vem o Partido Interno, com números limitados a seis milhões, ou algo menos de dois por cento da população da Oceania. Abaixo do Partido Interno vem o Partido Externo, que, se o Partido Interno for descrito como o cérebro do Estado, pode ser justamente comparado às mãos do Estado. Abaixo disso vêm as massas incultas a quem habitualmente nos referimos como "os proletas", chegando a talvez oitenta e cinco por cento da população. Nos termos de nossa classificação anterior, os proletas são a classe Baixa, pois as populações escravas das terras equatoriais, que passam constantemente de conquistador a conquistador, não são parte permanente ou necessária da estrutura.

Em princípio, a participação nesses três grupos não é hereditária. O filho de pais do Partido Interno, em teoria, não nasceu no Partido Interno. A admissão em qualquer um dos ramos do Partido é por exame, feito aos dezesseis anos. Tampouco há discriminação racial, ou qualquer dominação acentuada de uma província por outra. Judeus, negros, sul-americanos de puro sangue índio encontram-se nos mais altos escalões do Partido, e os administradores de qualquer área são sempre escolhidos entre os habitantes daquela área. Em nenhuma parte da Oceania os habitantes têm a sensação de que são uma população colonial governada por uma capital distante. A Oceania não tem capital, e seu chefe titular é uma pessoa cujo paradeiro ninguém sabe. Exceto que o inglês é sua principal língua franca e a Novilíngua sua língua oficial, ela não é centralizada de forma alguma. Seus governantes não são mantidos unidos por laços de sangue, mas pela adesão a uma doutrina comum. É verdade que nossa sociedade é estratificada, e muito rigidamente estratificada, no que à primeira vista parecem ser linhas hereditárias. Há muito menos movimento de vaivém entre os diferentes grupos do que aconteceu sob o capitalismo ou mesmo nas Eras pré-industriais. Entre os dois ramos do Partido há uma certa quantidade de intercâmbio, mas apenas o suficiente para garantir que os fracos sejam excluídos do Partido Interno e que os membros ambiciosos do Partido Externo sejam tornados inofensivos ao permitir que eles subam. Os proletas, na prática, não têm permissão para ingressar no Partido. Os mais talentosos entre eles, que possivelmente podem se tornar núcleos de descontentamento, são simplesmente marcados pela Polícia do Pensamento e eliminados. Mas esse estado de coisas não é necessariamente permanente, nem é uma questão de princípio. O Partido não é uma classe no sentido antigo da palavra. Não visa transmitir poder aos seus próprios filhos, enquanto tais; e se não houvesse outra maneira de manter os mais capazes no topo, estaria perfeitamente preparado para recrutar toda uma nova geração das fileiras do proletariado. Nos anos cruciais, o fato de o Partido não ser um órgão hereditário contribuiu muito para neutralizar a oposição. O tipo mais antigo de socialista, que foi treinado para lutar contra algo chamado "privilégio de classe", assumiu que o que não é hereditário não pode ser permanente. Ele não viu que a continuidade de uma oligarquia não precisa ser física, nem parou para refletir que as aristocracias hereditárias sempre foram de curta duração, enquanto organizações adotivas, como a Igreja Católica, às vezes duram centenas ou milhares de anos. A essência do domínio oligárquico não é a herança de pai para filho, mas a persistência de uma certa visão de mundo e um certo modo de vida, imposto pelos mortos aos vivos. Um grupo governante é um grupo governante desde que possa nomear seus sucessores. O Partido não está preocupado em perpetuar seu sangue, mas em perpetuar a si mesmo. Quem detém o poder não é importante, desde que a estrutura hierárquica permaneça sempre a mesma.

Todas as crenças, hábitos, gostos, emoções, atitudes mentais que caracterizam nosso tempo são maneiras de sustentar a mística do Partido e impedir que se perceba a verdadeira natureza da sociedade atual. A rebelião física, ou qualquer movimento preliminar em direção à rebelião, não é possível no momento. Dos proletas nada deve ser temido. Entregues a si mesmos, eles continuarão de geração em geração e de século em século, trabalhando, procriando e morrendo, não apenas sem nenhum impulso de rebelião, mas sem o poder de compreender que o mundo poderia ser diferente do que é. Eles só poderiam se tornar perigosos se o avanço da técnica industrial tornasse necessário educá-los mais altamente; mas, como a rivalidade militar e comercial não é mais importante, o nível de educação popular está declinando. Quais opiniões as massas têm, ou não, são vistas com indiferença. Eles podem receber liberdade intelectual porque não têm intelecto. Em um membro do Partido, por outro lado, nem mesmo o menor desvio de opinião sobre o assunto mais sem importância pode ser tolerado.

Um membro do Partido vive desde o nascimento até a morte sob o olhar da Polícia do Pensamento. Mesmo quando está sozinho, ele nunca pode ter certeza de que está sozinho. Onde quer que esteja, dormindo ou acordado, trabalhando ou descansando, no banho ou na cama, pode ser inspecionado sem aviso prévio e sem saber que está sendo inspecionado. Nada do que ele faz é indiferente. Suas amizades, seus relaxamentos, seu comportamento em relação à esposa e aos filhos, a expressão de seu rosto quando está sozinho, as palavras que murmura durante o sono, até os movimentos característicos de seu corpo, são todos zelosamente examinados. Não apenas qualquer contravenção real, mas qualquer excentricidade, por menor que seja, qualquer mudança de hábitos, qualquer maneirismo nervoso que possa ser o sintoma de uma luta interior, certamente será detectado. Ele não tem liberdade de escolha em qualquer direção. Por outro lado, suas ações não são reguladas por lei ou por qualquer código de comportamento claramente formulado. Na Oceania não há lei. Pensamentos e ações que, quando detectados, significam morte certa não são formalmente proibidos, e os infindáveis expurgos, prisões, torturas, prisões e pulverizações não são infligidos como punição por crimes que realmente foram cometidos, mas são apenas a eliminação de pessoas que talvez possam cometer um crime em algum momento no futuro. Exige-se que um membro do Partido tenha não apenas as opiniões corretas, mas também os instintos corretos. Muitas das crenças e atitudes exigidas dele nunca são claramente declaradas, e não poderiam ser declaradas sem expor as contradições inerentes ao Socing. Se ele é uma pessoa naturalmente ortodoxa (em Novilíngua, boapensativa) em toda e qualquer circunstância saberá, sem precisar pensar, qual é a crença verdadeira e qual a emoção desejável. De qualquer forma, porém, um elaborado treinamento mental aplicado na infância e relacionado às palavras criminterrupção, negribranco e duplipensamento, em Novalíngua, o deixa sem desejo nem capacidade de pensar muito profundamente em qualquer assunto.

Espera-se que um membro do Partido não tenha emoções privadas nem tréguas de entusiasmo. Ele deve viver em um frenesi contínuo de ódio a inimigos estrangeiros e traidores internos, triunfo sobre vitórias e auto-humilhação diante do poder e da sabedoria do Partido. Os descontentamentos produzidos por sua vida nua e insatisfatória são deliberadamente voltados para fora e dissipados por artifícios como os Dois Minutos de Ódio, e as especulações que poderiam induzir uma atitude cética ou rebelde são mortas antecipadamente por sua disciplina interior adquirida precocemente. A primeira e mais simples etapa da disciplina, que pode ser ensinada até mesmo para crianças pequenas, é chamada, em Novilíngua, de criminterrupção. Criminterrupção significa a faculdade de parar de repente, como que por instinto, no limiar de qualquer pensamento perigoso. Inclui o poder de não captar analogias, de deixar de perceber erros lógicos, de entender mal os argumentos mais simples, se forem inimigos do Socing, e de ficar entediado ou repelido por qualquer linha de pensamento que seja capaz de levar a uma direção herética. Criminterrupção, em suma, significa estupidez protetora. Mas a estupidez não é suficiente. Pelo contrário, a ortodoxia no sentido pleno exige um controle sobre os próprios processos mentais tão completo quanto o de um contorcionista sobre seu corpo. A sociedade oceânica baseia-se, em última análise, na crença de que o Grande Irmão é onipotente e que o Partido é infalível. Mas como na realidade o Grande Irmão não é onipotente e o Partido não é infalível, há necessidade de uma flexibilidade incansável, momento a momento, no tratamento dos fatos. A palavra chave aqui é negribranco. Como tantas palavras de Novilíngua, esta palavra tem dois significados mutuamente contraditórios. Aplicado a um oponente, significa o hábito de afirmar descaradamente que preto é branco, em contradição com os fatos simples. Aplicado a um membro do Partido, significa uma disposição leal de dizer que preto é branco quando a disciplina do Partido assim o exige. Mas significa também a capacidade de acreditar que o preto é branco, e mais, saber que o preto é branco e esquecer que já se acreditou no contrário. Isso exige uma alteração contínua do passado, possibilitada pelo sistema de pensamento que realmente abrange todo o resto, e que é conhecido em Novilíngua como duplipensamento.

A alteração do passado é necessária por duas razões, uma das quais subsidiária e, por assim dizer, preventiva. A razão subsidiária é que o membro do Partido, como o proletário, tolera as condições atuais em parte porque não tem padrões de comparação. Ele deve ser afastado do passado, assim como deve ser afastado de países estrangeiros, porque é necessário que ele acredite que está em melhor situação do que seus ancestrais e que o nível médio de conforto material está constantemente aumentando. Mas, de longe, a razão mais importante para o reajuste do passado é a necessidade de salvaguardar a infalibilidade do Partido. Não é apenas que discursos, estatísticas e registros de todo tipo devem ser constantemente atualizados para mostrar que as previsões do Partido estavam corretas em todos os casos. É também que nenhuma mudança na doutrina ou no alinhamento político pode ser admitida. Pois mudar de ideia, ou mesmo de política, é uma confissão de fraqueza. Se, por exemplo, a Eurásia ou a Lestásia (qualquer que seja) é o inimigo hoje, então esse país sempre deve ter sido o inimigo. E se os fatos dizem o contrário, então os fatos devem ser alterados. Assim, a história é continuamente reescrita. Essa falsificação cotidiana do passado, realizada pelo Ministério da Verdade, é tão necessária à estabilidade do regime quanto o trabalho de repressão e espionagem realizado pelo Ministério do Amor.

A mutabilidade do passado é o princípio central do Socing. Os eventos passados, argumenta-se, não têm existência objetiva, mas sobrevivem apenas em registros escritos e nas memórias humanas. O passado é o que quer que os registros e as memórias concordem. E uma vez que o Partido está no controle total de todos os registros, e no controle igualmente completo das mentes de seus membros, segue-se que o passado é o que o Partido escolher para torná-lo. Segue-se também que, embora o passado seja alterável, nunca foi alterado em nenhuma instância específica. Pois quando foi recriado em qualquer forma que seja necessária no momento, esta nova versão é o passado, e nenhum passado diferente jamais pode ter existido. Isso vale mesmo quando, como muitas vezes acontece, o mesmo evento tem que ser alterado várias vezes ao longo de um ano. Em todos os momentos o Partido está de posse da verdade absoluta, e claramente o absoluto nunca pode ter sido diferente do que é agora. Ver-se-á que o controle do passado depende sobretudo do treino da memória.

E ele é aprendido pela maioria dos membros do Partido: certamente por todos os que são ao mesmo tempo inteligentes e ortodoxos. Em Velhalíngua isso recebe o nome muito direto de "controle da realidade". Em Novilíngua é o duplipensamento, embora o termo duplipensamento também abranja muitas outras coisas.

Duplipensar significa o poder de manter duas crenças contraditórias na mente simultaneamente e aceitar ambas. O intelectual do Partido sabe em que direção suas memórias devem ser alteradas; ele, portanto, sabe que está pregando peças na realidade; mas pelo exercício do duplipensamento ele também se convence de que a realidade não é violada. O processo tem que ser consciente, ou não seria realizado com precisão suficiente, mas também tem que ser inconsciente, ou traria consigo um sentimento de falsidade e, portanto, de culpa. O duplipensamento está no coração do Socing, já que o ato essencial do Partido é usar o engano consciente, mantendo a firmeza de propósito que acompanha a honestidade completa. Dizer mentiras deliberadas acreditando genuinamente nelas, esquecer qualquer fato que se tornou inconveniente e então, quando for necessário novamente, retirá-lo do esquecimento pelo tempo necessário, negar a existência da realidade objetiva e o tempo todo levar em conta a realidade que se nega — tudo isso é indispensavelmente necessário. Mesmo ao usar a palavra duplipensar é necessário exercitar o duplipensar. Pois, ao usar a palavra, admite-se que está adulterando a realidade; por um novo ato de duplicidade apaga-se esse conhecimento; e assim por diante indefinidamente, com a mentira sempre um salto à frente da verdade. Em última análise, é por meio do duplipensar que o Partido conseguiu — e pode, pelo que sabemos, continuar sendo capaz por milhares de anos — de interromper o curso da história.

Todas as oligarquias do passado caíram do poder porque se ossificaram ou porque se amoleceram. Ou eles se tornaram estúpidos e arrogantes, não conseguiram se ajustar às circunstâncias mutáveis e foram derrubados, ou se tornaram liberais e covardes, fizeram concessões quando deveriam ter usado a força e mais uma vez foram derrubados. Eles caíram, quer dizer, ou pela consciência ou pela inconsciência. A grande realização do Partido é ter produzido um sistema de pensamento em que ambas as condições podem existir simultaneamente. E sobre nenhuma outra base intelectual poderia o domínio do Partido tornar-se permanente. Se alguém deve governar e continuar governando, deve ser capaz de deslocar o sentido da realidade. Pois o segredo do governo é combinar a crença na própria infalibilidade com o poder de aprender com os erros do passado.

Não é preciso dizer que os praticantes mais sutis do duplipensar são aqueles que inventaram o duplipensar e sabem que é um vasto sistema de trapaça mental. Em nossa sociedade, aqueles que têm melhor conhecimento do que está acontecendo são também aqueles que estão mais distantes de ver o mundo como ele é. Em geral, quanto maior a compreensão, maior a ilusão: quanto mais inteligente, menos são. Uma ilustração clara disso é o fato de que a histeria de guerra aumenta de intensidade à medida que se sobe na escala social. Aqueles cuja atitude em relação à guerra é mais próxima da racionalidade são os povos subjugados dos territórios disputados. Para essas pessoas, a guerra é simplesmente uma calamidade contínua que varre seus corpos de um lado para o outro como um maremoto. Qual lado está ganhando é uma questão de completa indiferença para eles. Eles estão cientes de que uma mudança de senhorio significa simplesmente que eles estarão fazendo o mesmo trabalho de antes para novos mestres que os tratam da mesma maneira que os antigos. Os trabalhadores um pouco mais favorecidos, a quem chamamos de "os proletas", estão apenas intermitentemente conscientes da guerra. Quando necessário, podem ser incitados a manifestar frenesis de medo e ódio, mas, quando deixados a si mesmos, são capazes de esquecer por longos períodos que a guerra está acontecendo. É nas fileiras do Partido, e sobretudo no Partido Interno, que se encontra o verdadeiro entusiasmo pela guerra. A conquista do mundo é acreditada com mais firmeza por aqueles que sabem que é impossível. Essa peculiar ligação de opostos — conhecimento com ignorância, cinismo com fanatismo — é uma das principais marcas distintivas da sociedade oceânica. A ideologia oficial está repleta de contradições mesmo quando não há razão prática para elas. Assim, o Partido rejeita e vilipendia todos os princípios pelos quais o movimento socialista originalmente defendia, e escolhe fazê-lo em nome do socialismo. Prega um desprezo pela classe operária sem igual em séculos passados, e veste seus membros com um uniforme que já foi peculiar aos trabalhadores braçais e foi adotado por esse motivo. Minando sistematicamente a solidariedade da família, chama seu líder por um nome que é um apelo direto ao sentimento de lealdade familiar. Mesmo os nomes dos quatro Ministérios pelos quais somos governados exibem uma espécie de imprudência em sua inversão deliberada dos fatos. O Ministério da Paz se preocupa com a guerra, o Ministério da Verdade com a mentira, o Ministério do Amor com a tortura, e o Ministério da Abundância com a fome. Essas contradições não são acidentais, nem resultam da hipocrisia comum: são exercícios deliberados de duplicidade. Pois é somente conciliando as contradições que o poder pode ser retido indefinidamente. De nenhuma outra forma o antigo ciclo poderia ser quebrado. Se a igualdade humana deve ser evitada para sempre — se a classe Alta, como os chamamos, deve manter seus lugares permanentemente — então a condição mental predominante deve ser a insanidade controlada.

Mas há uma questão que até agora quase ignoramos: por que a igualdade humana deve ser evitada? Supondo que a mecânica do processo tenha sido descrita corretamente, qual é o motivo desse enorme esforço planejado com precisão para congelar a história em um determinado momento?

Aqui chegamos ao segredo central. Como vimos, a mística do Partido, e sobretudo do Partido Interno, depende do duplipensar. Mas mais profundo do que isso está o motivo original, o instinto nunca questionado que primeiro levou à tomada do poder e trouxe à existência o duplipensar, a Polícia do Pensamento, a guerra contínua e toda a parafernália necessária depois. Este motivo consiste realmente...

Winston tomou consciência do silêncio, como se percebe um novo som. Parecia-lhe que Júlia estava muito quieta há algum tempo. Ela estava deitada de lado, nua da cintura para cima, com a bochecha apoiada na mão e uma mecha escura caindo sobre os olhos. Seu peito subia e descia lenta e regularmente.

— Júlia!

Nenhuma resposta.

— Júlia, você está acordada?

Nenhuma resposta. Ela estava dormindo. Ele fechou o livro, colocou-o cuidadosamente no chão, deitou-se e puxou a colcha sobre os dois.

Afinal, ficou sem saber qual era o último segredo, pensou. Entendia o como, mas não entendia o porquê. O Capítulo 1, como o Capítulo 3, na verdade não lhe disse nada que ele não soubesse; apenas sistematizou o conhecimento que ele já possuía. Mas depois de lê-lo, ele sabia melhor do que antes que não estava louco. Ser uma minoria, mesmo uma minoria de um, não o deixava louco. Um raio amarelo do sol poente entrou pela janela e caiu sobre o travesseiro. Ele fechou os olhos. O sol em seu rosto e o corpo macio da garota tocando o seu lhe davam uma sensação forte, sonolenta e confiante. Ele estava seguro, estava tudo bem. Adormeceu murmurando "A sanidade não é estatística", com a sensação de que essa observação continha uma profunda sabedoria.

H

Quando acordou, foi com a sensação de ter dormido muito tempo, mas uma olhada no relógio antigo lhe disse que eram apenas oito e meia da noite. Ele ficou cochilando por um tempo; então o canto profundo de sempre soou do pátio abaixo:

Foi apenas uma fantasia vil,
Passou como um corante anil.
Mas o olhar e os sonhos secretos,
Tornaram o meu coração inquieto!

A canção boba parecia ter mantido sua popularidade. Você ainda a ouvia em todo lugar. Tinha sobrevivido à "Canção do Ódio". Júlia acordou com o som, espreguiçou-se e saiu da cama.

— Estou com fome — disse ela. — Vamos fazer mais café. Droga! O fogareiro apagou e a água está fria. — Ela pegou o fogareiro e o sacudiu. — Não há óleo nele.

— O velho Charrington deve ter um pouco para nos emprestar, eu espero.

— O estranho é que me certifiquei de que estava cheio. Vou colocar minhas roupas, acrescentou. Parece que esfriou.

Winston também se levantou e se vestiu. A voz infatigável cantou:

Eles dizem que o tempo cura todas as coisas,
Eles dizem que você sempre pode esquecer;
Mas os sorrisos e as lágrimas ao longo dos anos,
Estes perduram e provocam danos!

Enquanto prendia o cinto do macacão, ele caminhou até a janela. O sol deve ter se posto atrás das casas; já não brilhava no pátio. As lajes estavam molhadas como se tivessem acabado de ser lavadas, e ele teve a sensação de que o céu também tinha sido lavado, tão fresco e pálido era o azul entre as chaminés. Incansavelmente a mulher marchava para lá e para cá, colocando e retirando os pregadores de roupa, cantando e se calando, e pegando mais fraldas, e mais e mais. Ele se perguntou se ela trabalhava lavando roupa ou era apenas a escrava de vinte ou trinta netos. Júlia tinha vindo para o lado dele; juntos, eles olharam para baixo com uma espécie de fascinação para a figura robusta abaixo. Enquanto ele olhava para a mulher em sua atitude característica, seus braços grossos alcançando a linha, suas poderosas nádegas de égua se projetavam, ele percebeu pela primeira vez que ela era bonita. Nunca antes lhe ocorrera que o corpo de uma mulher de cinquenta anos, aumentado a dimensões monstruosas pela gravidez, depois endurecido, áspero pelo trabalho até ficar grosseiro como um nabo maduro, pudesse ser bonito. Mas era assim, e afinal, pensou ele, por que não? O corpo sólido e sem contornos, como um bloco de granito, e a pele vermelha áspera, mantinham com o corpo de uma menina a mesma relação que a rosa mosqueta com a rosa. Por que o fruto deve ser considerado inferior à flor?

— Ela é linda — ele murmurou.

— Ela tem um metro de largura nos quadris, facilmente — disse Júlia.

— Esse é o estilo de beleza dela — disse Winston.

Ele segurou a cintura flexível de Júlia, que cabia facilmente em seu braço. Do quadril ao joelho, seu flanco estava contra o dele. Fora de seus corpos, nenhum filho jamais sairia. Essa era a única coisa que eles nunca poderiam fazer. Somente de boca em boca, de mente em mente, eles poderiam transmitir o segredo. A mulher lá embaixo não tinha mente, ela tinha apenas braços fortes, um coração quente e uma barriga fértil. Ele se perguntou quantos filhos ela tinha dado à luz. Poderia facilmente ser quinze. Ela teve sua floração momentânea, talvez um ano, de beleza de rosa selvagem, e depois havia inchado como uma fruta fertilizada, ficando dura, vermelha e áspera, e então sua vida foi lavar, esfregar, cerzir, cozinhar, varrer, polir, remendar, esfregar, lavar, primeiro para os filhos, depois para os netos, mais de trinta anos ininterruptos. No final, ela ainda estava cantando. A reverência mística que ele sentia por ela estava de alguma forma misturada com o aspecto do céu pálido e sem nuvens, estendendo-se por trás das chaminés em distâncias intermináveis. Era curioso pensar que o céu era o mesmo para todos, na Eurásia ou na Lestásia, assim como ali. E as pessoas sob o céu também eram muito parecidas — em todos os lugares, em todo o mundo, centenas ou milhares de milhões de pessoas assim, pessoas ignorantes da existência umas das outras, mantidas separadas por muros de ódio e mentiras, e ainda assim quase exatamente o mesmo — pessoas que nunca aprenderam a pensar, mas que estavam armazenando em seus corações, barrigas e músculos o poder que um dia derrubaria o mundo. Se havia esperança, estava nos proletas! Sem ter lido até o final do livro, ele sabia que essa deveria ser a mensagem final de Goldstein. O futuro pertencia aos proletas. E será que ele poderia ter certeza de que, quando chegasse a hora, o mundo que eles construíram não seria tão estranho para ele, Winston Smith, quanto o mundo do Partido? Sim, porque no mínimo seria um mundo de sanidade. Onde há igualdade, pode haver sanidade. Mais cedo ou mais tarde aconteceria: a força se transformaria em consciência. Os proletas eram imortais; você não podia duvidar quando olhava para aquela figura valente no pátio. No final, seu despertar viria. E até que isso acontecesse, embora pudesse demorar mil anos, eles permaneceriam vivos contra todas as probabilidades, como pássaros, transmitindo de corpo em corpo a vitalidade que o Partido não compartilhava e não podia matar.

— Você se lembra — disse ele —, do tordo que cantou para nós, naquele primeiro dia, na beira do bosque?

— Ele não estava cantando para nós — disse Júlia. — Ele estava cantando para agradar a si mesmo. Nem isso. Ele estava apenas cantando.

Os pássaros cantavam, os proletas cantavam, o Partido não cantava. Ao redor do mundo, em Londres e Nova York, na África e no Brasil e nas terras misteriosas e proibidas além das fronteiras, nas ruas de Paris e Berlim, nas aldeias da interminável planície russa, nos bazares da China e do Japão — por toda parte estava a mesma figura sólida e invencível, tornada monstruosa pelo trabalho e pela procriação, labutando do nascimento à morte e ainda cantando. Desses lombos poderosos, uma raça de seres conscientes deve surgir um dia. Você era o morto; deles era o futuro. Mas você poderia compartilhar esse futuro se mantivesse viva a mente como eles mantinham vivo o corpo, e transmitisse a doutrina secreta de que dois mais dois são quatro.

— Nós somos os mortos — disse ele.

— Nós somos os mortos — repetiu Júlia obedientemente.

— Vocês são os mortos — disse uma voz de ferro atrás deles.

Eles se separaram. As entranhas de Winston pareciam ter se transformado em gelo. Ele podia ver o branco ao redor da íris dos olhos de Júlia. Seu rosto ficou amarelo leitoso. A mancha de ruge que ainda estava em cada maçã do rosto se destacava nitidamente, quase como se não estivesse conectada com a pele por baixo.

— Você é o morto — repetiu a voz de ferro.

— Estava atrás do quadro — sussurrou Júlia.

— Estava atrás do quadro — disse a voz. — Fiquem exatamente onde estão. Não façam nenhum movimento.

Estava começando, estava começando finalmente! Eles não podiam fazer nada, exceto ficar olhando nos olhos um do outro. Correr pela vida, sair de casa antes que fosse tarde demais — nenhum pensamento semelhante lhes ocorreu. Impensável desobedecer a voz de ferro da parede. Houve um estalo como se uma trava tivesse sido virada para trás, e um estrondo de vidro se quebrando. O quadro havia caído no chão, revelando a teletela atrás dela.

— Agora eles podem nos ver — disse Júlia.

— Agora podemos ver vocês — disse a voz. — Fiquem de pé no meio da sala. Fiquem de costas um para o outro. Juntem as mãos atrás da cabeça. Não se toquem.

Não estavam se tocando, porém Winston tinha a impressão de que sentia o tremor do corpo de Júlia. Ele podia simplesmente impedir que seus dentes batessem, mas seus joelhos estavam além de seu controle. Ouviu-se um som de botas pisando embaixo, dentro e fora da casa. O pátio parecia estar cheio de homens.

Algo estava sendo arrastado pelas pedras. O canto da mulher parou abruptamente. Ouviu-se um tinido longo e retumbante, como se a tina tivesse sido arremessada pelo pátio, e depois uma confusão de gritos raivosos que terminaram em um grito de dor.

— A casa está cercada — disse Winston.

— A casa está cercada — disse a voz.

Ele ouviu Júlia estalar os dentes. — Suponho que podemos dizer adeus — disse ela.

— Devem dizer adeus — disse a voz. E então outra voz bem diferente, uma voz fina e culta que Winston teve a impressão de ter ouvido antes, interveio:

— *Quando eu tiver dinheiro, dizem os sinos de Shoreditch sempre sorrateiros.*

Algo caiu na cama atrás das costas de Winston. A ponta de uma escada fora enfiada pela janela e arrebentara o caixilho. Alguém estava subindo pela janela. Houve uma debandada de botas subindo as escadas. A sala estava cheia de homens sólidos em uniformes pretos, com botas de ferro nos pés e cassetetes nas mãos.

Winston não tremia mais. Mal movia os olhos. Só uma coisa importava: ficar quieto, ficar quieto e não dar a eles uma desculpa para bater em você! Um homem com uma mandíbula lisa de lutador de boxe em que a boca era apenas uma fenda parou diante dele, equilibrando seu cassetete meditativamente entre o polegar e o indicador. Winston encontrou seus olhos. A sensação de nudez, com as mãos atrás da cabeça e rosto e corpo expostos, era quase insuportável. O homem mostrou a ponta de uma língua branca, lambeu o lugar onde seus lábios deveriam estar e depois passou. Houve outro acidente. Alguém pegou o peso de papel de vidro da mesa e o esmagou em pedaços na lareira.

O fragmento de coral, uma pequena ruga rosada que parecia um botão de rosa de açúcar de um bolo, rolou pelo tapete. Quão pequeno, pensou Winston, quão pequeno sempre foi! Houve um suspiro e um baque atrás dele, e ele recebeu um chute violento no tornozelo que quase o desequilibrou. Um dos homens esmurrou o plexo solar de Júlia, dobrando-a como uma régua de bolso. Ela estava se debatendo no chão, lutando para respirar. Winston não ousava virar a cabeça nem um milímetro, mas às vezes seu rosto lívido e ofegante ficava dentro do ângulo de sua visão. Mesmo em seu terror, era como se ele pudesse sentir a dor em seu próprio corpo, a dor mortal que, no entanto, era menos urgente do que a luta para recuperar o fôlego. Ele sabia como era: a dor terrível e agonizante que estava lá o tempo todo, mas ainda não podia ser sofrida, porque antes de tudo era preciso poder respirar. Então, dois dos homens a ergueram pelos joelhos e ombros e a carregaram para fora da sala como um saco. Winston teve um vislumbre de seu rosto, de cabeça para baixo, amarelo e contorcido, com os olhos fechados, e ainda com uma mancha de ruge em cada bochecha; e essa foi a última vez que a viu.

Ele ficou imóvel. Ninguém tinha batido nele ainda. Pensamentos que vinham por conta própria, mas pareciam totalmente desinteressantes, começaram a passar por sua mente. Ele se perguntou se eles tinham capturado o Sr. Charrington. Ele se perguntou o que eles tinham feito com a mulher no pátio. Notou que queria muito urinar e sentiu uma leve surpresa, porque o fizera apenas duas ou três horas antes. Ele notou que o relógio na lareira marcava nove, significando vinte e uma horas. Mas a luz parecia forte demais. A luz não estaria desaparecendo às 21 horas de uma noite de agosto? Ele se perguntou se, afinal de contas, ele e Júlia haviam se confundido com a hora — tinham dormido o tempo todo e pensado que eram vinte e trinta quando na verdade não eram oito e meia da manhã seguinte. Mas ele não levou o pensamento adiante. Não fazia a menor diferença.

Houve outro passo mais leve na passagem. O Sr. Charrington entrou na sala. O comportamento dos homens uniformizados de preto de repente tornou-se mais moderado. Algo também havia mudado na aparência do Sr. Charrington. Seus olhos caíram sobre os fragmentos do peso de papel de vidro.

— Recolham esses cacos — disse ele bruscamente.

Um homem se abaixou para obedecer. O sotaque *cockney* havia desaparecido; Winston de repente percebeu de quem era a voz que ele ouvira momentos atrás na teletela. O Sr. Charrington ainda estava vestindo sua velha jaqueta de veludo, mas seu cabelo, que era quase branco, ficou preto. Além disso, ele não estava usando seus óculos. Ele deu a Winston um único olhar penetrante, como se verificasse sua identidade, e então não prestou mais atenção nele. Ele ainda era reconhecível, mas não era mais a mesma pessoa. Seu corpo se endireitou e parecia ter crescido. Seu rosto sofrera apenas pequenas mudanças que, no entanto, produziram uma transformação completa. As sobrancelhas negras estavam menos espessas, as rugas haviam desaparecido, todas as linhas do rosto pareciam ter se alterado; até o nariz parecia mais curto. Foi o alerta, rosto frio de um homem de cerca de trinta e cinco anos. Ocorreu a Winston que pela primeira vez em sua vida estava olhando, com conhecimento, para um membro da Polícia do Pensamento.

Parte 3

I

Ele não sabia onde estava. Presumivelmente, estava no Ministério do Amor; mas não havia como ter certeza.

Ele estava em uma cela sem janelas, de teto alto com paredes de azulejos brancos brilhantes. Lâmpadas ocultas o inundavam com luz fria, e havia um zumbido baixo e constante que ele supôs ter algo a ver com o suprimento de ar. Um banco, ou prateleira, com largura suficiente para sentar, contornava a parede, interrompido apenas pela porta e, na extremidade oposta à porta, por uma pia sem assento de madeira. Havia quatro teletelas, uma em cada parede.

Sentia uma dor aguda na barriga. Estava assim desde que o haviam jogado num carro fechado e o levado embora. Mas ele também estava com fome, uma fome feroz. Podia ter passado vinte e quatro horas desde que comera pela última vez, podia ser trinta e seis. Ele ainda não sabia, provavelmente nunca saberia, se era manhã ou noite quando o prenderam. Desde que foi preso, ele não se alimentara.

Sentou-se o mais imóvel que pôde no banco estreito, com as mãos cruzadas sobre o joelho. Ele já tinha aprendido a ficar quieto. Se você fizesse movimentos inesperados, eles gritavam com você da teletela. Mas o desejo por comida estava crescendo. Ansiava, acima de tudo, por um pedaço de pão. Teve a impressão de que havia algumas migalhas de pão no bolso do macacão. Era até possível — ele pensou isso porque de vez em quando algo parecia fazer cócegas em sua perna — talvez houvesse um pedaço considerável de casca ali. No final, a tentação de descobrir superou seu medo; ele enfiou a mão no bolso.

— Smith! — gritou uma voz da teletela. — 6079 Smith W! Mãos fora dos bolsos nas celas!

Ele se sentou quieto novamente, com as mãos cruzadas sobre o joelho. Antes de ser trazido para cá fora levado para outro lugar que devia ser uma prisão comum ou uma cela temporária usada pelas patrulhas. Ele não sabia há quanto tempo estava ali; algumas horas, pelo menos; sem relógios e sem luz do dia, era difícil calcular a hora. Era um lugar barulhento e malcheiroso. Tinha sido levado para uma cela parecida com aquela de agora, só que imunda e lotada o tempo todo com dez, quinze pessoas. A maioria deles eram criminosos comuns, mas havia alguns presos políticos entre eles. Ele estava sentado em silêncio contra a parede, empurrado por corpos sujos, preocupado demais com o medo e a dor na barriga para se interessar pelo ambiente, mas ainda notando a espantosa diferença de comportamento entre os prisioneiros do Partido e os outros. Os prisioneiros do Partido estavam sempre calados e aterrorizados, mas os criminosos comuns pareciam não se importar com ninguém. Eles gritavam insultos aos guardas, lutavam ferozmente quando seus pertences eram confiscados, escreviam palavras obscenas no chão, comiam comida que tiravam de esconderijos misteriosos na roupa e até gritavam para a teletela quando ela tentava restaurar a ordem. Por outro lado, alguns pareciam se dar bem com os guardas, chamavam-nos por apelidos e tentavam conseguir cigarros pelo olho mágico da porta. Os guardas também tratavam os criminosos comuns com certa tolerância, mesmo quando tinham de lidar com eles com grosseria. Falava-se muito sobre os campos de trabalhos forçados para os quais a maioria dos prisioneiros esperavam ser enviados. Estava "tudo bem" nos campos, ele concluiu, contanto que você tivesse bons contatos e conhecesse as manhas. Havia suborno, favoritismo e extorsão de todo tipo, havia homossexualidade e prostituição, havia até álcool ilícito destilado de batatas. Os cargos de confiança eram dados apenas aos criminosos comuns, especialmente os bandidos e os assassinos, que formavam uma espécie de aristocracia. Todos os trabalhos sujos eram feitos pelos políticos.

    Havia um constante ir e vir de prisioneiros de todos os tipos: traficantes de drogas, ladrões, bandidos, comerciantes do mercado negro, bêbados, prostitutas. Alguns dos bêbados eram tão violentos que os outros prisioneiros tiveram que se unir para reprimi-los. Uma enorme mulher esfarrapada, com cerca de sessenta anos, com grandes seios caídos e grossos cachos de cabelos brancos desfeitos durante as brigas em que se metera, foi trazida, aos gritos e distribuindo pontapés, por quatro guardas que a seguravam um em cada ponta. Eles arrancaram as botas com as quais ela estava tentando chutá-los e a jogaram no colo de Winston, quase quebrando seus fêmures. A mulher ergueu-se e seguiu-os com um grito de "bastardos!" Então, percebendo que ela estava sentada sobre algo irregular, ela deslizou dos joelhos de Winston para o banco.

    — Desculpe, querido — disse ela. — Eu não sentaria em cima de você, os vagabundos me empurraram. Eles não sabem como tratar uma dama, não é? — ela fez uma pausa, deu um tapinha no peito e arrotou. — Perdão — ela disse —, eu estou um pouco nervosa.

Ela se inclinou para a frente e vomitou copiosamente no chão.

— Assim está melhor — disse ela —, nunca segure, é o que eu digo. Melhor botar para fora enquanto está fresco no estômago.

Ela se recuperou, deu outra olhada em Winston e pareceu imediatamente gostar dele. Colocou um braço em volta do ombro dele e o puxou para ela, respingando cerveja e vômito em seu rosto.

— Como é o seu nome, queridinho? — ela perguntou.

— Smith — disse Winston.

— Smith? — indagou a mulher. — Isso é engraçado. Meu nome é Smith também — acrescentou sentimentalmente —, eu posso ser sua mãe!

Ela poderia, pensou Winston, ser sua mãe. Ela tinha a idade e o físico certos, e era provável que as pessoas mudassem um pouco depois de vinte anos em um campo de trabalhos forçados.

Ninguém mais havia falado com ele. De forma surpreendente, os criminosos comuns ignoraram os prisioneiros do Partido. "Os políticos", eles os chamavam, com uma espécie de desprezo. Os prisioneiros do Partido pareciam apavorados de falar com alguém e, sobretudo, de falar uns com os outros. Apenas uma vez, quando dois membros do Partido, duas mulheres, estavam pressionadas juntas no banco, ele ouviu em meio ao barulho de vozes algumas palavras sussurradas apressadamente; e, em particular, uma referência a algo chamado "quarto um zero um", que ele não entendia.

É possível que ele tivesse chegado duas ou três horas antes. A dor aguda em sua barriga nunca passava, às vezes melhorava e às vezes piorava, e seus pensamentos se expandiam ou se contraíam de acordo com a dor. Quando piorava, ele pensava apenas na dor em si e em seu desejo por comida. Quando melhorava, o pânico tomava conta dele. Houve momentos em que ele previu as coisas que lhe aconteceriam com tanta realidade que seu coração disparou e sua respiração parou. Ele sentiu o bater de cassetetes em seus cotovelos e botas com ferraduras em suas canelas; ele se viu rastejando no chão, gritando por misericórdia com os dentes quebrados. Ele mal pensava em Júlia. Não conseguia fixar sua mente nela. Ele a amava e não a trairia; mas isso era apenas um fato, conhecido como ele conhecia as regras da aritmética. Ele não sentia amor por ela, e ele mal se perguntou o que teria acontecido com ela. Pensava com mais frequência em O'Brien, com uma esperança vacilante. O'Brien devia saber que ele foi preso. A Irmandade, ele disse, nunca tentou salvar seus membros. Mas havia a lâmina de barbear; eles enviariam a lâmina de barbear se pudessem. Haveria talvez cinco segundos antes que os guardas pudessem entrar na cela. A lâmina iria mordê-lo com uma espécie de frieza ardente, e até os dedos que a seguravam seriam cortados até o osso. Tudo voltou ao seu corpo doente, que se encolhia trêmulo à menor dor. Ele não tinha certeza de que usaria a lâmina de barbear, mesmo que tivesse a chance. Era mais natural existir de momento a momento, aceitando mais dez minutos de vida mesmo com a certeza de que havia uma tortura no final.

Às vezes ele tentava calcular o número de azulejos nas paredes da cela. Deveria ter sido fácil, mas ele sempre perdia a conta em algum momento ou outro. Com mais frequência, ele se perguntava onde estava e que horas eram. Em determinado momento tinha certeza de que era dia lá fora, e no seguinte tinha a mesma certeza de que estava na total escuridão. Nesse lugar, ele sabia instintivamente, as luzes nunca seriam apagadas. Era o lugar sem escuridão: agora ele entendia por que O'Brien parecia reconhecer a alusão. No Ministério do Amor não havia janelas. Sua cela podia estar no centro do prédio ou contra a parede externa; podia ser dez andares abaixo do solo, ou trinta acima dele. Ele se movia mentalmente de um lugar para outro, e procurava concluir a partir da sensação de seu corpo se estava empoleirado no espaço ou enterrado no fundo do solo.

Ouviu-se um som de botas marchando lá fora. A porta de aço se abriu com um estrondo. Um jovem oficial, uma figura esbelta de uniforme preto que parecia reluzir por todo o couro polido e cujo rosto pálido e reto parecia uma máscara de cera, entrou rapidamente pela porta. Ele acenou para os guardas do lado de fora para trazer o prisioneiro que eles estavam levando. O poeta Ampleforth entrou cambaleando na cela. A porta se fechou novamente.

Ampleforth fez um ou dois movimentos incertos de um lado para o outro, como se tivesse alguma ideia de que havia outra porta por onde sair, e então começou a vagar para cima e para baixo na cela. Ele ainda não havia notado a presença de Winston. Seus olhos preocupados estavam olhando para a parede cerca de um metro acima do nível da cabeça de Winston. Ele estava descalço; dedos grandes e sujos saíam dos buracos de suas meias. Ele também estava a vários dias sem se barbear. Uma barba rala cobria seu rosto até as maçãs do rosto, dando-lhe um ar de truculência que combinava estranhamente com seu corpo grande e fraco e seus movimentos nervosos.

Winston despertou um pouco de sua letargia. Precisava falar com Ampleforth e arriscar o grito da teletela. Era até concebível que Ampleforth fosse o portador da lâmina de barbear.

— Ampleforth — disse ele.

Não houve nenhum grito da teletela. Ampleforth fez uma pausa, levemente assustado. Seus olhos se concentraram lentamente em Winston.

— Ah, Smith! — ele disse. — Você também!

— O que você está fazendo aqui?

Ele se sentou desajeitadamente no banco em frente a Winston.

— Só existe um delito, não é mesmo, não é?

— E você cometeu isso?

— Aparentemente sim.

Ele colocou a mão na testa e apertou as têmporas por um momento, como se tentasse se lembrar de algo.

— Essas coisas acontecem — ele começou vagamente. — Consegui me lembrar de um exemplo — um exemplo possível. Foi uma indiscrição, sem dúvida. Estávamos produzindo uma edição definitiva dos poemas de Kipling. Deixei que a palavra "Deus" permanecesse no final de um verso. Não consegui agir de outro modo — ele acrescentou quase indignado, levantando o rosto para olhar para Winston. — Era impossível mudar o verso. O problema era a rima: só existem doze palavras em toda a língua com aquela rima. Você sabia? Passei vários dias vasculhando a mente, mas não encontrei a rima.

A expressão em seu rosto mudou. O aborrecimento passou e por um momento ele pareceu quase satisfeito. Uma espécie de calor intelectual, a alegria do pedante que descobriu algum fato inútil, brilhava através da sujeira e dos cabelos ralos.

— Já lhe ocorreu — disse ele — que toda a história da poesia inglesa foi determinada pelo fato de que a língua inglesa carece de rimas?

Não, esse pensamento em particular nunca tinha ocorrido a Winston. Nem, nas circunstâncias, isso lhe pareceu muito importante ou interessante.

— Você sabe que hora do dia é? — ele indagou.

Ampleforth pareceu assustado novamente. — Eu mal tinha pensado nisso. Eles me prenderam — pode ser há dois dias — talvez três. Seus olhos percorreram as paredes, como se esperasse encontrar uma janela em algum lugar. — Não há diferença entre noite e dia neste lugar. Não vejo como se pode calcular a hora.

Eles conversaram desconsoladamente por alguns minutos, então, sem motivo aparente, um grito da teletela mandou que ficassem em silêncio. Winston estava sentado em silêncio, com as mãos cruzadas. Ampleforth, grande demais para se sentar confortavelmente no banco estreito, remexeu-se de um lado para o outro, apertando as mãos esguias primeiro em um joelho, depois no outro. A teletela gritou para ele ficar quieto. O tempo passou. Vinte minutos, uma hora — era difícil julgar. Mais uma vez, houve um som de botas do lado de fora. As entranhas de Winston se contraíram. Em breve, muito em breve, talvez em cinco minutos, talvez agora, o barulho das botas significaria que sua vez havia chegado.

A porta se abriu. O jovem oficial de rosto frio entrou na cela. Com um breve movimento da mão, ele indicou Ampleforth.

— Quarto 101— disse ele.

Ampleforth marchou desajeitadamente entre os guardas, seu rosto vagamente perturbado, mas sem compreender.

O que pareceu um longo tempo passou. A dor na barriga de Winston reviveu. Sua mente vacilava no mesmo caminho, como uma bola caindo repetidas vezes na mesma série de fendas. Ele tinha apenas seis pensamentos. A dor na barriga, um pedaço de pão, o sangue e os gritos, O'Brien, Júlia e a lâmina de barbear. Houve outro espasmo em suas entranhas; as botas pesadas se aproximavam. Quando a porta se abriu, a onda de ar que ela criou trouxe um forte cheiro de suor frio. Parsons entrou na cela. Ele estava vestindo uma bermuda cáqui e uma camisa esportiva.

Desta vez, Winston foi surpreendido pelo fato de esquecer da própria situação.

— Você aqui! — ele disse.

Parsons lançou a Winston um olhar no qual não havia interesse nem surpresa, mas apenas tristeza. Ele começou a andar aos solavancos para cima e para baixo, evidentemente incapaz de ficar parado. Cada vez que ele endireitava seus joelhos gorduchos, ficava evidente que eles estavam tremendo. Seus olhos estavam arregalados, olhando fixamente, como se ele não pudesse evitar olhar para algo a meia distância.

— Por que você está aqui? — perguntou Winston.

— Crime de pensamento! — disse Parsons, quase chorando.

O tom de sua voz implicava ao mesmo tempo uma completa admissão de sua culpa e uma espécie de horror incrédulo de que tal palavra pudesse ser aplicada a ele. Ele parou diante de Winston e começou a apelar ansiosamente para ele:

— Você não acha que eles vão atirar em mim, não é, meu velho? Eles não atiram em você se você não fez nada — apenas pensamentos, que você não pode controlar. Eu sei que eles lhe dão uma audiência justa. Oh, eu confio neles para isso! Eles conhecem meu histórico, não é? Você sabe que tipo de sujeito eu era. Um bom sujeito, à minha moda. Não muito inteligente, claro, mas esperto. Tentei fazer o melhor que podia pelo Partido, não foi? Vou sair com cinco anos, você não acha? Ou mesmo dez anos? Um sujeito como eu poderia se tornar bastante útil em um campo de trabalho. Eles não atirariam em mim por sair dos trilhos apenas uma vez, certo?

— Você é culpado? — disse Winston.

— Claro que sou culpado! — exclamou Parsons com um olhar servil para a teletela.

— Você não acha que o Partido prenderia um homem inocente, acha? Seu rosto de sapo ficou mais calmo e até assumiu uma expressão ligeiramente hipócrita. — O crime de pensamento é uma coisa terrível, meu velho — disse ele sentenciosamente. — É insidioso. Pode se apoderar de você sem que você perceba.

Você sabe como isso me pegou? Durante o sono! Sim, isso é um fato. Lá estava eu, trabalhando, tentando fazer minha parte — eu não sabia que eu tinha algo ruim em minha mente. E então comecei a falar enquanto dormia. Você sabe o que eles me ouviram dizer?

Ele baixou a voz, como quem é obrigado por razões médicas a proferir uma obscenidade.

— Abaixo o Grande Irmão! Sim, eu disse isso! Disse isso várias vezes, ao que parece. Cá entre nós, meu velho, estou feliz que eles me pegaram antes que fosse mais longe. Você sabe o que vou dizer a eles quando eu for ao tribunal? "Obrigado"— vou dizer —, "obrigado por me salvarem antes que fosse tarde demais".

— Quem denunciou você? — indagou Winston.

— Foi a minha filhinha — disse Parsons com uma espécie de orgulho triste. — Ela escutou no buraco da fechadura. Ouviu o que eu estava dizendo, e partiu para as patrulhas no dia seguinte. Muito inteligente para uma menina de sete anos, hein? Eu não guardo rancor dela por isso, estou orgulhoso. Isso mostra que eu a criei com o espírito certo, de qualquer maneira.

Ele fez mais alguns movimentos bruscos para cima e para baixo, várias vezes lançando um olhar ansioso para o vaso sanitário. Então, de repente, ele rasgou a bermuda.

— Desculpe-me, velho — disse ele. — Eu não posso evitar. É a espera.

Ele afundou seus grandes traseiros na pia do banheiro. Winston cobriu o rosto com as mãos.

— Smith! — gritou a voz da teletela. — 6079 Smith W! Descubra seu rosto. Nenhum rosto coberto nas celas.

Winston descobriu o rosto. Parsons usou o banheiro, alto e abundantemente. Descobriu-se então que a válvula estava com defeito e a cela fedia abominavelmente por muitas horas.

Parsons foi removido. Mais prisioneiros entraram e saíram misteriosamente. Uma delas, uma mulher, foi enviada para o "Quarto 101", e Winston notou que a mulher pareceu murchar e mudar de cor quando ouviu as palavras. Chegou um momento em que, se fosse de manhã quando ele foi trazido aqui, seria de tarde; ou se tivesse sido à tarde, então seria meia-noite. Havia seis presos na cela, homens e mulheres. Todos ficavam muito quietos. Em frente a Winston estava sentado um homem com um rosto cheio de dentes e sem queixo, exatamente como o de um grande roedor inofensivo. Suas bochechas gordas e mosqueadas estavam tão inchadas no fundo que era difícil não acreditar que ele tinha pequenos estoques de comida escondidos ali. Seus olhos cinza-claros esvoaçavam timidamente de rosto em rosto, e se viravam rapidamente quando ele chamava a atenção de alguém.

A porta se abriu e outro prisioneiro foi trazido, cuja aparição causou um calafrio momentâneo em Winston. Ele era um homem comum, de aparência mesquinha, que poderia ter sido um engenheiro ou técnico de algum tipo. Mas o que foi surpreendente assustador foi a magreza de seu rosto. Era como um crânio. Por causa de sua magreza, a boca e os olhos pareciam desproporcionalmente grandes, e os olhos pareciam cheios de um ódio assassino e implacável por alguém ou alguma coisa.

O homem sentou-se no banco a uma pequena distância de Winston. Winston não voltou a olhar para ele, mas o atormentado rosto em forma de caveira estava tão vívido em sua mente como se estivesse bem diante de seus olhos. De repente, ele percebeu qual era o problema. O homem estava morrendo de fome. O mesmo pensamento parecia ocorrer quase simultaneamente a todos na cela. Houve uma agitação muito fraca ao longo do banco. Os olhos do homem sem queixo continuavam a esvoaçar em direção ao homem com cara de caveira, depois se virando culpados, depois sendo arrastados de volta por uma atração irresistível. Logo ele começou a se mexer em seu assento. Por fim, ele se levantou, cambaleou desajeitadamente pela cela, enfiou a mão no bolso do macacão e, com um ar envergonhado, estendeu um pedaço de pão encardido para o homem com cara de caveira.

Ouviu-se um rugido furioso e ensurdecedor da teletela. O homem sem queixo saltou em seu caminho. O homem com cara de caveira rapidamente colocou as mãos atrás das costas, como se demonstrasse para todo o mundo que ele recusou o presente.

— Bumstead! — rugiu a voz. —2713 Bumstead J! Deixe cair esse pedaço de pão.

O homem sem queixo deixou o pedaço de pão cair no chão.

— Permaneça onde você está — disse a voz. — Virado para a porta. Não faça nenhum movimento.

O homem sem queixo obedeceu. Suas grandes bochechas inchadas tremiam incontrolavelmente. A porta se abriu. Quando o jovem oficial entrou e se afastou, surgiu atrás dele um guarda baixo e atarracado com braços e ombros enormes. Ele se posicionou em frente ao homem sem queixo e então, a um sinal do oficial, desferiu um golpe assustador, com todo o peso de seu corpo por trás, em cheio na boca do homem sem queixo. A força disso quase o derrubou do chão. Seu corpo foi arremessado pela cela e encostado na base do assento do banheiro. Por um momento ele ficou como se estivesse atordoado, com sangue escuro escorrendo de sua boca e nariz. Um gemido ou chiado muito fraco, que parecia inconsciente, saiu dele. Então ele rolou e se ergueu instável sobre as mãos e os joelhos. Em meio a uma corrente de sangue e saliva, duas metades de uma prótese dentária caíram de sua boca.

Os prisioneiros ficaram muito quietos, com as mãos cruzadas sobre os joelhos. O homem sem queixo voltou para seu lugar. Em um lado de seu rosto a carne estava escurecendo. Sua boca tinha inchado em uma massa disforme cor de cereja com um buraco negro no meio dela. De vez em quando um pouco de sangue pingava no peito de seu macacão. Seus olhos cinzas ainda esvoaçavam de rosto em rosto, mais culpados do que nunca, como se tentasse descobrir o quanto os outros o desprezavam por sua humilhação.

A porta se abriu. Com um pequeno gesto, o oficial indicou o homem com cara de caveira.

— Quarto 101— disse ele.

Houve um suspiro e uma agitação ao lado de Winston. O homem realmente se jogou de joelhos no chão, com as mãos entrelaçadas.

— Camarada! Oficial! — ele chorou. — Você não tem que me levar para aquele lugar! Eu já te contei tudo! O que mais você quer saber? Não há nada que eu não confessaria, nada! Vou confessar imediatamente. Anote e eu assino — qualquer coisa! Não no quarto 101!

— Quarto 101— disse o oficial.

O rosto do homem, já muito pálido, assumiu uma cor que Winston não teria acreditado ser possível. Era definitivamente, inconfundivelmente, um tom de verde.

— Faça qualquer coisa comigo! — ele gritou. — Você está me deixando com fome há semanas. Acabe com isso e me deixe morrer. Atire em mim. Me enforque. Me condene a vinte e cinco anos. Há mais alguém que você quer que eu entregue? Apenas diga quem é, e eu direi o que você quiser. Eu não me importo com quem sejam ou o que você vai fazer com eles. Eu tenho uma esposa e três filhos. O maior deles não tem seis anos. Você pode levar todos eles e cortar suas gargantas na frente dos meus olhos, e eu vou ficar parado e assistir. Mas não no quarto 101!

— Quarto 101— disse o oficial.

O homem olhou freneticamente em volta para os outros prisioneiros, como se pensasse que poderia colocar outra vítima em seu próprio lugar. Seus olhos pousaram no rosto esmagado do homem sem queixo. Ele estendeu um braço magro.

— Esse ali é o que você deveria estar levando, não eu! — ele gritou. — Você não ouviu o que ele estava dizendo depois que eles bateram na cara dele. Me dê uma chance e eu lhe contarei cada palavra. Ele é o único que é contra o Partido, não eu.

Os guardas deram um passo à frente. A voz do homem se elevou a um grito.

— Você não o ouviu! — ele repetiu. — Algo deu errado com a teletela. Ele é quem você quer. Leve-o, não a mim!

Os dois guardas robustos se abaixaram para pegá-lo pelos braços. Mas nesse momento ele se jogou no chão da cela e agarrou uma das pernas de ferro que sustentavam o banco. Ele emitiu um uivo sem palavras, como um animal. Os guardas o seguraram, mas ele se agarrou com uma força surpreendente. Por talvez vinte segundos eles o puxaram. Os prisioneiros ficaram quietos, com as mãos cruzadas sobre os joelhos, olhando diretamente para a frente. O uivo parou; o homem não tinha fôlego para mais nada, exceto se segurar. Então houve um tipo diferente de choro. Um chute da bota de um guarda havia quebrado os dedos de uma de suas mãos. Eles o arrastaram para ficar de pé.

— Quarto 101— disse o oficial.

O homem foi levado para fora, andando vacilante, com a cabeça afundada, segurando a mão esmagada, sem forças para resistir.

Muito tempo se passou. Se fosse meia-noite quando o homem com cara de caveira foi levado, seria de manhã; se de manhã, seria tarde. Winston estava sozinho, e esteve sozinho por horas. A dor de se sentar no banco estreito era tanta que muitas vezes ele se levantava e caminhava, sem ser repreendido pela teletela. O pedaço de pão ainda estava onde o homem sem queixo o deixara cair. No início foi preciso um grande esforço para não olhar para ele, mas logo a fome deu lugar à sede. Sua boca estava pegajosa e com gosto ruim. O zumbido e a invariável luz branca induziram uma espécie de desmaio, uma sensação de vazio dentro de sua cabeça. Levantava-se porque a dor nos ossos não era mais suportável e depois volta a sentar-se quase imediatamente porque estava tonto demais para ficar de pé. Sempre que suas sensações físicas estavam um pouco sob controle, o terror voltava. Às vezes, com uma esperança desvanecida, pensava em O'Brien e na lâmina de barbear. Era pensável que a lâmina de barbear pudesse chegar escondida em sua comida, se ele fosse alimentado. Mais vagamente ele pensou em Júlia. Em algum lugar ela estava sofrendo, talvez de maneira muito pior do que ele. Ela pode estar gritando de dor neste momento. Ele pensou: "Se eu pudesse salvar Júlia dobrando minha própria dor, eu faria isso? Sim, eu faria." Mas essa foi apenas uma decisão intelectual, tomada porque ele sabia que deveria tomá-la. Ele não sentiu. Neste lugar você não podia sentir nada, exceto a dor e a presciência da dor. Além disso, seria possível, quando você estava realmente sofrendo, desejar, por qualquer motivo, que sua própria dor aumentasse? Mas essa pergunta ainda não tinha resposta.

As botas estavam se aproximando novamente. A porta se abriu. O'Brien entrou.

Winston começou a ficar de pé. O choque da visão havia tirado toda a cautela dele. Pela primeira vez em muitos anos ele esqueceu a presença da teletela.

— Eles pegaram você também! — ele exclamou.

— Eles me pegaram há muito tempo — disse O'Brien com uma ironia suave, quase arrependida. Ele se afastou. Atrás dele surgiu um guarda de peito largo com um longo cassetete preto na mão.

— Você sabia disso, Winston — disse O'Brien. — Não se engane. Você sabia disso — você sempre soube disso.

Sim, ele viu agora, ele sempre soubera disso. Mas não havia tempo para pensar nisso.

Ele só tinha olhos para o cassetete na mão do guarda. Poderia cair em qualquer lugar: no alto da cabeça, na ponta da orelha, no braço, no cotovelo...

O cotovelo! Ele caiu de joelhos, quase paralisado, segurando o cotovelo ferido com a outra mão. Tudo explodiu em uma luz amarela. Inconcebível, inconcebível que um golpe pudesse causar tanta dor! A luz clareou e ele podia ver os outros dois olhando para ele. O guarda estava rindo de suas contorções. De qualquer forma, uma pergunta foi respondida. Nunca, por qualquer motivo na Terra, você poderia desejar um aumento de dor. Da dor você só poderia desejar uma coisa: que ela parasse. Nada no mundo era tão ruim quanto a dor física. Diante da dor não há heróis, não há heróis, ele pensou várias vezes enquanto se contorcia no chão, agarrando inutilmente seu braço esquerdo incapacitado.

II

Ele estava deitado em algo que parecia uma cama de campanha, exceto que era mais alta e que estava fixada de alguma forma para que não pudesse se mover. Uma luz que parecia mais forte do que o normal estava caindo em seu rosto. O'Brien estava de pé ao seu lado, olhando-o atentamente. Do outro lado dele estava um homem de jaleco branco, segurando uma seringa hipodérmica.

Mesmo depois que seus olhos estavam abertos, ele absorvia o ambiente apenas gradualmente. Ele teve a impressão de nadar para esta sala de um mundo bem diferente, uma espécie de mundo subaquático muito abaixo dele. Há quanto tempo ele estava lá embaixo, ele não sabia. Desde o momento em que o prenderam, ele não via escuridão nem luz do dia. Além disso, suas memórias não eram contínuas. Havia momentos em que a consciência, mesmo o tipo de consciência que se tem durante o sono, parava e recomeçava após um intervalo em branco. Mas se os intervalos eram de dias, semanas ou apenas segundos, não havia como saber.

Com aquele primeiro golpe no cotovelo, o pesadelo começou. Mais tarde, ele perceberia que tudo o que acontecia era apenas um interrogatório preliminar, de rotina, ao qual quase todos os prisioneiros eram submetidos. Havia uma grande variedade de crimes — espionagem, sabotagem e afins — aos quais todos tinham que confessar naturalmente. A confissão era uma formalidade, embora a tortura fosse real. Quantas vezes ele fora espancado, por quanto tempo os espancamentos continuaram, ele não conseguia se lembrar. Sempre havia cinco ou seis homens em uniformes pretos batendo nele simultaneamente. Às vezes eram punhos, às vezes eram cassetetes, às vezes eram hastes de aço, às vezes eram botas. Houve momentos em que ele rolava pelo chão, sem vergonha como um animal, contorcendo o corpo para um lado e para o outro em um esforço sem fim e sem esperança para evitar os chutes, e simplesmente convidando mais e mais chutes, nas costelas, na barriga, nos cotovelos, nas canelas, na virilha, nos testículos, no osso da base da coluna. Houve momentos em que isso durou tanto que a coisa cruel, perversa e imperdoável não lhe parecia ser que os guardas continuassem a espancá-lo, mas que ele não conseguisse se forçar a perder a consciência. Houve momentos em que sua coragem o abandonou tanto que ele começou a gritar por misericórdia antes mesmo de começar a surra, quando a mera visão de um punho fechado para um golpe era suficiente para fazê-lo confessar crimes reais e imaginários. Houve outras vezes em que ele começou com a resolução de não confessar nada, quando cada palavra teve que ser forçada a sair dele entre suspiros de dor, e houve momentos em que ele tentou debilmente se comprometer, quando disse a si mesmo: "Vou confessar, mas ainda não. Devo aguentar até que a dor se torne insuportável. Mais três chutes, mais dois chutes, e então eu direi a eles o que eles querem." Algumas vezes, chegou a apanhar tanto que mal conseguia ficar de pé, depois era jogado como um saco de batatas no chão de pedra de uma cela, e o deixavam ali por algumas horas, até que se recuperasse e ficasse pronto para novos maus-tratos. Também havia períodos mais longos de recuperação. Ele se lembrava deles vagamente, porque eram gastos principalmente em sono ou estupor. Ele se lembrava de uma cela com uma cama de tábuas, uma espécie de prateleira saindo da parede e uma pia de lata, e refeições de sopa quente e pão e, às vezes, café. Lembrou-se de um barbeiro mal-humorado chegando para raspar o queixo e cortar o cabelo, e homens profissionais e antipáticos em jalecos brancos sentindo seu pulso, batendo em seus reflexos, elevando suas pálpebras, tateando-o com dedos brutos à procura de ossos quebrados e espetando agulhas em seu braço para fazê-lo dormir.

Os espancamentos tornaram-se menos frequentes e passaram a ser uma ameaça, um horror ao qual ele poderia ser enviado de volta a qualquer momento quando suas respostas fossem insatisfatórias. Seus interrogadores agora não eram rufiões em uniformes pretos, mas intelectuais do Partido, homenzinhos rotundos com movimentos rápidos e óculos brilhantes, que trabalhavam nele em revezamento por períodos que duravam — ele pensou, não podia ter certeza — dez ou doze horas seguidas. Esses outros questionadores cuidaram para que ele estivesse com uma leve dor constante, mas não era principalmente na dor que eles confiavam. Esbofeteavam seu rosto, torciam suas orelhas, puxavam seus cabelos, obrigavam-no a ficar de pé sobre uma perna só, impediam-no de urinar, iluminavam seu rosto com luzes fortes até seus olhos começarem a lacrimejar; mas o objetivo disso era simplesmente humilhá-lo e destruir seu poder de argumentar e raciocinar. A verdadeira arma deles era o questionamento impiedoso que continuava hora após hora, fazendo-o tropeçar, montando armadilhas para ele, distorcendo tudo o que ele dizia, condenando-o a cada passo de mentiras e autocontradições, até que ele começou a chorar tanto de vergonha como de fadiga nervosa. Às vezes ele chorava meia dúzia de vezes em uma única sessão. Na maioria das vezes eles gritavam insultos para ele e ameaçavam a cada hesitação de entregá-lo aos guardas novamente; mas às vezes eles subitamente mudavam de tom, chamavam-no de camarada, apelavam para ele em nome do Socing e do Grande Irmão e perguntavam-lhe com tristeza se ainda não tinha lealdade suficiente ao Partido para fazê-lo desejar desfazer o mal que ele tinha feito. Quando seus nervos estavam em frangalhos depois de horas de interrogatório, mesmo esse apelo poderia reduzi-lo a lágrimas de choro. No final, as vozes irritantes o derrubavam mais completamente do que as botas e os punhos dos guardas. Winston tornou-se apenas uma boca que revelava, uma mão que assinava tudo o que exigissem que assinasse. Sua única preocupação era descobrir o que eles queriam que ele confessasse, e então confessar rapidamente, antes que a intimidação começasse de novo. Confessou o assassinato de eminentes membros do Partido, a distribuição de panfletos sediciosos, o desvio de fundos públicos, a venda de segredos militares, sabotagem de todo tipo. Ele confessou que tinha sido um espião a soldo do governo lestasiano desde 1968. Ele confessou que era um crente religioso, um admirador do capitalismo e um pervertido sexual. Ele confessou que havia assassinado sua esposa, embora soubesse, e seus interrogadores deviam saber, que sua esposa ainda estava viva. Ele confessou que durante anos esteve em contato pessoal com Goldstein e foi membro de uma organização clandestina que incluía quase todos os seres humanos que ele conhecia. Era mais fácil confessar tudo e implicar todo mundo. Além disso, em certo sentido, era tudo verdade. Era verdade que ele tinha sido inimigo do Partido, e aos olhos do Partido não havia distinção entre o pensamento e a ação.

Havia também memórias de outro tipo. Elas se destacavam em sua mente desconectadas, como imagens com escuridão ao redor.

Ele estava em uma cela que podia ser escura ou clara, porque não conseguia ver nada além de um par de olhos. Perto da mão, algum tipo de instrumento batia lenta e regularmente. Os olhos ficaram maiores e mais luminosos. De repente, ele flutuou para fora de seu assento, mergulhou nos olhos e foi engolido.

Ele estava amarrado em uma cadeira cercada por mostradores, sob luzes ofuscantes. Um homem de jaleco branco estava lendo os mostradores. Havia um barulho de botas pesadas do lado de fora. A porta se abriu. O oficial de rosto de cera entrou, seguido por dois guardas.

— Quarto 101— disse o oficial.

O homem de jaleco branco não se virou. Ele também não olhou para Winston; ele estava olhando apenas para os mostradores.

Ele estava descendo por um corredor imponente, com um quilômetro de largura, banhado por uma gloriosa luz dourada, rugindo de tanto rir e gritando confissões a plenos pulmões. Confessava tudo, até as coisas que conseguira conter sob a tortura. Relatava toda a história de sua vida para um público que já sabia disso. Com ele estavam os guardas, os outros questionadores, os homens de jaleco branco, O'Brien, Júlia, o Sr. Charrington, todos descendo pelo corredor juntos e gritando de tanto rir. Alguma coisa terrível que estava incrustada no futuro de alguma forma foi ignorada e não aconteceu. Tudo estava bem, não havia mais dor, o último detalhe de sua vida estava exposto, entendido, perdoado.

Ele estava se levantando da cama de tábuas quase certo de ter ouvido a voz de O'Brien. Durante todo o interrogatório, embora nunca o tivesse visto, tivera a sensação de que O'Brien estava ao seu lado, fora de vista. Era O'Brien quem dirigia tudo. Foi ele quem colocou os guardas em cima de Winston e os impediu de matá-lo. Foi ele quem decidiu quando Winston deveria gritar de dor, quando deveria ter um descanso, quando deveria ser alimentado, quando deveria dormir, quando as drogas deveriam ser injetadas em seu braço. Era ele quem fazia as perguntas e sugeria as respostas. Ele era o algoz, ele era o protetor, ele era o inquisidor, ele era o amigo. E uma vez — Winston não conseguia se lembrar se foi em sono drogado, ou em sono normal, ou mesmo em um momento de vigília — uma voz murmurou em seu ouvido: "Não se preocupe, Winston; você está sob minha guarda. Por sete anos eu cuidei de você. Agora chegou o momento decisivo. Eu vou salvá-lo, vou torná-lo perfeito." Ele não tinha certeza se era a voz de O'Brien; mas era a mesma voz que lhe dissera: "Nos encontraremos no lugar onde não há escuridão", naquele outro sonho, sete anos atrás.

Ele não se lembrava de nenhum final para seu interrogatório. Houve um período de escuridão e então a cela, ou quarto, em que ele estava agora se materializou gradualmente ao seu redor. Ele estava quase deitado de costas e incapaz de se mover. Seu corpo foi pressionado em todos os pontos essenciais. Até a parte de trás de sua cabeça estava presa de alguma maneira. O'Brien estava olhando para ele com gravidade e um tanto triste. Seu rosto, visto de baixo, parecia grosseiro e desgastado, com bolsas sob os olhos e linhas cansadas do nariz ao queixo. Ele era mais velho do que Winston pensava; tinha talvez quarenta e oito ou cinquenta. Sob sua mão havia um mostrador com uma alavanca em cima e números espalhados ao redor do rosto.

— Eu disse a você — disse O'Brien —, que se nos encontrássemos novamente, seria aqui.

— Sim — disse Winston.

Sem qualquer aviso, exceto um leve movimento da mão de O'Brien, uma onda de dor inundou seu corpo. Era uma dor assustadora, porque ele não conseguia ver o que estava acontecendo, e tinha a sensação de que algum dano mortal estava sendo feito a ele. Ele não sabia se a coisa estava realmente acontecendo, ou se o efeito era produzido eletricamente; mas seu corpo estava sendo deformado, as articulações estavam sendo lentamente dilaceradas. Embora a dor tivesse feito o suor brotar em sua testa, o pior de tudo era o medo de que sua coluna estivesse prestes a se romper. Ele cerrou os dentes e respirou fundo pelo nariz, tentando ficar em silêncio o maior tempo possível.

— Você está com medo — disse O'Brien, observando seu rosto — de que em mais um instante alguma coisa vai quebrar. Seu medo específico é que ela seja sua espinha dorsal. Você tem uma imagem mental vívida das vértebras se separando e do fluido espinhal escorrendo delas. É isso que você está pensando, não é, Winston?

Winston não respondeu. O'Brien puxou a alavanca do mostrador. A onda de dor recuou quase tão rapidamente quanto tinha vindo.

— Quarenta agora — disse O'Brien. — Você pode ver que os números neste mostrador chegam a cem. Por favor, lembre-se, durante toda a nossa conversa, que eu tenho o poder de infligir dor em você a qualquer momento e em qualquer grau que eu escolher. Se me disser mentiras ou tentar algum tipo de rodeio, ou descer abaixo de seu grau costumeiro de inteligência, no mesmo instante começará a chorar de dor. Você entende isso?

— Sim — disse Winston.

Os modos de O'Brien tornaram-se menos severos. Ele recolocou os óculos pensativamente e deu um ou dois passos para cima e para baixo. Quando falou, sua voz era gentil e paciente. Ele tinha o ar de um médico, um professor, até mesmo um padre, ansioso para explicar e persuadir em vez de punir.

— Estou tendo problemas com você, Winston — disse ele — porque você vale a pena. Você sabe muito bem qual é o seu problema. Você sabe disso há anos, embora tenha lutado contra o conhecimento. Você está mentalmente desequilibrado. Você sofre de uma memória defeituosa. Você é incapaz de se lembrar de eventos reais, e se convence de que se lembra de outros eventos que nunca aconteceram. Felizmente é curável. Você nunca se curou disso, porque não escolheu. Houve um pequeno esforço de vontade que você não estava pronto para fazer. Mesmo agora, estou bem ciente, você está se agarrando à sua doença com a impressão de que é uma virtude. Agora vamos dar um exemplo. Neste momento, com qual potência a Oceania está em guerra?

— Quando fui preso, a Oceania estava em guerra com a Lestásia.

— Com a Lestásia. Bom. E a Oceania sempre esteve em guerra com a Lestásia, não é?

Winston respirou fundo. Ele abriu a boca para falar e depois não falou. Ele não conseguia tirar os olhos do mostrador.

— A verdade, por favor, Winston. Sua verdade. Diga-me o que você acha que se lembra.

— Lembro que até apenas uma semana antes de eu ser preso, não estávamos em guerra com a Lestásia. Estávamos em aliança com eles. A guerra era contra a Eurásia. Isso durou quatro anos. Antes disso...

O'Brien o deteve com um movimento da mão.

— Outro exemplo — disse ele. — Alguns anos atrás você teve um delírio muito sério. Você acreditava que três homens, três ex-membros do Partido chamados Jones, Aaronson e Rutherford — homens que foram executados por traição e sabotagem depois de fazer a confissão mais completa possível — não eram culpados dos crimes de que foram acusados. Você acreditou ter visto provas documentais inconfundíveis provando que suas confissões eram falsas. Havia uma certa fotografia sobre a qual você teve uma alucinação. Você acreditou que realmente a segurava em suas mãos, uma fotografia como esta.

Um pedaço retangular de jornal apareceu entre os dedos de O'Brien. Por talvez cinco segundos ficou dentro do ângulo de visão de Winston. Era uma fotografia, e não havia dúvida sobre sua identidade. Era a fotografia. Era outra cópia da fotografia de Jones, Aaronson e Rutherford na festa do Partido em Nova York, que ele encontrara onze anos atrás e prontamente destruíra. Por apenas um instante estava diante de seus olhos, depois sumiu de vista novamente. Mas ele tinha visto, inquestionavelmente ele tinha visto! Ele fez um esforço desesperado e agonizante para libertar a metade superior de seu corpo. Era impossível mover-se um centímetro em qualquer direção. No momento, ele até esquecera o mostrador. Tudo o que ele queria era segurar a fotografia em seus dedos novamente, ou pelo menos vê-la.

— Isso existe! — ele gritou.

— Não — disse O'Brien.

Ele atravessou a sala. Havia um buraco de memória na parede oposta. O'Brien levantou a grade. Invisível, o frágil pedaço de papel rodopiava na corrente de ar quente; estava desaparecendo em um flash de chamas. O'Brien afastou-se da parede.

— Cinzas — disse ele. — Nem mesmo cinzas identificáveis. Poeira. Não existe. Nunca existiu.

— Mas existiu! Existe sim! Existe na memória. Eu me lembro. Você se lembra.

— Não me lembro disso — disse O'Brien.

O coração de Winston afundou. Isso foi duplicidade. Ele tinha uma sensação de desamparo mortal. Se ele pudesse ter certeza de que O'Brien estava mentindo, isso não teria importância. Mas era perfeitamente possível que O'Brien tivesse realmente esquecido a fotografia. E se assim fosse, então ele já teria esquecido sua negação de lembrá-lo e esquecido o ato de esquecer. Como alguém poderia ter certeza de que era apenas um truque? Talvez esse deslocamento lunático na mente pudesse realmente acontecer: esse foi o pensamento que o derrotou.

O'Brien olhava para ele especulativamente. Mais do que nunca, ele tinha o ar de um professor que se preocupa com uma criança rebelde, mas promissora.

— Há um slogan do Partido que trata do controle do passado — disse ele. — Repita, por favor.

— "Quem controla o passado controla o futuro; quem controla o presente controla o passado"— repetiu Winston obedientemente.

— "Quem controla o presente controla o passado"— disse O'Brien, acenando com a cabeça com lenta aprovação. — É sua opinião, Winston, que o passado tem existência real?

Novamente o sentimento de impotência dominou Winston. Seus olhos voaram em direção ao mostrador. Ele não só não sabia se "sim" ou "não" era a resposta que o livraria da dor; nem sabia qual resposta acreditava ser a verdadeira.

O'Brien sorriu levemente. — Você não é um metafísico, Winston — disse ele. — Até este momento você nunca havia considerado o que se entende por existência. Vou colocar em termos mais precisos. O passado existe concretamente no espaço? Existe em algum lugar ou outro lugar, um mundo de objetos sólidos onde o passado ainda está acontecendo?

— Não.

— Então, onde o passado existe, se é que existe?

— Nos registros. Está escrito.

— Nos registros. E...?

— Na mente. Nas memórias humanas.

— Na memória. Muito bem, então. Nós, o Partido, controlamos todos os registros e controlamos todas as memórias. Então controlamos o passado, não é?

— Mas como você pode impedir que as pessoas se lembrem das coisas? — gritou Winston, novamente esquecendo momentaneamente o mostrador. — Lembrar é involuntário. É algo alheio à própria pessoa. Como você pode controlar a memória? Você não controlou a minha!

Os modos de O'Brien tornaram-se severos novamente. Ele colocou a mão no mostrador.

— Pelo contrário — disse ele —, foi você que não a controlou. Foi isso que o trouxe aqui. Você está aqui porque falhou em humildade, em autodisciplina. Você não faria o ato de submissão que é o preço da sanidade. Você preferiu ser um lunático, uma minoria de um. Só a mente disciplinada pode ver a realidade, Winston. Você acredita que a realidade é algo objetivo, externo, existindo por direito próprio. Você também acredita que a natureza da realidade é autoevidente. Quando você se ilude pensando que vê alguma coisa, você assume que todo mundo vê a mesma coisa que você. Mas eu lhe digo, Winston, que a realidade não é externa. A realidade existe na mente humana, e em nenhum outro lugar. Não na mente individual, que pode cometer erros e, em qualquer caso, logo perece; apenas na mente do Partido, que é coletiva e imortal. Tudo o que o Partido reconhece como verdade é a verdade. É impossível ver a realidade se não for pelos olhos do Partido. Esse é o fato de que você precisa reaprender, Winston. Precisa de um ato de autodestruição, de um esforço da vontade. Você deve se humilhar antes de se tornar são.

Ele fez uma pausa por alguns momentos, como se quisesse permitir que o que ele estava dizendo fosse compreendido.

— Você se lembra — continuou ele — de ter escrito em seu diário: "Liberdade é a liberdade de dizer que dois mais dois são quatro"?

— Sim — disse Winston.

O'Brien ergueu a mão esquerda, de costas para Winston, com o polegar escondido e os quatro dedos estendidos.

— Quantos dedos estou segurando, Winston?

— Quatro.

— E se o Partido diz que não são quatro, mas cinco, então quantos?

— Quatro.

A palavra terminou em um suspiro de dor. A agulha do mostrador subiu para cinquenta e cinco. O suor brotou por todo o corpo de Winston. O ar rasgou em seus pulmões e emitiu novamente em gemidos profundos que, mesmo apertando os dentes, ele não conseguia parar. O'Brien o observou, os quatro dedos ainda estendidos. Ele puxou a alavanca. Desta vez a dor foi apenas ligeiramente aliviada.

— Quantos dedos, Winston?

— Quatro.

A agulha subiu para sessenta.

— Quantos dedos, Winston?

— Quatro! Quatro! O que mais posso dizer? Quatro!

A agulha deve ter subido novamente, mas ele não olhou para ela. O rosto pesado e severo e os quatro dedos encheram sua visão. Os dedos se ergueram diante de seus olhos como pilares, enormes, embaçados e parecendo vibrar, mas inconfundivelmente quatro.

— Quantos dedos, Winston?

— Quatro! Pare com isso, pare com isso! Como você pode continuar? Quatro! Quatro!

— Quantos dedos, Winston?

— Cinco! Cinco! Cinco!

— Não, Winston, isso não adianta. Você está mentindo. Você ainda acha que são quatro. Quantos dedos, por favor?

— Quatro! Cinco! Quatro! Qualquer coisa que você quiser. Apenas pare com isso, pare com a dor!

Abruptamente ele estava sentado com o braço de O'Brien em volta de seus ombros. Ele talvez tenha perdido a consciência por alguns segundos. As amarras que prendiam seu corpo foram afrouxadas. Sentia muito frio, tremia incontrolavelmente, batia os dentes, as lágrimas escorriam pelo rosto. Por um momento ele se agarrou a O'Brien como um bebê, curiosamente confortado pelo braço pesado em volta de seus ombros. Ele tinha a sensação de que O'Brien era seu protetor, que a dor era algo que vinha de fora, de alguma outra fonte, e que era O'Brien quem o salvaria dela.

— Você aprende devagar, Winston — disse O'Brien gentilmente.

— Como posso ajudá-lo? — ele balbuciou. — Como posso deixar de ver o que está diante dos meus olhos? Dois e dois são quatro.

— Às vezes, Winston. Às vezes são cinco. Às vezes são três. Às vezes são todos ao mesmo tempo. Você deve se esforçar mais. Não é fácil ficar são.

Ele deitou Winston na cama. O aperto em seus membros aumentou novamente, mas a dor havia diminuído e o tremor parou, deixando-o apenas fraco e frio. O'Brien fez um gesto com a cabeça para o homem de jaleco branco, que ficara imóvel durante todo o processo. O homem de jaleco branco abaixou-se e olhou bem nos olhos de Winston, sentiu sua pulsação, encostou o ouvido no peito, bateu aqui e ali; então acenou para O'Brien.

— De novo — disse O'Brien.

A dor fluiu para o corpo de Winston. A agulha devia estar em setenta, setenta e cinco. Ele fechou os olhos dessa vez. Ele sabia que os dedos ainda estavam lá, e ainda eram quatro. Tudo o que importava era permanecer vivo até que o espasmo terminasse. Ele havia parado de perceber se estava gritando ou não. A dor diminuiu novamente. Ele abriu os olhos. O'Brien havia puxado a alavanca para trás.

— Quantos dedos, Winston?

— Quatro. Acho que são quatro. Eu veria cinco se pudesse. Estou tentando ver cinco.

— O que você deseja: me convencer de que você vê cinco, ou realmente ver cinco?

— Realmente ver cinco.

— De novo — disse O'Brien.

Talvez a agulha estivesse em oitenta ou noventa. Winston só conseguia se lembrar de forma intermitente por que a dor estava acontecendo. Atrás de suas pálpebras cerradas, uma floresta de dedos parecia estar se movendo em uma espécie de dança, entrando e saindo, desaparecendo um atrás do outro e reaparecendo novamente. Ele estava tentando contá-los, não conseguia se lembrar por quê. Ele sabia apenas que era impossível contá-los, e que isso se devia de alguma forma à misteriosa identidade entre cinco e quatro. A dor diminuiu novamente. Quando abriu os olhos foi para descobrir que ainda estava vendo a mesma coisa. Inúmeros dedos, como árvores em movimento, ainda passavam em qualquer direção, cruzando e recruzando. Ele fechou os olhos novamente.

— Quantos dedos estou segurando, Winston?

— Não sei. Não sei. Você vai me matar se fizer isso de novo. Quatro, cinco, seis — com toda a honestidade, não sei.

— Melhor — disse O'Brien.

Uma agulha deslizou no braço de Winston. Quase no mesmo instante, um calor feliz e curativo se espalhou por todo o seu corpo. A dor já estava quase esquecida. Ele abriu os olhos e olhou agradecido para O'Brien. Ao ver o rosto pesado e enrugado, tão feio e tão inteligente, seu coração pareceu dar um salto. Se pudesse se mexer, teria esticado a mão e colocado no braço de O'Brien. Ele nunca o amara tão profundamente como naquele momento, e não apenas porque ele havia parado a sua dor. A velha sensação de que no fundo não importava se O'Brien era amigo ou inimigo havia voltado. O'Brien era uma pessoa com quem se podia conversar. Talvez não se quisesse ser amado tanto quanto ser compreendido. O'Brien o havia torturado até a beira da loucura, e em pouco tempo, era certo, ele o mandaria para a morte. Não fazia diferença. Em certo sentido, que ia além da amizade, eles eram íntimos; em algum lugar ou outro, embora as palavras reais nunca pudessem ser ditas, havia um lugar onde eles podiam se encontrar e conversar. O'Brien olhava para ele com uma expressão que sugeria que o mesmo pensamento poderia estar em sua mente. Quando ele falou, foi em um tom fácil e coloquial.

— Você sabe onde está, Winston?

— Não sei. Posso adivinhar. No Ministério do Amor.

— Você sabe há quanto tempo está aqui?

— Não sei. Dias, semanas, meses — acho que são meses.

— E por que você imagina que trazemos pessoas para este lugar?

— Para fazê-los confessar.

— Não, essa não é a razão. Tente novamente.

— Para puni-los.

— Não! — exclamou O'Brien. Sua voz mudou extraordinariamente, e seu rosto de repente se tornou severo e animado. — Não! Não apenas para extrair sua confissão, nem para puni-lo. Devo dizer-lhe por que o trouxemos aqui? Para curá-lo! Para torná-lo são! Você entende, Winston, que ninguém que trazemos para este lugar vai embora sem cura? Não estamos interessados nesses crimes estúpidos que você cometeu. O Partido não está interessado no ato aberto; o pensamento é tudo o que nos importa. Nós não apenas destruímos nossos inimigos; nós os mudamos, você entende o que quero dizer com isso?

Ele estava curvado sobre Winston. Seu rosto parecia enorme por causa de sua proximidade, e horrivelmente feio porque era visto de baixo. Além disso, estava cheio de uma espécie de exaltação, uma intensidade lunática. Novamente o coração de Winston encolheu. Se fosse possível, ele teria se encolhido ainda mais na cama. Ele tinha certeza de que O'Brien estava prestes a girar o mostrador por pura devassidão. Nesse momento, porém, O'Brien se virou. Ele deu um passo ou dois para os lados. Então continuou com menos veemência:

— A primeira coisa que você precisa entender é que neste lugar não há martírios. Já leu sobre as perseguições religiosas do passado. Na Idade Média havia a Inquisição. Foi um fracasso. Seu intuito era erradicar a heresia e acabou por perpetuá-la. Para cada herege queimado na fogueira, milhares de outros surgiam. Por que isso? Porque a Inquisição matava seus inimigos às claras, e os matava sem que houvessem se arrependido; na verdade, matava-os porque não se arrependiam. As pessoas morriam porque não renunciavam a suas verdadeiras crenças. Naturalmente, toda a glória ficava com a vítima e toda a vergonha com o inquisidor que a mandara para a fogueira. Mais tarde, no século XX, vieram os totalitários, como eram chamados. Os nazistas alemães e os comunistas russos. Os russos perseguiram a heresia com mais crueldade do que a Inquisição. E imaginavam que haviam aprendido com os erros do passado; eles sabiam, de qualquer forma, que não se deve fazer mártires. Antes de expor suas vítimas a julgamento público, eles deliberadamente se propuseram a destruir sua dignidade. Eles os desgastaram pela tortura e solidão até que se tornassem desprezíveis, miseráveis, confessando o que quer que fosse colocado em suas bocas, cobrindo-se com abusos, acusando e abrigando-se uns atrás dos outros, choramingando por misericórdia. E, no entanto, depois de apenas alguns anos, a mesma coisa aconteceu novamente. Os mortos se tornaram mártires e sua degradação foi esquecida. Mais uma vez, por que foi? Em primeiro lugar, porque as confissões que haviam feito eram obviamente extorquidas e falsas. Não cometemos erros desse tipo. Todas as confissões que são proferidas aqui são verdadeiras. Nós as tornamos verdadeiras. E, sobretudo, não permitimos que os mortos se levantem contra nós. Você deve parar de imaginar que a posteridade o justificará, Winston. A posteridade nunca ouvirá falar de você. Você será retirado da corrente da história. Vamos transformá-lo em gás e despejá-lo na estratosfera. Nada restará de você: nem um nome em um registro, nem uma memória em um cérebro vivo. Você será aniquilado no passado, assim como no futuro. Você nunca terá existido.

"Então por que se preocupar em me torturar?" — pensou Winston, com uma amargura momentânea.

O'Brien parou de andar como se Winston tivesse pronunciado o pensamento em voz alta. Seu rosto grande e feio se aproximou, com os olhos um pouco apertados.

— Você está pensando — disse ele — que já que pretendemos destruí-lo completamente, de modo que nada do que você diga ou faça possa fazer a menor diferença — nesse caso, por que nos damos ao trabalho de interrogá-lo primeiro? É o que você estava pensando, não era?

— Sim — disse Winston.

O'Brien sorriu levemente. — Você é uma falha no padrão, Winston. Você é uma mancha que deve ser apagada. Eu não lhe disse agora que somos diferentes dos perseguidores do passado? Não nos contentamos com a obediência negativa, nem mesmo com a mais abjeta submissão. Quando finalmente você se render a nós, deve ser por sua própria vontade. Não destruímos o herege porque ele resiste a nós; enquanto ele resistir a nós, nunca o destruímos. Nós o convertemos, capturamos sua mente interior, nós o remodelamos. Nós queimamos dele todo mal e toda ilusão; nós o trazemos para o nosso lado, não na aparência, mas genuinamente, de coração e alma. Nós o fazemos um de nós mesmos antes de matá-lo. É intolerável para nós que um pensamento errôneo exista em qualquer lugar do mundo, por mais secreto e impotente que seja. Mesmo no instante da morte não podemos permitir qualquer desvio. Nos velhos tempos, o herege caminhava para a fogueira ainda herege, proclamando sua heresia, exultante nela. Mesmo a vítima dos expurgos russos podia carregar a rebelião trancada em seu crânio enquanto caminhava pela passagem esperando a bala. Mas tornamos o cérebro perfeito antes de explodi-lo. A ordem dos antigos despotismos era: "Não farás". A ordem dos totalitários era: "Farás". Nossa ordem é: "És". Ninguém que seja trazido para este lugar se rebela contra nós. Todos passam por uma lavagem completa. Até aqueles três traidores miseráveis, em cuja inocência você acreditava — Jones, Aaronson e Rutherford — no final nós os derrubamos. Eu mesmo participei do interrogatório deles. Eu os vi gradualmente desgastados, choramingando, rastejando, chorando — e no final não foi com dor ou medo, apenas com penitência. Quando terminamos com eles, eram apenas cascas de homens. Não havia mais nada neles, exceto tristeza pelo que haviam feito e amor pelo Grande Irmão. Era comovente ver como eles o amavam. Eles imploraram para serem fuzilados rapidamente, para que pudessem morrer enquanto suas mentes ainda estivessem limpas.

Sua voz tinha ficado quase sonhadora. A exaltação, o entusiasmo lunático ainda estava em seu rosto. "Ele não está fingindo", pensou Winston; "ele não é um hipócrita; ele acredita em cada palavra que diz". O que mais o oprimia era a consciência de sua própria inferioridade intelectual. Ele observou a forma pesada, mas graciosa, andando de um lado para o outro, dentro e fora do alcance de sua visão. O'Brien era um ser, em todos os aspectos, maior do que ele. Não havia nenhuma ideia de que ele já teve, ou poderia ter, que O'Brien não tinha conhecido, examinado e rejeitado há muito tempo. Sua mente continha a mente de Winston. Mas, nesse caso, como poderia ser verdade que O'Brien estivesse louco? Devia ser ele, Winston, quem estava louco. O'Brien parou e olhou para ele. Sua voz tinha ficado severa novamente.

— Não imagine que você vai se salvar, Winston, por mais que você se entregue completamente a nós. Ninguém que uma vez se extraviou é poupado. E mesmo que resolvêssemos deixá-lo viver até o fim de seus dias, mesmo assim você jamais escaparia de nós. O que acontece com você aqui é para sempre. Entenda isso com antecedência. Nós vamos esmagá-lo até o ponto do qual não há volta. Coisas acontecerão com você das quais você não poderia se recuperar, mesmo se você vivesse mil anos. Nunca mais você será capaz de ter um sentimento humano comum. Tudo estará morto dentro de você. Nunca mais você será capaz de sentir amor, amizade, alegria de viver, de rir, de ter curiosidade, coragem ou integridade. Você ficará oco. Vamos espremê-lo até ficar vazio, e então vamos enchê-lo com nós mesmos.

Ele fez uma pausa e sinalizou para o homem de jaleco branco. Winston percebeu que algum aparelho pesado estava sendo colocado atrás de sua cabeça. O'Brien havia se sentado ao lado da cama, de modo que seu rosto estava quase no mesmo nível do de Winston.

— Três mil — disse ele, falando por cima da cabeça de Winston para o homem de jaleco branco.

Duas almofadas macias, que pareciam um pouco úmidas, se apertaram contra as têmporas de Winston. Ele estremeceu. Havia dor vindo, um novo tipo de dor. O'Brien pousou a mão de forma tranquilizadora, quase gentil, na dele.

— Desta vez não vai doer — disse ele. — Mantenha seus olhos fixos nos meus.

Neste momento houve uma explosão devastadora, ou o que parecia ser uma explosão, embora não fosse certo se havia algum barulho. Houve, sem dúvida, um flash ofuscante de luz. Winston não estava ferido, apenas prostrado. Embora já estivesse deitado de costas quando a coisa aconteceu, ele teve a curiosa sensação de que havia sido jogado naquela posição. Um golpe terrível e indolor o havia esmagado. Também algo tinha acontecido dentro de sua cabeça. Quando seus olhos recuperaram o foco, ele se lembrou de quem era e onde estava, e reconheceu o rosto que olhava para o seu; mas em algum lugar havia um grande pedaço de vazio, como se um pedaço tivesse sido retirado de seu cérebro.

— Não vai durar — disse O'Brien. — Olhe-me nos olhos. Com que país a Oceania está em guerra?

Winston pensou. Ele sabia o que significava Oceania e que ele próprio era um cidadão da Oceania. Ele também se lembrou da Eurásia e da Lestásia; mas quem estava em guerra com quem ele não se lembrava. Na verdade, ele não sabia que havia guerra.

— Eu não me lembro.

— A Oceania está em guerra com a Lestásia. Você se lembra disso agora?

— Sim.

— A Oceania sempre esteve em guerra com a Lestásia. Desde o início de sua vida, desde o início do Partido, desde o início da história, a guerra continuou sem interrupção, sempre a mesma guerra. Você se lembra disso?

— Sim.

— Onze anos atrás você criou uma lenda sobre três homens que foram condenados à morte por traição. Imaginava ter visto um pedaço de papel que provava a inocência deles. Esse pedaço de papel nunca existiu. Foi uma invenção sua, na qual você posteriormente passou a acreditar. Agora você recorda o momento exato em que inventou essa história. Lembra disso?

— Sim.

— Agora mesmo eu levantei os dedos da minha mão para você. Você viu cinco dedos. Você se lembra disso?

— Sim.

O'Brien ergueu os dedos da mão esquerda, com o polegar escondido.

— Há cinco dedos aqui. Você vê cinco dedos?

— Sim.

E ele os viu, por um instante fugaz, antes que o cenário de sua mente mudasse. Ele viu cinco dedos e não havia deformidade. Então tudo voltou ao normal, e o velho medo, o ódio e a perplexidade voltaram com tudo. Mas houve um momento — ele não sabia quanto, trinta segundos, talvez — de certeza luminosa, em que cada nova sugestão de O'Brien havia preenchido um pedaço de vazio e se tornado verdade absoluta, e quando dois e dois poderiam ser tão facilmente três quanto cinco, se isso fosse necessário. Tinha desaparecido antes que O'Brien deixasse cair a mão; mas, embora não pudesse recapturá-lo, ele podia se lembrar dele, como se lembra de uma experiência vívida em algum período remoto de sua vida, quando na verdade era uma pessoa diferente.

— Você vê agora — disse O'Brien —, como é perfeitamente possível.

— Sim — disse Winston.

O'Brien levantou-se com ar satisfeito. À sua esquerda, Winston viu o homem de jaleco branco quebrar uma ampola e puxar o êmbolo de uma seringa. O'Brien virou-se para Winston com um sorriso. Quase à maneira antiga, recolocou os óculos no nariz.

— Você se lembra de ter escrito em seu diário — disse ele — que não importava se eu era amigo ou inimigo, já que eu era pelo menos uma pessoa que o entendia e com quem se podia conversar? Você estava certo. Estou falando com você. Sua mente me atrai. Assemelha-se à minha, exceto que você é louco. Antes de encerrarmos a sessão, você pode me fazer algumas perguntas, se quiser.

— Sobre qualquer coisa?

— Sobre qualquer coisa. Ele viu que os olhos de Winston estavam no mostrador. — Está desligado. Qual é a sua primeira pergunta?

— O que você fez com Júlia? — perguntou Winston.

O'Brien sorriu novamente. — Ela o traiu, Winston. Imediatamente — sem reservas. Raramente vi alguém vir até nós tão prontamente. Você dificilmente a reconheceria se a visse. Toda a sua rebeldia, seu engano, sua loucura, sua mente suja — tudo foi extraído dela. Foi uma conversão perfeita, um caso para figurar em nossos livros.

— Você a torturou.

O'Brien deixou isso sem resposta. — Próxima pergunta — disse ele.

— O Grande Irmão existe?

— Claro que ele existe. O Partido existe. O Grande Irmão é a personificação do Partido.

— Ele existe da mesma forma que eu existo?

— Você não existe — disse O'Brien.

Mais uma vez a sensação de impotência o assaltou. Ele conhecia, ou podia imaginar, os argumentos que provavam sua própria inexistência; mas eram tolices, eram apenas um jogo de palavras. A afirmação "Você não existe" não continha um absurdo lógico? Mas de que adiantava dizer isso? Sua mente se encolheu ao pensar nos argumentos irresponsáveis e loucos com os quais O'Brien o demoliria.

— Acho que existo — disse ele, cansado. — Tenho consciência de minha própria identidade. Nasci e morrerei. Tenho braços e pernas. Ocupo um determinado ponto no espaço. Nenhum outro objeto sólido pode ocupar o mesmo ponto simultaneamente. Nesse sentido, o Grande Irmão existe?

— Não tem importância. Ele existe.

— O Grande Irmão vai morrer?

— Claro que não. Como ele pode morrer? Próxima pergunta.

— A Irmandade existe?

— Isso, Winston, você nunca saberá. Enquanto você viver, será um enigma não resolvido em sua mente.

Winston ficou em silêncio. Seu peito subia e descia um pouco mais rápido. Ele ainda não havia feito a pergunta que lhe veio à mente no primeiro momento. Ele tinha que perguntar, e ainda assim era como se sua língua não pudesse pronunciá-la. Havia um traço de diversão no rosto de O'Brien. Até seus óculos pareciam ter um brilho irônico. Ele sabe, pensou Winston de repente, ele sabe o que vou perguntar! Com o pensamento, as palavras explodiram dele:

— O que há no quarto 101?

A expressão no rosto de O'Brien não mudou. Ele respondeu secamente:

— Você sabe o que está no quarto 101, Winston. Todo mundo sabe o que está no quarto 101.

Ele levantou um dedo para o homem de jaleco branco. Evidentemente, a sessão estava no fim. Uma agulha atingiu o braço de Winston. Ele afundou quase instantaneamente em sono profundo.

III

— Sua reintegração tem três estágios — disse O'Brien. — Aprendizado, compreensão e aceitação. É hora de você entrar no segundo estágio.

Como sempre, Winston estava deitado de costas. Mas ultimamente suas amarras estavam mais soltas. Elas ainda o seguravam na cama, mas ele conseguia mover um pouco os joelhos e virar a cabeça de um lado para o outro e levantar os braços a partir do cotovelo. O mostrador também havia se tornado menos aterrorizante. Ele poderia evitar suas dores se fosse perspicaz o suficiente; era principalmente quando mostrava estupidez que O'Brien puxava a alavanca. Às vezes, eles passavam uma sessão inteira sem usar o mostrador. Ele não conseguia se lembrar de quantas sessões haviam ocorrido. Todo o processo parecia se estender por um tempo longo e indefinido — semanas, possivelmente — e os intervalos entre as sessões às vezes podiam ser dias, às vezes apenas uma ou duas horas.

— Enquanto você esteve deitado aí — disse O'Brien —, você deve ter se perguntado, pois até perguntou a mim, por que o Ministério do Amor deveria gastar tanto tempo e esforço com você. E, quando estava livre, você se intrigava com o que no fundo era essa mesma dúvida. Você podia entender a mecânica da sociedade em que vivia, mas não seus motivos subjacentes. Você se lembra de escrever em seu diário: "Eu entendo como; não entendo por quê"? Foi pensando no "porquê" que você começou a duvidar da sua sanidade. Você leu o livro de Goldstein, ou partes dele, pelo menos. Ele lhe disse alguma coisa que você ainda não sabia?

— Você leu? — perguntou Winston.

— Eu o escrevi. Ou seja, colaborei para escrevê-lo. Nenhum livro é produzido individualmente, como você sabe.

— É verdade o que ele diz?

— Como descrição, sim. O programa que ele apresenta é um absurdo. A acumulação secreta de conhecimento, uma disseminação gradual do esclarecimento, em última análise uma rebelião proletária, a derrubada do Partido. Você previu que era isso que ele diria. Tudo bobagem. Os proletários nunca se revoltarão, nem em mil anos ou um milhão. Eles não podem. Eu não tenho que lhe dizer o motivo; você já sabe disso. Se você já acalentou algum sonho de insurreição violenta, você deve abandoná-lo. Não há como o Partido ser derrubado. O governo do Partido é para sempre. Faça disso o ponto de partida de seus pensamentos.

Ele se aproximou da cama:

— Para todo sempre! — ele repetiu. — E agora vamos voltar à questão de "como" e "por quê". Você entende muito bem como o Partido se mantém no poder. Agora me diga por que nos apegamos ao poder. Qual é o nosso motivo? Por que deveríamos querer o poder? Vá em frente, fale — acrescentou, enquanto Winston permanecia em silêncio.

No entanto, Winston não falou por mais um momento ou dois. Uma sensação de cansaço o dominara. O brilho fraco e louco de entusiasmo voltou ao rosto de O'Brien. Ele sabia de antemão o que O'Brien diria: que o Partido não buscava o poder para seus próprios fins, mas apenas para o bem da maioria. Que buscava o poder porque os homens em massa eram criaturas frágeis e covardes que não podiam suportar a liberdade ou enfrentar a verdade, e deveriam ser governados e sistematicamente enganados por outros que eram mais fortes do que eles. Que a escolha para a humanidade estava entre a liberdade e a felicidade, e que, para a grande maioria da humanidade, a felicidade era melhor. Que o Partido era o eterno guardião dos fracos, uma seita dedicada a fazer o mal para que o bem viesse, sacrificando sua própria felicidade à dos outros. O pior, pensou Winston, o pior era que, quando ele dissesse isso, O'Brien acreditaria. Você podia ver isso em seu rosto. O'Brien sabia de tudo. Mil vezes melhor que Winston, ele sabia como o mundo realmente era, em que degradação vivia a massa de seres humanos e com que mentiras e barbaridades o Partido os mantinha ali. Ele entendeu tudo, pesou tudo, e não fez diferença: tudo foi justificado pelo propósito final. O que você pode fazer, pensou Winston, contra o lunático que é mais inteligente do que você, que dá a seus argumentos uma audiência justa e depois simplesmente persiste em sua loucura?

— Vocês nos dominam para o nosso próprio bem — afirmou ele debilmente. — Você acredita que os seres humanos não são adequados para governar a si mesmos e, portanto...

Ele começou e quase gritou. Uma pontada de dor atravessou seu corpo. O'Brien tinha empurrado a alavanca do mostrador até trinta e cinco.

— Isso foi estúpido, Winston, estúpido! — ele disse. — Você já deveria saber que não deve dizer uma coisa dessas.

Ele puxou a alavanca para trás e continuou:

— Agora vou responder a minha própria pergunta: O Partido deseja o poder exclusivamente em benefício próprio. Não estamos interessados no bem dos outros; só nos interessa o poder em si. Nem riqueza, nem luxo, nem vida longa, nem felicidade: só o poder pelo poder, puro poder. O que significa puro poder? Você vai aprender daqui a pouco. Somos diferentes de todas as oligarquias do passado porque sabemos exatamente o que estamos fazendo. Todos os outros, inclusive os que tinham alguma semelhança conosco, eram covardes e hipócritas. Os nazistas alemães e os comunistas russos chegaram perto de nós em matéria de métodos, mas nunca tiveram a coragem de reconhecer as próprias motivações. Diziam, e talvez até acreditassem, que tinham tomado o poder contra a vontade e por um tempo limitado, e que na primeira oportunidade da história surgiria um paraíso em que todos os seres humanos seriam livres e iguais. Posso garantir que nós não somos assim. Sabemos que ninguém jamais toma o poder com a intenção de abandoná-lo. O poder não é um meio; é um fim. Não se estabelece uma ditadura para salvaguardar uma revolução; faz-se a revolução para instaurar a ditadura. O objetivo da perseguição é a perseguição. O objetivo da tortura é a tortura. O objetivo do poder é o poder. Agora você começa a me entender?

Winston ficou impressionado, como antes, pelo cansaço do rosto de O'Brien. Era forte, carnudo e brutal, cheio de inteligência e uma espécie de paixão controlada diante da qual ele se sentia impotente; mas estava cansado. Havia bolsas sob os olhos, a pele das maçãs do rosto estava caída. O'Brien inclinou-se sobre ele, aproximando deliberadamente o rosto desgastado.

— Você está pensando — disse ele —, que meu rosto está velho e cansado. Está pensando que eu falo em poder, mas que não sou capaz nem mesmo de evitar o declínio do meu próprio corpo. Será que você não entende, Winston, que o indivíduo é apenas uma célula? O cansaço da célula é o vigor do organismo. Você morre quando corta as unhas?

Ele se afastou da cama e começou a andar de um lado para o outro novamente, com uma mão no bolso.

— Nós somos os sacerdotes do poder — disse ele. — Deus é poder. Mas, no momento, poder é apenas uma palavra no que diz respeito a você. É hora de você ter uma ideia do que significa poder. A primeira coisa que você deve perceber é que o poder é coletivo. O indivíduo só tem poder na medida em que ele deixa de ser um indivíduo. Você conhece o slogan do Partido: "Liberdade é Escravidão". Já lhe ocorreu que é reversível? A escravidão é liberdade. Sozinho, ou seja, livre, o ser humano é sempre derrotado. Deve ser assim, porque todo ser humano está condenado a morrer, que é o maior de todos os fracassos. Mas se ele pode fazer uma submissão completa e absoluta, se ele pode escapar de sua identidade, se ele pode fundir-se no Partido para que ele seja o Partido, então ele é todo-poderoso e imortal. A segunda coisa para você perceber é que poder é poder sobre os seres humanos. Sobre o corpo mas, acima de tudo, sobre a mente. O poder sobre a matéria, a realidade externa, como você a chamaria, não é importante. Já o nosso controle sobre a matéria é absoluto.

Por um momento Winston ignorou o mostrador. Ele fez um esforço violento para se levantar e ficar sentado, e apenas conseguiu torcer seu corpo dolorosamente.

— Mas como você pode controlar a matéria? — ele explodiu. — Você nem mesmo controla o clima ou a lei da gravidade. E há doença, dor, morte...

O'Brien o silenciou com um movimento da mão.

— Nós controlamos a matéria porque controlamos a mente. A realidade está dentro do crânio. Você aprenderá aos poucos, Winston. Não há nada que não possamos fazer. Invisibilidade, levitação, qualquer coisa. Eu poderia flutuar neste chão como uma bolha de sabão. Mas eu não quero, porque o Partido não quer. Você deve se livrar dessas ideias do século XIX sobre as leis da natureza. Nós fazemos as leis da natureza.

— Mas não é verdade! Vocês não são mestres deste planeta. E a Eurásia e a Lestásia? Vocês ainda não as conquistaram.

— Isso não tem importância. Vamos conquistá-las quando for conveniente para nós. E se não o fizermos, que diferença faria? Podemos excluí-las da existência. A Oceania é o mundo.

— Mas o mundo em si é apenas um grão de poeira. E o homem é minúsculo, indefeso! Há quanto tempo ele existe? Por milhões de anos a Terra esteve desabitada.

— Bobagem. A Terra é tão velha quanto nós, não mais velha. Como poderia ser mais velha? Nada existe exceto através da consciência humana.

— Mas as rochas estão cheias de ossos de animais extintos; mamutes, mastodontes e enormes répteis que viveram aqui muito antes de se ouvir falar do homem.

— Você já viu esses ossos, Winston? Claro que não. Os biólogos do século XIX os inventaram. Antes do homem não havia nada. Depois do homem, se ele pudesse acabar, não haveria nada. Fora do homem não há nada.

— Mas todo o universo está fora de nós. Olhe para as estrelas! Algumas delas estão a um milhão de anos-luz de distância. Estão fora de nosso alcance para sempre.

— Que são as estrelas? — disse O'Brien com indiferença. — São pedaços de fogo a alguns quilômetros de distância. Poderíamos alcançá-las se quiséssemos. Ou poderíamos apagá-las. A Terra é o centro do universo. O Sol e as estrelas a circundam.

Winston fez outro movimento convulsivo. Desta vez ele não disse nada. O'Brien continuou como se respondesse a uma objeção feita:

— Para certos propósitos, é claro, isso não é verdade. Quando navegamos no oceano, ou quando prevemos um eclipse, muitas vezes achamos conveniente supor que a Terra gira em torno do Sol e que as estrelas estão a milhões e milhões de quilômetros. Mas e daí? Você acha que está além de nós produzir um sistema dual de astronomia? As estrelas podem estar próximas ou distantes, de acordo com a necessidade delas. Você acha que nossos matemáticos não são aptos para isso? Você esqueceu do duplipensar?

Winston se encolheu na cama. O que quer que ele dissesse, a resposta rápida o esmagaria como uma bordoada. E, no entanto, ele sabia que estava certo. A crença de que nada existe fora de sua própria mente — certamente deve haver alguma maneira de demonstrar que isso era falso. Não tinha sido exposto há muito tempo como uma falácia? Havia até um nome para isso, que ele havia esquecido. Um leve sorriso torceu os cantos da boca de O'Brien quando Winston olhou para ele.

— Eu lhe disse, Winston, que metafísica não é seu ponto forte. A palavra que você está tentando pensar é SOLIPSISMO. Mas você está enganado. Isso não é solipsismo. Solipsismo coletivo, se você quiser, é uma coisa diferente; na verdade, a coisa oposta. Tudo isso é uma digressão — acrescentou em outro tom. — O verdadeiro poder, o poder pelo qual temos que lutar dia e noite, não é o poder sobre as coisas, mas sobre os homens — ele fez uma pausa, e por um momento assumiu novamente o ar de um mestre-escola questionando um aluno promissor: — Como um homem afirma seu poder sobre outro, Winston?

Winston pensou. — Fazendo-o sofrer — disse ele.

— Exatamente. Fazendo-o sofrer. Obediência não é suficiente. A menos que ele esteja sofrendo, como você pode ter certeza de que ele está obedecendo a sua vontade e não a dele? O poder está em infligir dor e humilhação. O poder está em rasgar a mente humana em pedaços e juntá-los novamente em novas formas de sua própria escolha. Você começa a ver, então, que tipo de mundo estamos criando? É exatamente o oposto das estúpidas utopias hedonistas que os antigos reformadores imaginavam. Um mundo de medo, traição e tormento, um mundo de pisotear e ser pisoteado, um mundo que crescerá não menos, mas mais impiedoso enquanto se refina. O progresso em nosso mundo será um progresso em direção a mais dor. As antigas civilizações afirmavam que foram fundadas no amor ou na justiça. A nossa se baseia no ódio. Em nosso mundo não haverá emoções exceto medo, raiva, triunfo e auto-humilhação. Todo o restante nós destruiremos. Já estamos quebrando os hábitos de pensamento que sobreviveram antes da Revolução. Cortamos os laços entre filho e pai, e entre homem e homem, e entre homem e mulher. Ninguém mais se atreve a confiar em uma esposa, filho ou amigo. Mas no futuro não haverá esposas nem amigos. As crianças serão tiradas de suas mães ao nascer, como se tira ovos de uma galinha. O instinto sexual será erradicado. A procriação será uma formalidade anual como a renovação de um cartão de racionamento. Aboliremos o orgasmo. Nossos neurologistas estão trabalhando nisso agora. Não haverá lealdade, exceto lealdade ao Partido. Não haverá amor, exceto o amor ao Grande Irmão. Não haverá riso, exceto o riso de triunfo sobre um inimigo derrotado. Não haverá arte, nem literatura, nem ciência. Quando formos onipotentes, não precisaremos mais da ciência. Não haverá distinção entre beleza e feiura. Não haverá curiosidade, nem prazer no processo da vida. Todos os prazeres concorrentes serão destruídos. Mas sempre, não se esqueça disso, Winston, sempre haverá a embriaguez do poder, cada vez maior e cada vez mais sutil. Sempre, a cada momento, haverá a emoção da vitória, a sensação de atropelar um inimigo indefeso. Se você quer uma imagem do futuro, imagine uma bota pisoteando um rosto humano; para sempre.

Ele fez uma pausa como se esperasse que Winston falasse. Winston tentou se encolher novamente na superfície da cama. Ele não podia dizer nada. Seu coração parecia estar congelado. O'Brien continuou:

— E lembre-se de que é para sempre. O rosto estará sempre ali para ser pisoteado. Os heréticos, os inimigos da sociedade estarão sempre ali para serem derrotados e humilhados todo o tempo. Tudo o que você tem sofrido desde que caiu em nossas mãos, tudo isso ficará pior. A espionagem, as traições, as prisões, as torturas, as execuções, os desaparecimentos nunca cessarão. Será um mundo de terror, tanto quanto um mundo de triunfo. Quanto mais poderoso for o Partido, menos tolerante será. Quanto mais fraca a oposição, tanto mais severo será o despotismo. Goldstein e suas heresias serão eternas. Todos os dias, todos os momentos, eles serão derrotados, desacreditados, ridicularizados. Cuspirão neles, e mesmo assim eles sempre sobreviverão. Este drama em que eu e você estamos atuando há sete anos continuará ocorrendo continuamente geração após geração, sempre em formas mais sutis. Sempre teremos o herege aqui à nossa mercê, gritando de dor, quebrado, desprezível; e, no final, totalmente penitente, salvo de si mesmo, rastejando aos nossos pés por sua própria vontade. Esse é o mundo que estamos preparando, Winston. Um mundo de vitória após vitória, triunfo após triunfo após triunfo: uma interminável pressão sobre o nervo do poder. Você está começando, posso ver, a perceber como será esse mundo. Mas no final você fará mais do que compreendê-lo. Você vai aceitá-lo, recebê-lo, tornar-se parte disso.

Winston havia se recuperado o suficiente para falar.

— Você não pode! — ele disse fracamente.

— O que você quer dizer com essa observação, Winston?

— Você não poderia criar um mundo como o que acabou de descrever. É um sonho. É impossível.

— Por quê?

— É impossível fundar uma civilização no medo, no ódio e na crueldade. Ela nunca duraria.

— Por que não?

— Não teria vitalidade. Ela se desintegraria, suicidaria-se.

— Bobagem. Você tem a impressão de que o ódio é mais exaustivo do que o amor. Por que deveria ser? E se fosse, que diferença isso faria? Suponha que decidamos nos desgastar mais rápido. Suponha que aceleremos o ritmo da vida humana de modo que os homens ficassem senis aos trinta anos. Ainda assim, que diferença faria? Você não consegue entender que a morte do indivíduo não é a morte? O Partido é imortal.

Como sempre, a voz deixou Winston desamparado. Além disso, temia que, se persistisse em seu desacordo, O'Brien voltaria a girar o marcador. E mesmo assim não conseguiu ficar calado. Debilmente, sem argumentos, sem nada para apoiá-lo, exceto seu horror inarticulado ao que O'Brien havia dito, ele voltou ao ataque.

— Eu não sei. Não me importo. De alguma forma você vai falhar. Alguma coisa vai te derrotar. A vida vai te derrotar.

— Nós controlamos a vida, Winston, em todos os seus níveis. Você está imaginando que existe algo chamado natureza humana que ficará ultrajado pelo que fazemos e se voltará contra nós. Mas nós criamos a natureza humana. Os homens são infinitamente maleáveis. Ou será que você voltou à sua velha ideia de que os proletas ou os escravos se levantarão e nos derrubarão? Tire isso da sua mente. Eles são indefesos, como os animais. A humanidade é o Partido. Os outros estão fora. São irrelevantes.

— Eu não me importo. No final eles vão bater em você. Mais cedo ou mais tarde eles vão ver você pelo que você é, e então eles vão te despedaçar.

— Você vê alguma evidência de que isso está acontecendo? Ou alguma razão pela qual deveria?

— Não. Eu acredito. Eu sei que você vai falhar. Há algo no universo, eu não sei, algum espírito, algum princípio, que você nunca vai superar.

— Você acredita em Deus, Winston?

— Não.

— Então o que é esse princípio que vai nos derrotar?

— Eu não sei. O espírito do homem.

— E você se considera um homem?

— Sim.

— Se você é um homem, Winston, você é o último homem. Sua espécie está extinta, nós somos os herdeiros. Você entende que está sozinho? Você está fora da história, você não existe — seu humor mudou e ele disse mais duramente: — E você se considera moralmente superior a nós, com nossas mentiras e nossa crueldade?

— Sim, eu me considero superior.

O'Brien não falou. Duas outras vozes estavam falando. Depois de um momento, Winston reconheceu uma delas como sua própria voz. Era uma gravação da conversa que tivera com O'Brien, na noite em que se matriculara na Irmandade. Ouviu-se prometendo mentir, roubar, forjar, matar, estimular o consumo de drogas e a prostituição, disseminar doenças venéreas, jogar ácido sulfúrico na cara de uma criança. O'Brien fez um pequeno gesto de impaciência, como se dissesse que a demonstração não valia a pena. Então ele virou um interruptor e as vozes pararam.

— Levante-se dessa cama — disse ele.

Os laços tinham se soltado. Winston desceu até o chão e se levantou cambaleante.

— Você é o último homem — disse O'Brien. — Você é o guardião do espírito humano. Você se verá como é. Tire suas roupas.

Winston desfez o pedaço de barbante que prendia seu macacão. O fecho de correr há muito tinha sido arrancado. Ele não conseguia se lembrar se em algum momento desde sua prisão ele havia tirado todas as suas roupas de uma vez. Sob o macacão, seu corpo estava envolto em trapos imundos e amarelados, reconhecíveis apenas como restos de roupas íntimas. Ao deslizá-los para o chão, viu que havia um espelho de três lados no outro extremo da sala. Ele se aproximou, então parou. Um grito involuntário saiu dele.

— Vá em frente — disse O'Brien. — Fique entre as asas do espelho. Você verá a vista lateral também.

Ele havia parado porque estava com medo. Uma coisa curvada, de cor cinza, parecida com um esqueleto, estava vindo em sua direção. Sua aparência real era assustadora, e não apenas o fato de ele saber que era ele mesmo. Ele se aproximou do vidro. O rosto da criatura parecia saliente, por causa de sua postura curvada. Um rosto desamparado, de presidiário, com uma testa notória descendo para um couro cabeludo calvo, um nariz torto e maçãs do rosto de aparência maltratada, acima das quais os olhos eram ferozes e vigilantes. As bochechas eram vincadas, a boca tinha uma aparência retraída. Certamente era seu próprio rosto, mas parecia-lhe que havia mudado mais do que ele havia mudado por dentro. As emoções registradas seriam diferentes das que ele sentia. Ele ficou parcialmente careca. No primeiro momento, pensou que também ficara grisalho, mas era apenas o couro cabeludo que estava grisalho. Exceto por suas mãos e um círculo de seu rosto, seu corpo estava todo cinza com sujeira antiga e entranhada. Aqui e ali sob a sujeira havia cicatrizes vermelhas de feridas, e perto do tornozelo a úlcera varicosa era uma massa inflamada com escamas de pele descascando. Mas a coisa realmente assustadora era a magreza extrema de seu corpo. Sua caixa torácica era tão estreita quanto a de um esqueleto; as pernas haviam encolhido de modo que os joelhos eram mais grossos que as coxas. Ele viu agora o que O'Brien quis dizer sobre ver a vista lateral. A curvatura da coluna era surpreendente. Os ombros finos estavam curvados para a frente de modo a formar uma cavidade no peito, o pescoço esquelético parecia dobrar-se em dobro sob o peso do crânio. Em um palpite, ele teria dito que era o corpo de um homem de sessenta anos, sofrendo de alguma doença maligna.

— Às vezes você pensa — disse O'Brien — que meu rosto, o rosto de um membro do Partido Interno, parece velho e gasto. O que você acha do seu próprio rosto?

Ele agarrou o ombro de Winston e o girou para que ficasse de frente para ele.

— Olhe para a condição em que você está! — ele disse. — Olhe para essa sujeira por todo o seu corpo. Olhe para a sujeira entre os dedos dos pés. Olhe para essa ferida nojenta na sua perna. Você sabe que fede como uma cabra? Provavelmente você deixou de notar isso. Emagrecimento. Você vê? Eu posso fazer meu polegar e indicador se encontrarem em torno de seu bíceps. Eu poderia quebrar seu pescoço como uma cenoura. Você sabe que perdeu vinte e cinco quilos desde que esteve em nossas mãos? Até seu cabelo está saindo aos punhados. Olha! — ele puxou a cabeça de Winston e tirou um tufo de cabelo. — Abra a boca. Nove, dez, onze dentes restantes. Quantos você tinha quando veio até nós? E os poucos que você tem estão caindo sozinhos. Veja!

Segurou com o polegar e o indicador um dos incisivos que ainda restavam e puxou-o. Uma pontada de dor atravessou a mandíbula de Winston. O'Brien havia arrancado o dente solto pela raiz. Ele o jogou pela cela.

— Você está apodrecendo — disse ele. — Você está caindo aos pedaços. O que você é? Um saco de sujeira. Agora vire-se e olhe para aquele espelho novamente. Você vê aquela coisa de frente para você? Esse é o último homem. Se você é humano, isso é humanidade. Agora coloque suas roupas novamente.

Winston começou a se vestir com movimentos lentos e rígidos. Até agora ele não parecia notar o quão magro e fraco ele estava. Apenas um pensamento surgiu em sua mente: que ele devia estar neste lugar há mais tempo do que havia imaginado. Então, de repente, quando ele prendeu os trapos miseráveis em torno de si, um sentimento de pena por seu corpo arruinado o dominou. Antes que ele soubesse o que estava fazendo, ele sentou em um banquinho que estava ao lado da cama e caiu em prantos. Ele estava ciente de sua feiura, de sua falta de graça, era um feixe de ossos em roupas de baixo imundas, chorando à luz branca e dura; mas ele não conseguia se conter. O'Brien colocou a mão em seu ombro, quase gentilmente.

— Não vai durar para sempre — disse ele. — Você pode escapar disso quando quiser. Tudo depende de você.

— Vocês fizeram isso comigo! — soluçou Winston. — Vocês me reduziram a este estado.

— Não, Winston, você se reduziu a isso. Foi isso que você aceitou quando se colocou contra o Partido. Tudo estava contido naquele primeiro ato. Não aconteceu nada que você não tenha previsto.

Ele fez uma pausa e continuou:

— Nós derrotamos você, Winston. Nós acabamos com você. Você viu como é seu corpo. Sua mente está no mesmo estado. Eu não acho que possa restar muito orgulho em você. Você foi chutado, açoitado e insultado, você gritou de dor, você rolou no chão em seu próprio sangue e vômito. Você gemeu por misericórdia, você traiu tudo e todos. Você pode pensar em uma única degradação que não aconteceu com você?

Winston havia parado de chorar, embora as lágrimas ainda estivessem escorrendo de seus olhos. Ele olhou para O'Brien.

— Eu não traí Júlia — disse ele.

O'Brien olhou para ele pensativo.

— Não — disse ele —, não; isso é perfeitamente verdade. Você não traiu Júlia.

A peculiar reverência por O'Brien, que nada parecia capaz de destruir, inundou o coração de Winston novamente. Que inteligente, pensou, que inteligente! Nunca O'Brien deixou de entender o que lhe foi dito. Qualquer outra pessoa na Terra teria respondido prontamente que ele traiu Júlia. Pois o que havia que eles não tivessem tirado dele sob a tortura? Ele lhes contou tudo o que sabia sobre ela, seus hábitos, seu caráter, sua vida passada; ele confessara nos detalhes mais triviais tudo o que acontecera em suas reuniões, tudo o que dissera a ela e ela a ele, suas refeições no mercado negro, seus adultérios, seus vagos complôs contra o Partido — tudo. E, no entanto, no sentido em que ele pretendia a palavra, ele não a traiu. Ele não tinha deixado de amá-la; seu sentimento em relação a ela permaneceu o mesmo. O'Brien tinha visto o que ele queria dizer sem a necessidade de explicação.

— Diga-me — disse ele —, quando é que vão me matar?

— Pode demorar muito tempo — disse O'Brien. — Você é um caso difícil. Mas não perca a esperança. Todos são curados mais cedo ou mais tarde. No final, vamos atirar em você.

IV

Ele estava muito melhor. Estava ficando mais gordo e mais forte a cada dia, se era apropriado falar de dias.

A luz branca e o zumbido eram os mesmos de sempre, mas a cela era um pouco mais confortável do que as outras em que estivera. Havia um travesseiro e um colchão na cama de tábuas e um banquinho para sentar. Deram-lhe um banho e permitiram-lhe lavar-se com bastante frequência numa bacia de estanho. Eles até lhe deram água morna para se lavar. Eles lhe deram roupas íntimas novas e um macacão limpo. Haviam coberto sua úlcera varicosa com pomada calmante. Eles arrancaram os restos de seus dentes e lhe deram um conjunto de dentaduras.

Semanas ou meses devem ter passado. Seria possível agora contar a passagem do tempo, se ele sentisse algum interesse em fazê-lo, já que estava sendo alimentado em intervalos que pareciam ser regulares. Ele estava recebendo, ele julgou, três refeições nas vinte e quatro horas; às vezes ele se perguntava vagamente se as estava recebendo de noite ou de dia. A comida era surpreendentemente boa, com carne a cada três refeições. Uma vez havia até um maço de cigarros. Ele não tinha fósforos, porém o guarda taciturno que levava a comida acendia os cigarros para ele. A primeira vez que tentou fumar, ficou doente, mas ele perseverou e fez o maço durar por um longo tempo, fumando meio cigarro depois de cada refeição.

Deram-lhe uma lousa branca com um toco de lápis amarrado no canto. A princípio, ele não fez uso dela. Mesmo quando ele estava acordado, ele estava completamente entorpecido. Muitas vezes ele ficava deitado de uma refeição para a outra quase sem se mexer, às vezes dormindo, às vezes despertando em vagos devaneios em que dava muito trabalho abrir os olhos. Ele havia se acostumado a dormir com uma luz forte no rosto. Parecia não fazer diferença, exceto que os sonhos eram mais coerentes. Ele sonhou muito durante todo esse tempo, e sempre foram sonhos felizes. Via-se no País Dourado, ou sentado entre enormes e gloriosas ruínas ensolaradas, com sua mãe, com Júlia, com O'Brien — sem fazer nada, apenas sentado ao sol, falando de coisas pacíficas. Os pensamentos que ele tinha quando estava acordado eram principalmente sobre seus sonhos. Ele parecia ter perdido o poder do esforço intelectual, agora que o estímulo da dor havia sido removido. Ele não estava entediado, não tinha desejo de conversa ou distração. Simplesmente estar sozinho, não ser espancado ou questionado, ter o suficiente para comer e estar completamente limpo, era completamente satisfatório.

Aos poucos, passou a dormir menos tempo, mas ainda não sentia nenhum impulso de sair da cama. Tudo o que importava era ficar quieto e sentir a força se acumulando em seu corpo. Ele se dedilhava aqui e ali, tentando ter certeza de que não era uma ilusão que seus músculos estavam ficando mais redondos e sua pele mais firme. Finalmente, ficou estabelecido sem sombra de dúvida que ele estava engordando; suas coxas eram agora definitivamente mais grossas que seus joelhos. Depois disso, relutantemente no início, ele começou a se exercitar regularmente. Em pouco tempo ele podia andar três quilômetros, medidos pelo ritmo da cela, e seus ombros curvados estavam ficando mais retos. Ele tentou exercícios mais elaborados e ficou surpreso e humilhado ao descobrir que coisas não podia fazer. Ele não conseguia se mexer depois de caminhar, não conseguia segurar seu banquinho no comprimento do braço, não conseguia ficar em uma perna sem cair. Ele se agachou sobre os calcanhares e descobriu que, com dores agonizantes na coxa e na panturrilha, ele conseguia se levantar e ficar de pé. Deitou-se de bruços e tentou levantar o próprio peso com as mãos. Era impossível; ele não conseguia se levantar um centímetro. Mas depois de mais alguns dias — mais algumas refeições — até essa façanha foi realizada. Chegou um momento em que ele poderia fazê-lo seis vezes correndo. Ele começou a ficar realmente orgulhoso de seu corpo e a nutrir uma crença intermitente de que seu rosto também estava voltando ao normal. Só quando por acaso colocou a mão no couro cabeludo calvo é que se lembrou do rosto marcado e arruinado que o olhara do espelho.

Sua mente ficou mais ativa. Sentava-se na cama de tábuas com as costas apoiadas na parede e a lousa sobre os joelhos e se dedicava à tarefa de reeducar-se.

Ele se rendera. Era indiscutível. A bem da verdade, agora percebia, era que estava pronto para a rendição muito antes de decidir-se. Desde o momento em que ele estava dentro do Ministério do Amor — e sim, mesmo durante aqueles minutos em que ele e Júlia ficaram indefesos enquanto a voz de ferro da teletela lhes dizia o que fazer — ele tinha percebido a frivolidade, a superficialidade de sua tentativa para se opor ao poder do Partido. Ele sabia agora que durante sete anos a Polícia do Pensamento o observara como um besouro sob uma lupa. Não havia nenhum ato físico, nenhuma palavra dita em voz alta, que eles não tivessem notado, nenhuma linha de pensamento que eles não pudessem inferir. Até a partícula de poeira esbranquiçada na capa de seu diário eles haviam cuidadosamente substituído. Eles haviam tocado gravações para ele, mostrado fotografias. Algumas delas eram fotografias dele e de Júlia. Sim, até... Ele não podia mais lutar contra o Partido. Além disso, o Partido estava certo. Devia ser assim: como poderia o cérebro imortal e coletivo estar enganado? Por qual padrão externo você poderia verificar seus julgamentos? A sanidade era estatística. Era apenas uma questão de aprender a pensar como eles pensavam. Apenas...

O lápis parecia grosso e estranho em seus dedos. Começou a anotar os pensamentos que lhe vinham à cabeça. Ele escreveu primeiro em grandes maiúsculas desajeitadas:

LIBERDADE É ESCRAVIDÃO

Então, quase sem pausa, ele escreveu embaixo:

DOIS E DOIS SÃO CINCO

Mas então veio uma espécie de embargo. Sua mente, como se estivesse se afastando de alguma coisa, parecia incapaz de se concentrar. Ele sabia o que viria a seguir, mas no momento não conseguia se lembrar. Quando se lembrou, foi apenas deduzindo racionalmente o que deveria ser; não veio por vontade própria. Ele escreveu:

DEUS É PODER

Ele aceitou tudo. O passado era alterável. O passado nunca havia sido alterado. A Oceania estava em guerra com a Lestásia. A Oceania sempre esteve em guerra com a Lestásia. Jones, Aaronson e Rutherford eram culpados dos crimes de que foram acusados. Ele nunca tinha visto a fotografia que desmentia sua culpa. Nunca existiu; ele tinha inventado. Ele se lembrava de coisas contrárias, mas essas eram memórias falsas, produtos de autoengano. Como tudo foi fácil! Apenas rendição, e todo o resto se seguiu. Era como nadar contra uma corrente que o arrastava para trás, por mais que lutasse, e, de repente, decidisse dar meia-volta e seguir a corrente em vez de se opor a ela. Nada havia mudado, exceto sua própria atitude; o que havia sido predestinado aconteceu de todo modo. Mal sabia por que havia se rebelado. Tudo foi fácil, exceto...

Qualquer coisa podia ser verdade. As chamadas leis da natureza eram um disparate. A lei da gravidade era um absurdo. "Se eu quisesse", disse O'Brien, "eu poderia flutuar neste chão como uma bolha de sabão." Winston entendia agora. "Se ele pensa que flutua acima do chão, e se eu ao mesmo tempo pensar que o vejo flutuando e subindo, então a coisa acontece." De repente, como um pedaço de destroços submersos rompendo a superfície da água, o pensamento irrompeu em sua mente: "Isso realmente não acontece. Nós imaginamos que acontece. É uma alucinação." Ele só tirou o pensamento instantaneamente. A falácia era óbvia. Pressupunha que em algum lugar ou outro, fora de si mesmo, havia um mundo "real" onde coisas "reais" aconteciam. Mas como poderia existir tal mundo? Que conhecimento temos de alguma coisa, exceto através de nossas próprias mentes? Todos os acontecimentos estão na mente. Tudo o que acontece em todas as mentes, realmente acontece.

Ele não teve dificuldade em descartar a falácia e não corria o risco de sucumbir a ela. Percebeu, no entanto, que isso nunca deveria ter ocorrido a ele. A mente deve desenvolver um ponto cego sempre que um pensamento perigoso se apresenta. O processo deve ser automático, instintivo. Brecacrime, eles chamavam em Novilíngua.

Ele começou a trabalhar para se exercitar em brecacrime. Apresentou a si mesmo algumas proposições — "o Partido diz que a Terra é plana", "o Partido diz que o gelo é mais pesado que a água" — e se treinou para não ver ou não entender os argumentos que os contradiziam. Não era fácil. Precisava de grandes poderes de raciocínio e improvisação. Os problemas aritméticos levantados, por exemplo, por uma afirmação como "dois e dois são cinco" estavam além de seu alcance intelectual. Exigia-se uma espécie de atletismo mental, uma habilidade para fazer o uso mais refinado da lógica em um momento, e no seguinte estar inconsciente dos erros lógicos mais grosseiros. A estupidez era tão necessária quanto a inteligência e igualmente difícil de alcançar.

Todo esse tempo, com uma parte de sua mente, ele se perguntava em quanto tempo eles iriam atirar nele. "Tudo depende de você", dissera O'Brien; mas ele sabia que não havia nenhum ato consciente pelo qual pudesse acelerar o processo. Poderia ser dali a dez minutos, ou dez anos. Eles poderiam mantê-lo por anos em confinamento solitário; poderiam mandá-lo para um campo de trabalho; poderiam soltá-lo por um tempo, como às vezes faziam. Era perfeitamente possível que antes de ser baleado todo o drama de sua prisão e interrogatório fosse encenado novamente. A única coisa certa era que a morte nunca vinhaem um momento esperado. A tradição — a tradição tácita: de alguma forma você sabia, embora nunca tivesse ouvido falar — era que eles davam um tiro em você por trás, sempre na parte de trás da cabeça, sem aviso, enquanto você caminhava por um corredor de cela em cela.

Um dia — mas "um dia" não era a expressão certa; era igualmente provável que fosse no meio da noite: uma vez, ele caiu em um estranho e feliz devaneio. Ele estava andando pelo corredor, esperando a bala, e sabia que ela estava chegando no momento seguinte. Tudo estava resolvido, combinado, reconciliado. Não havia mais dúvidas, nem discussões, nem dor, nem medo. Seu corpo era saudável e forte. Ele andava com facilidade, com alegria de movimento e com a sensação de andar à luz do sol. Não estava mais nos estreitos corredores brancos do Ministério do Amor; estava na enorme passagem ensolarada, com um quilômetro de largura, pela qual parecia caminhar no delírio induzido pelas drogas. Ele estava no País Dourado, seguindo a trilha a pé pelo velho pasto cultivado com coelhos. Ele podia sentir a relva curta e elástica sob seus pés e o sol suave em seu rosto. Na orla do campo estavam os olmos, agitando-se levemente, e em algum lugar além estava o riacho onde a tâmara jazia nas poças verdes sob os salgueiros.

De repente, ele se assustou com um choque de horror. O suor brotou em sua espinha. Ele se ouviu exclamar em voz alta:

"Júlia! Júlia! Júlia, meu amor! Júlia!"

Por um momento ele teve uma alucinação avassaladora de sua presença. Ela parecia estar não apenas com ele, mas dentro dele. Era como se ela tivesse entrado na textura de sua pele. Naquele momento ele a amou mais do que nunca, muito mais do que quando eles estavam juntos e livres. Também sabia que em algum lugar ela ainda estava viva e precisava de sua ajuda.

Ele se deitou na cama e tentou se recompor. O que ele tinha feito? Quantos anos ele acrescentou à sua servidão por aquele momento de fraqueza?

Em outro momento ele ouviria o barulho de botas do lado de fora. Eles não podiam deixar tal explosão impune. Eles saberiam agora, se não soubessem antes, que ele estava quebrando o acordo que havia feito com eles. Ele obedecia ao Partido, mas ainda odiava o Partido. Nos velhos tempos, ele havia escondido uma mente herética sob uma aparência de conformidade. Agora ele havia recuado mais um passo: na mente ele havia se rendido, mas esperava manter o coração interior inviolável. Ele sabia que estava errado, mas preferia estar errado. Eles entenderiam isso — O'Brien entenderia. Tudo foi confessado naquele único grito tolo.

Ele teria que começar tudo de novo. Podia levar anos. Ele passou a mão pelo rosto, tentando se familiarizar com a nova forma. Havia sulcos profundos nas bochechas, as maçãs do rosto pareciam afiadas, o nariz achatado. Além disso, desde a última vez que se viu no espelho, ele recebeu uma nova dentição completa. Não era fácil preservar a impenetrabilidade quando você não sabia como era o seu rosto. De qualquer forma, o mero controle dos recursos não era suficiente. Pela primeira vez ele percebeu que, se quisesse guardar um segredo, também deveria escondê-lo de si mesmo. Você deve saber o tempo todo que ele está lá, mas até que seja necessário você nunca deve deixá-lo emergir em sua consciência sob qualquer forma que pudesse receber um nome. De agora em diante, ele não devia apenas pensar certo; ele devia se sentir corretamente, sonhar corretamente.

Um dia tomariam a decisão de eliminá-lo. Você não poderia dizer quando isso aconteceria, mas seria possível adivinhar alguns segundos antes. Era sempre por trás, andando por um corredor. Dez segundos seriam suficientes. Nesse tempo o mundo dentro dele poderia virar. E então, de repente, sem uma palavra pronunciada, sem uma pausa em seus passos, sem a mudança de uma linha em seu rosto — de repente a camuflagem cairia e bang! As baterias de seu ódio dispariam. O ódio o encheria como uma enorme chama crepitante. E quase no mesmo estrondo instantâneo! O gatilho seria apertado, muito tarde ou muito cedo. Explodiriam seu cérebro antes que pudessem recuperá-lo. O pensamento herético ficaria impune, sem arrependimento, fora do alcance deles para sempre. Eles teriam aberto um buraco em sua própria perfeição. Morrer odiando-os, isso era liberdade.

Ele fechou os olhos. Era mais difícil do que aceitar uma disciplina intelectual. Tratava-se de se degradar, de se mutilar. Ele tinha que mergulhar na mais imunda das imundícies. Qual foi a coisa mais horrível e repugnante de todas? Pensou no Grande Irmão. O rosto enorme (por vê-lo constantemente em cartazes ele sempre pensou nele como tendo um metro de largura), com seu bigode preto e pesado e os olhos que o seguiam de um lado para o outro, parecia flutuar em sua mente por conta própria. Quais eram seus verdadeiros sentimentos em relação ao Grande Irmão?

Houve um pesado ruído de botas no corredor. A porta de aço se abriu com um estrondo. O'Brien entrou na cela. Atrás dele estavam o oficial de rosto de cera e os guardas de uniforme preto.

— Levante-se — disse O'Brien. — Venha aqui.

Winston estava diante dele. O'Brien segurou os ombros de Winston entre suas mãos fortes e o olhou atentamente.

— Você andou pensando em me enganar — disse ele. — Isso foi estúpido. Fique mais reto. Olhe-me no rosto.

Ele fez uma pausa e continuou em um tom mais gentil:

— Você está melhorando. Intelectualmente há muito pouco de errado com você. É apenas emocionalmente que você não conseguiu progredir. Diga-me, Winston — e lembre-se, sem mentiras; você sabe que eu sempre sou capaz de detectar uma mentira — me diga, quais são seus verdadeiros sentimentos em relação ao Grande Irmão?

— Eu o odeio.

— Você o odeia. Bom. Então chegou a hora de você dar o último passo. Você deve amar o Grande Irmão. Não basta obedecê-lo; você deve amá-lo.

Ele soltou Winston com um pequeno empurrão na direção dos guardas.

— Quarto 101 — disse ele.

V

Em cada estágio de sua prisão ele sempre soubera, ou parecia saber, onde estava no interior do prédio sem janelas. Possivelmente havia pequenas diferenças na pressão do ar. As celas onde os guardas o espancaram ficavam abaixo do nível do solo. A sala onde ele havia sido interrogado por O'Brien ficava no alto, perto do telhado. O lugar onde estava agora ficava a muitos metros de profundidade, o mais fundo possível.

Era maior do que a maioria das celas em que estivera. Mas ele mal notou os arredores. Tudo o que notou foi que havia duas mesinhas bem na frente dele, cada uma coberta com feltro verde. Uma estava a apenas um ou dois metros dele; a outra estava mais longe, perto da porta. Ele estava amarrado em uma cadeira, com tanta força que não conseguia mover nada, nem mesmo a cabeça. Uma espécie de almofada agarrou sua cabeça por trás, forçando-o a olhar diretamente para a frente.

Por um momento ele ficou sozinho, então a porta se abriu e O'Brien entrou.

— Você me perguntou uma vez — disse O'Brien —, o que havia no quarto 101. Eu lhe disse que você já sabia a resposta. Todo mundo sabe. A coisa que está no quarto 101 é a pior coisa do mundo.

A porta se abriu novamente. Um guarda entrou, carregando algo feito de arame, uma caixa ou cesta de algum tipo. Ele a colocou sobre a mesa mais distante. Por causa da posição em que O'Brien estava, Winston não conseguia ver o que era aquilo.

— A pior coisa do mundo — disse O'Brien —, varia de indivíduo para indivíduo, é uma coisa bem trivial, nem mesmo fatal.

Ele se moveu um pouco para o lado, para que Winston pudesse ver melhor a coisa sobre a mesa. Era uma gaiola de arame oblonga com uma alça em cima para carregá-la. Fixado na frente havia algo que parecia uma máscara de esgrima, com o lado côncavo para fora. Embora estivesse a três ou quatro metros de distância dele, ele podia ver que a gaiola estava dividida longitudinalmente em dois compartimentos, e que havia algum tipo de criatura em cada um. Eram ratos.

— No seu caso — disse O'Brien —, a pior coisa do mundo são os ratos.

Uma espécie de tremor premonitório, um medo de que ele não sabia ao certo o que era, percorreu o corpo de Winston assim que ele viu a jaula pela primeira vez. Mas nesse momento o segredo da máscara acoplada na frente de repente se revelou para ele. Suas entranhas pareciam se transformar em água.

— Você não pode fazer isso! — ele gritou em uma voz alta e esganiçada. — Você não pode, você não pode! É impossível.

— Você se lembra — disse O'Brien —, do momento de pânico que costumava ocorrer em seus sonhos? Você sabia que sabia o que era, mas não se atreveu a arrastá-lo para o lado de fora. Eram os ratos que estavam do outro lado do muro.

— O'Brien! — disse Winston, fazendo um esforço para controlar a voz. — Você sabe que isso não é necessário. O que você quer que eu faça?

O'Brien não deu uma resposta direta. Quando ele falou, assumiu a atitude de professor que de vez em quando gostava de exibir. Ele olhou pensativo para longe, como se estivesse se dirigindo a uma audiência em algum lugar atrás das costas de Winston.

— Por si só — disse ele —, a dor nem sempre é suficiente. Há ocasiões em que um ser humano se destaca contra a dor, mesmo ao ponto da morte. Mas para todos há algo insuportável — algo que não pode ser contemplado. Coragem e covardia não têm nada a ver com isso. Se você está caindo de uma altura, não é covardia se agarrar a uma corda. Se você está em águas profundas, não é covardia encher seus pulmões de ar. É apenas um instinto, uma coisa que não há como reprimir. É o mesmo com os ratos. Para você, eles são insuportáveis. Eles são uma forma de pressão que você não pode suportar, mesmo que queira. Você fará o que for exigido de você.

— Mas o que é, o que é? Como posso fazer se não sei o que é?

O'Brien pegou a gaiola e a levou para a mesa mais próxima. Colocou-a cuidadosamente sobre o pano de feltro. Winston podia ouvir o sangue latejando em seus ouvidos. Ele teve a sensação de estar sentado em total solidão. Estava no meio de uma grande planície vazia, um deserto plano encharcado de sol, através do qual todos os sons vinham de imensas distâncias. No entanto, a jaula com os ratos não estava a dois metros dele. Eram ratos enormes. Eles estavam na idade em que o focinho de um rato fica rombudo e feroz e seu pelo marrom em vez de cinza.

— O rato — disse O'Brien, ainda se dirigindo à sua audiência invisível —, embora seja um roedor, é carnívoro. Você está ciente disso. Você já deve ter ouvido falar das coisas que acontecem nos bairros pobres desta cidade. Em algumas ruas uma mulher não se atreve a deixar seu bebê sozinho em casa, nem por cinco minutos. Os ratos certamente o atacarão. Dentro de pouco tempo, eles o arrancarão até os ossos. Eles também atacam pessoas doentes ou moribundas. Eles mostram uma inteligência surpreendente em saber quando um ser humano está desamparado.

Ouviu-se uma explosão de gritos vindos da jaula. Parecia chegar a Winston de longe. Os ratos estavam brigando; eles estavam tentando chegar um ao outro através da grade que os separava. Ele também ouviu um profundo gemido de desespero. Isso também parecia vir de fora dele.

O'Brien pegou a gaiola e, ao fazê-lo, pressionou algo nela. Houve um clique agudo. Winston fez um esforço frenético para se soltar da cadeira. Era inútil: cada parte dele, até a cabeça, estava imóvel. O'Brien aproximou a jaula. Estava a menos de um metro do rosto de Winston.

— Eu apertei a primeira alavanca — disse O'Brien. — Você entende a construção desta jaula. A máscara vai caber sobre sua cabeça, não deixando nenhuma saída. Quando eu pressionar esta outra alavanca, a porta da jaula deslizará para cima. Esses brutos famintos vão se atirar para fora dela como balas. Você já viu um rato pular no ar? Eles vão pular no seu rosto e rasgá-lo. Às vezes eles atacam os olhos primeiro.

A jaula estava mais próxima; estava se aproximando. Winston ouviu uma sucessão de gritos estridentes que pareciam estar ocorrendo no ar acima de sua cabeça. Mas ele lutou furiosamente contra seu pânico. Pensar, pensar, mesmo com uma fração de segundo sobrando — pensar era a única esperança. De repente, o odor fétido e mofado dos brutos atingiu suas narinas. Houve uma violenta convulsão de náusea dentro dele, e ele quase perdeu a consciência. Tudo tinha ficado preto. Por um instante ele ficou louco, um animal gritando. No entanto, ele saiu da escuridão segurando uma ideia. Havia uma e apenas uma maneira de se salvar. Ele deve interpor outro ser humano, o corpo de outro ser humano, entre ele e os ratos.

O círculo da máscara agora era grande o suficiente para impedir a visão de qualquer outra coisa. A porta de arame estava a alguns palmos de seu rosto. Os ratos sabiam o que estava por vir agora. Um deles estava pulando para cima e para baixo; o outro, um ancião escamoso dos esgotos, levantou-se, com as mãos rosadas encostadas nas grades, e farejou o ar ferozmente. Winston podia ver os bigodes e os dentes amarelos. Novamente o pânico negro tomou conta dele. Ele estava cego, indefeso, sem mente.

— Era uma punição comum na China Imperial — disse O'Brien com a mesma didática de sempre.

A máscara estava se fechando em seu rosto. O arame roçou sua bochecha. E então... não, não era alívio, apenas esperança, um pequeno fragmento de esperança. Tarde demais, talvez tarde demais. Mas de repente ele entendeu que em todo o mundo havia apenas uma pessoa para quem ele poderia transferir sua punição — um corpo que ele poderia colocar entre ele e os ratos. E ele gritava freneticamente, sem parar:

— Faça isso com Júlia! Faça isso com Júlia! Eu não! Júlia! Eu não me importo com o que você faz com ela. Rasgue o rosto dela, desfolhe-a até os ossos. Não eu! Júlia! Não eu!

Ele estava caindo para trás, em profundidades enormes, longe dos ratos. Ele ainda estava preso na cadeira, mas havia caído pelo chão, pelas paredes do prédio, pela terra, pelos oceanos, pela atmosfera, no espaço sideral, nos abismos entre as estrelas — sempre longe, longe, longe dos ratos. Ele estava a anos-luz de distância, mas O'Brien ainda estava ao seu lado. Ainda havia o toque frio de um fio em sua bochecha. Mas através da escuridão que o envolvia, ele ouviu outro clique metálico e soube que era a porta da gaiola que se fechava, e não se abria.

VI

O Café da Castanheira estava quase vazio. Um raio de sol que entrava pela janela caía amarelo sobre as mesas empoeiradas. Era a hora solitária das quinze. Uma música metálica saía das teletelas.

Winston estava sentado em seu canto habitual, olhando para um copo vazio. De vez em quando ele olhava para um rosto enorme que o olhava da parede oposta. O GRANDE IRMÃO ESTÁ VIGIANDO VOCÊ, dizia a legenda. Espontaneamente, um garçom veio e encheu seu copo com gim Vitória, acrescentando algumas gotas de outra garrafa com a rolha atravessada por um tubo. Era sacarina aromatizada com cravo, a especialidade do café.

Winston estava ouvindo a teletela. No momento só saía música, mas havia a possibilidade de que a qualquer momento saísse um boletim especial do Ministério da Paz. As notícias da frente africana eram inquietantes ao extremo. Um exército eurasiano (a Oceania estava em guerra com a Eurásia, a Oceania sempre esteve em guerra com a Eurásia) estava se movendo para o sul a uma velocidade assustadora. O boletim do meio-dia não mencionava nenhuma área definida, mas era provável que a foz do Congo já fosse um campo de batalha. Brazzaville e Leopoldville estavam em perigo. Não era preciso olhar para o mapa para ver o que significava. Não se tratava apenas de perder a África Central; pela primeira vez em toda a guerra, o próprio território da Oceania era ameaçado.

Uma emoção violenta, não exatamente medo, mas uma espécie de excitação indiferenciada, explodiu nele, depois desapareceu novamente. Ele parou de pensar na guerra. Naqueles dias, ele não conseguia fixar sua mente em qualquer assunto por mais do que alguns momentos de cada vez. Ele pegou seu copo e o esvaziou em um gole. Como sempre, isso fez com que sentisse um arrepio e até uma leve ânsia de vômito. A coisa era horrível. Os cravos e a sacarina, eles próprios bastante repugnantes à sua maneira doentia, não conseguiam disfarçar o cheiro oleoso; e o pior de tudo era que o cheiro de gim, que o habitava dia e noite, estava inextricavelmente misturado em sua mente com o cheiro daqueles...

Ele nunca os nomeou, mesmo em seus pensamentos, e até onde foi possível ele nunca os visualizou. Era algo de que ele estava meio ciente, algo perto de seu rosto, um cheiro que grudava em suas narinas. O gim subiu em sua boca, ele arrotou pelos lábios roxos. Ele engordou desde que o soltaram e recuperou sua antiga cor — na verdade, mais do que a recuperou. Suas feições haviam engrossado, a pele do nariz e das maçãs do rosto estava grosseiramente vermelha, até mesmo o couro cabeludo careca era de um rosado muito profundo. Um garçom, novamente sem ser convidado, trouxe o tabuleiro de xadrez e a edição atual do *Times*, aberto na página do problema enxadrístico do dia. Então, vendo que o copo de Winston estava vazio, ele trouxe a garrafa de gim e o encheu. Não havia necessidade de dar ordens. Eles conheciam seus hábitos. O tabuleiro de xadrez estava sempre esperando por ele, sua mesa de canto estava sempre reservada; mesmo quando o lugar estava cheio, ele tinha tudo para si, já que ninguém se importava de ser visto sentado muito perto dele. Ele nunca se preocupou em contar suas bebidas. A intervalos irregulares, eles lhe entregavam um papel sujo que diziam ser a conta, mas ele tinha a impressão de que sempre cobravam a menos. Não faria diferença se fosse ao contrário. Ele tinha muito dinheiro hoje em dia. Ele até tinha um emprego, uma sinecura, e era mais bem pago do que em seu antigo emprego.

A música da teletela parou e uma voz assumiu. Winston levantou a cabeça para ouvir. Nenhum boletim da frente, no entanto. Foi apenas um breve anúncio do Ministério da Abundância. No trimestre anterior, ao que parece, a cota de cadarços do Décimo Plano Trienal havia sido superada em noventa e oito por cento.

Ele examinou o problema do xadrez e colocou as peças. Foi um final complicado, envolvendo alguns cavaleiros. "Jogam as brancas. Mate em dois lances." Winston olhou para o retrato do Grande Irmão. As brancas sempre vencem, ele pensou com uma espécie de misticismo nebuloso. Sempre, sem exceção, é tudo arranjado para que seja assim. Em nenhum problema de xadrez desde o início do mundo as pretas venceram. Não simbolizava o triunfo eterno e invariável do Bem sobre o Mal? O rosto enorme olhou para ele, cheio de poder calmo. As brancas sempre vencem.

A voz da teletela fez uma pausa e acrescentou em um tom diferente e muito mais grave: — Estão todos convocados para um anúncio importante às quinze e trinta. Quinze e trinta! Trata-se de notícia da mais alta importância. Não percam. Quinze e trinta! A música tilintante voltou a tocar.

O coração de Winston se agitou. Esse era o boletim do fronte africano; o instinto lhe disse que eram más notícias que estavam chegando. Durante todo o dia, com pequenos surtos de excitação, o pensamento de uma derrota esmagadora na África esteve dentro e fora de sua mente. Ele parecia realmente ver o exército eurasiano fervilhando através da fronteira nunca rompida e descendo para a ponta da África como uma coluna de formigas. Por que não foi possível flanqueá-los de alguma forma? O contorno da costa da África Ocidental se destacava nitidamente em sua mente. Ele pegou o cavalo branco e o moveu pelo tabuleiro. Aquela era a posição certa. Ao mesmo tempo ele via a horda negra correndo para o sul, e viu outra força, misteriosamente reunida, de repente plantada em sua retaguarda, cortando suas comunicações por terra e mar. Ele sentiu que, ao desejar que aquilo ocorresse, ele estava trazendo essa outra força à existência. Mas era preciso agir rapidamente. Se conseguissem controlar toda a África, se tivessem aeródromos e bases submarinas no Cabo, cortariam a Oceania ao meio. Poderia significar qualquer coisa: derrota, colapso, uma nova divisão mundial, a destruição do Partido! Ele respirou fundo. Uma mistura extraordinária de sentimentos — mas não era exatamente uma mistura; antes, eram camadas sucessivas de sentimento, nas quais não se podia dizer qual era a mais profunda — lutava dentro dele.

O espasmo passou. Ele colocou o cavalo branco de volta em seu lugar, mas por enquanto não conseguia se dedicar a um estudo sério do problema do xadrez. Seus pensamentos vagaram novamente. Quase inconscientemente, ele traçou com o dedo na poeira da mesa:

$$2+2=5$$

"Eles não podem entrar em você", dissera Júlia. Mas eles podiam entrar em você. "O que acontece com você aqui é para sempre" , disse O'Brien. Era verdade. Havia coisas, seus próprios atos, das quais você não conseguia se recuperar. Algo era destruído em seu peito; queimado, cauterizado.

Ele tinha visto Júlia; ele até tinha falado com ela. Não havia perigo nisso. Sabia, como por instinto, que quase já não se interessavam pelas ações dele. Ele poderia ter combinado de encontrá-la uma segunda vez se qualquer um deles quisesse. Na verdade, foi por acaso que eles se encontraram. Foi no Parque, em um dia vil e de frio cortante de março, em que a terra parecia ser de ferro e toda a grama parecia morta e não havia um botão em lugar algum, exceto alguns açafrões que haviam se levantado para serem desmembrados pelo vento. Ele estava correndo com as mãos congeladas e os olhos lacrimejantes quando a viu a menos de dez metros dele. Ocorreu-lhe imediatamente que ela havia mudado de alguma forma mal definida. Quase não se reconheceram, mas ele se virou e a seguiu, não muito ansioso. Ele sabia que não havia perigo, ninguém se interessaria por eles. Ela não falou. Ela caminhou obliquamente pela grama como se tentasse se livrar dele, então pareceu resignar-se a tê-lo ao seu lado. Dali a pouco eles estavam no meio de uma moita de arbustos esfarrapados e sem folhas, inúteis tanto para ocultação quanto para proteção contra o vento. Eles pararam. Estava terrivelmente frio. O vento assobiava através dos galhos e acabava trazendo ao acaso açafrões de aparência suja. Ele colocou o braço em volta da cintura dela.

Não havia teletela, mas devia haver microfones escondidos; além disso, eles podiam ser vistos. Não importava, nada importava. Eles poderiam ter deitado no chão e feito aquilo se eles quisessem. Sua carne congelou de horror ao pensar nisso. Ela não respondeu ao aperto de seu braço; ela nem sequer tentou se desvencilhar. Ele sabia agora o que havia mudado nela. Seu rosto estava mais pálido e havia uma longa cicatriz, parcialmente escondida pelos cabelos, na testa e nas têmporas; mas essa não foi a mudança. Era que sua cintura havia engrossado e, de uma forma surpreendente, endurecido. Lembrou-se de como uma vez, após a explosão de uma bomba-foguete, ajudara a arrastar um cadáver para fora de algumas ruínas, e ficara surpreso não apenas com o peso incrível da coisa, mas com sua rigidez e dificuldade de manuseio, o que o tornou parecido mais com uma pedra do que com carne. O corpo dela estava assim. Ocorreu-lhe que a textura da pele dela seria bem diferente do que tinha sido antes.

Ele não tentou beijá-la, e eles não falaram. Enquanto caminhavam de volta pela grama, ela olhou diretamente para ele pela primeira vez. Foi apenas um olhar momentâneo, cheio de desprezo e antipatia. Ele se perguntou se era uma antipatia que vinha puramente do passado ou se era inspirada também por seu rosto inchado e pelas lágrimas que o vento continuava a arrancar de seus olhos. Sentaram-se em duas cadeiras de ferro, lado a lado, mas não muito próximas umas das outras. Ele viu que ela estava prestes a falar. Ela moveu seu sapato desajeitado alguns centímetros e deliberadamente esmagou um galho. Seus pés pareciam ter ficado mais largos, ele notou.

— Eu traí você — ela disse sem rodeios.

— Eu traí você — disse ele.

Ela deu-lhe outro olhar rápido de desagrado.

— Às vezes — ela disse —, eles ameaçam você com alguma coisa — algo que você não pode enfrentar, nem mesmo pensar. E então você diz: "Não faça isso comigo, faça isso com outra pessoa, faça isso com fulano de tal." E talvez você possa fingir, depois, que foi apenas um truque e que você só disse isso para fazê-los parar, e que não quis realmente dizer aquilo. Mas isso não é verdade. Na hora em que isso acontece, você fala sério. Você acha que não há outra maneira de se salvar, e você está pronto para se salvar dizendo aquilo. Você quer que isso aconteça com a outra pessoa. Você não dá a mínima para o que ela sofre. Tudo o que importa é você mesmo.

— Tudo o que importa é você mesmo — ele repetiu.

— E depois disso, você não sente mais o mesmo em relação à outra pessoa.

— Não — ele disse —, não sente mais o que sentia antes.

Parecia não haver mais nada a dizer. O vento emplastrou seus macacões finos contra seus corpos. Quase imediatamente tornou-se constrangedor ficar ali sentado em silêncio; além disso, estava frio demais para ficar quieto. Ela disse algo sobre pegar o metrô e se levantou para ir embora.

— Devemos nos encontrar novamente — disse ele.

— Sim — ela disse —, devemos nos encontrar novamente.

Ele a seguiu irresolutamente por uma pequena distância, meio passo atrás dela. Não voltaram a falar. Na verdade, ela não tentou se livrar dele, mas caminhou a uma velocidade que impedia que ele a seguisse. Ele havia decidido que a acompanharia até a estação do metrô, mas de repente esse processo de se arrastar no frio parecia inútil e insuportável. Ele foi dominado por um desejo não tanto de se afastar de Júlia, mas de voltar para o Café da Castanheira, que nunca parecera tão atraente como naquele momento. Ele teve uma visão nostálgica de sua mesa de canto, com o jornal e o tabuleiro de xadrez e o gim sempre fluindo. Acima de tudo, estaria quente lá. No momento seguinte, não totalmente por acaso, ele se permitiu ser separado dela por um pequeno grupo de pessoas. Ele fez uma tentativa desanimada de alcançá-la, depois diminuiu a velocidade, virou e partiu na direção oposta. Quando ele tinha andado cinquenta metros, ele olhou para trás. A rua não estava cheia, mas ele já não conseguia distingui-la. Qualquer dos dez ou doze vultos que via na calçada podia ser o dela. Talvez seu corpo engrossado e enrijecido não fosse mais reconhecível por trás.

"Na hora em que acontece", dissera ela, "é para valer." Com ele fora exatamente assim. Não dissera aquilo da boca para fora. Desejara-o. Quisera que ela, e não ele, fosse entregue aos...

Alguma coisa mudou na música que saía da teletela. Uma nota rachada e zombeteira, uma nota amarela. E então — talvez não estivesse acontecendo, talvez fosse apenas uma lembrança assumindo a aparência de som — uma voz cantava:

Debaixo da ramada da castanheira
Eu vendi você e você me vendeu...

As lágrimas brotaram em seus olhos. Um garçom que passava percebeu que seu copo estava vazio e voltou com a garrafa de gim.

Ele pegou seu copo e o cheirou. A coisa ficou não menos, mas mais horrível a cada gole que ele bebia. Mas tornou-se o elemento em que ele flutuava. Era sua vida, sua morte e sua ressurreição. Era o gim que o levava ao estupor todas as noites, e o gim que o revivia todas as manhãs. Quando ele acordou, raramente antes das onze horas, com as pálpebras coladas, uma boca de fogo e costas que pareciam quebradas, teria sido impossível até mesmo se levantar da horizontal se não fosse a garrafa e a xícara de chá colocadas ao lado da cama durante a noite. Ao longo de toda a manhã, ele ficou sentado com o rosto vidrado, a garrafa à mão, ouvindo a teletela. Das quinze até a hora de fechar, ele era uma presença constante no Café da Castanheira. Ninguém mais se importava com o que ele fazia, nenhum apito o despertava, nenhuma teletela o advertia. Ocasionalmente, talvez duas vezes por semana, ele ia ao escritório empoeirado e de aparência esquecida no Ministério da Verdade e trabalhava um pouco. Ele havia sido nomeado para um subcomitê de um subcomitê que havia surgido de um dos inúmeros comitês que tratavam de pequenas dificuldades que surgiram na compilação da Décima Primeira Edição do dicionário Novilíngua. Eles estavam empenhados em produzir algo chamado Relatório Interino, mas o que eles estavam relatando Winston nunca descobrira definitivamente. Tinha algo a ver com a questão de saber se as vírgulas deveriam ser colocadas entre colchetes ou fora. Havia outros quatro membros no comitê, todos semelhantes a ele. Havia dias em que eles se reuniam e logo se dispersavam novamente, admitindo francamente um ao outro que não havia realmente nada a ser feito. Mas tinha outros dias em que eles se punham a trabalhar quase avidamente, fazendo um tremendo espetáculo ao redigir suas atas e longos memorandos que nunca eram concluídos — quando a discussão sobre o que eles supostamente estavam discutindo se tornava extraordinariamente complicada e obscura, com controvérsias sutis sobre definições, digressões enormes, brigas, durante as quais chegavam mesmo a ameaçar recorrer a autoridades superiores. E então, de repente, a vida saía deles e eles se sentavam em volta da mesa, olhando um para o outro com olhos extintos, como fantasmas desaparecendo ao raiar do dia...

A teletela ficou em silêncio por um momento. Winston ergueu a cabeça novamente. O boletim! Mas não, eles estavam apenas mudando a música. Ele tinha o mapa da África atrás das pálpebras. O movimento dos exércitos era um diagrama: uma flecha preta rasgando verticalmente para o sul e uma flecha branca rasgando horizontalmente para o leste, atravessando a cauda da primeira. Como que para se tranquilizar, ele olhou para o rosto imperturbável no retrato. Seria concebível que a segunda flecha nem existisse?

Seu interesse diminuiu novamente. Ele bebeu outro gole de gim, pegou o cavalo branco e fez um movimento hesitante. Xeque. Mas evidentemente não foi o movimento certo, porque...

Sem ser chamada, uma memória flutuou em sua mente. Ele viu um quarto à luz de velas com uma grande cama de colcha branca, e ele mesmo, um menino de nove ou dez anos, sentado no chão, sacudindo uma caixa de dados e rindo excitado. Sua mãe estava sentada à sua frente e também rindo.

Deve ter sido cerca de um mês antes de ela desaparecer. Foi um momento de reconciliação, quando a fome incômoda em sua barriga foi esquecida e sua afeição anterior por ela reviveu temporariamente. Ele se lembrava bem do dia, um dia chuvoso e encharcado, quando a água escorria pela vidraça e a luz interna era muito fraca para ler. O tédio das duas crianças no quarto escuro e apertado tornou-se insuportável. Winston choramingava e fazia pedidos fúteis de comida, andava aflito pelo quarto, tirando tudo do lugar e chutando os lambris até os vizinhos baterem na parede, enquanto a criança mais nova chorava intermitentemente. No final, sua mãe disse: "Agora seja bom, e eu compro um brinquedo para você. Um brinquedo lindo — você vai adorar"; e então ela saiu na chuva, foi até uma lojinha que abria esporadicamente ali perto, e voltou com uma caixa de papelão contendo o jogo de tabuleiro Cobras e Escadas. Winston ainda se lembrava do cheiro do papelão úmido. Era um jogo de péssima qualidade. O tabuleiro estava rachado e os dadinhos de madeira eram tão porcamente talhados que não paravam em pé. Ele olhou para a coisa com mau humor e desinteresse. Mas a mãe acendeu uma vela e os dois se sentaram no chão para jogar. Em pouco tempo, Winston estava na maior animação, rindo alto com as peças que galgavam esperançosas as escadas para em seguida deslizar pelas cobras, quase voltando ao ponto de partida. Jogaram oito partidas, com quatro vitórias para cada um. A irmãzinha, muito pequena para entender o jogo, sentara-se com as costas apoiadas num travesseiro e ria quando eles riam.

Ele empurrou a imagem para fora de sua mente. Era uma memória falsa. Ele estava sendo perturbado por falsas memórias ocasionalmente. Elas não importavam, desde que alguém as conhecesse pelo que eram. Algumas coisas aconteceram, outras não aconteceram. Ele voltou para o tabuleiro de xadrez e pegou o cavalo branco novamente. Quase no mesmo instante, a peça despencou no tabuleiro. Ele deu um pulo, como se tivesse sido espetado por um alfinete.

Um toque estridente de trombeta havia perfurado o ar. Era o boletim! Vitória! Sempre significava vitória quando um toque de trombeta precedia as notícias. Uma espécie de emoção elétrica percorreu o café. Até os garçons levantaram as orelhas.

O toque da trombeta havia soltado um enorme volume de ruído. Uma voz excitada já estava tagarelando na teletela, mas mesmo quando começou foi quase abafada por um rugido de aplausos do lado de fora. A notícia correu pelas ruas como mágica. Ele podia ouvir apenas o suficiente do que estava saindo da teletela para perceber que tudo havia acontecido como ele havia previsto: uma vasta armada marítima reunida secretamente, um golpe súbito na retaguarda do inimigo, a flecha branca rasgando a cauda da outra flecha. Fragmentos de frases triunfantes empurravam-se através do barulho: "Vasta manobra estratégica — coordenação perfeita — derrota total — meio milhão de prisioneiros — desmoralização completa — controle de toda a África — trazer a guerra a uma distância mensurável de seu fim — vitória — maior vitória da história humana — vitória, vitória, vitória!"

Sob a mesa, os pés de Winston faziam movimentos convulsivos. Ele não havia se levantado de seu assento, mas em sua mente ele estava correndo, correndo rapidamente, ele estava com a multidão lá fora, se animando como surdo. Ele olhou novamente para o retrato do Grande Irmão. O colosso que dominava o mundo! A rocha contra a qual as hordas da Ásia se lançaram em vão! Ele pensou em como dez minutos atrás — sim, apenas dez minutos — ainda havia equívocos em seu coração enquanto ele se perguntava se as notícias do fronte seriam de vitória ou derrota. Ah, foi mais do que um exército eurasiano que pereceu! Muita coisa havia mudado nele desde aquele primeiro dia no Ministério do Amor, mas a mudança final, indispensável e curativa nunca havia acontecido, até aquele momento.

A voz da teletela ainda contava sua história de prisioneiros, saques e massacres, mas os gritos do lado de fora haviam diminuído um pouco. Os garçons estavam voltando ao seu trabalho. Um deles se aproximou com a garrafa de gim. Winston, sentado em um sonho feliz, não prestou atenção enquanto seu copo era enchido. Ele não estava mais correndo ou torcendo. Ele estava de volta ao Ministério do Amor, com tudo perdoado, sua alma branca como a neve. Ele estava no banco dos réus, confessando tudo, entregando todo mundo. Ele estava andando pelo corredor de azulejos brancos, com a sensação de andar na luz do sol, e com um guarda armado às suas costas. A tão esperada bala estava entrando em seu cérebro.

Ele olhou para o rosto enorme. Quarenta anos ele levou para aprender que tipo de sorriso estava escondido sob o bigode escuro. Ah, que mal-entendido cruel e desnecessário! Ah, que exílio teimoso e obstinado do peito amoroso! Duas lágrimas com cheiro de gim escorriam pelas laterais de seu nariz. Mas estava tudo bem, estava tudo bem, a luta estava terminada. Ele havia conquistado a vitória sobre si mesmo. Ele amava o Grande Irmão.

Fim

APÊNDICE[1]
OS PRINCÍPIOS DA NOVILÍNGUA

A Novilíngua era a língua oficial da Oceania e fora criada para atender às necessidades ideológicas do Socing, ou socialismo inglês. No ano de 1984 ainda não havia ninguém que utilizasse a Novilíngua como seu único meio de comunicação, seja na fala ou na escrita. Os principais artigos do *Times* foram escritos no novo idioma, mas este foi um *tour de force*[2] que só poderia ser realizado por um especialista. Esperava-se que a Novilíngua tivesse finalmente suplantado a Velhalíngua (ou Inglês Padrão, como deveríamos chamá-lo) por volta do ano de 2050. Enquanto isso, ganhava terreno de forma constante, todos os membros do Partido tendiam a usar palavras e construções gramaticais em Novilíngua cada vez mais em seu cotidiano. A versão em uso em 1984, e incorporada na Nona e Décima Edições do dicionário Novilíngua, era provisória e continha muitas palavras supérfluas e formações arcaicas que deveriam ser suprimidas mais tarde. É com a versão final, aperfeiçoada, incorporada na Décima Primeira Edição do dicionário, que nos ocupamos aqui.

O propósito da Novilíngua não era apenas fornecer um meio de expressão para a visão de mundo e hábitos mentais próprios dos devotos do Socing, mas tornar todos os outros modos de pensamento impossíveis. Pretendia-se que, quando a Novilíngua fosse adotada de uma vez por todas e a Velhalíngua fosse esquecida, um pensamento herético — isto é, um pensamento divergente dos princípios do Socing — deveria ser literalmente impensável, pelo menos na medida em que o pensamento dependesse de palavras. Seu vocabulário foi construído de modo a dar expressão exata e muitas vezes muito sutil a todos os significados que um membro do Partido poderia desejar expressar adequadamente, excluindo todos os

---
1. O leitor deve estar ciente, ao ler este apêndice, de que as inovações gramaticais citadas, bem como os exemplos, tomam como base a língua inglesa, e não a portuguesa. Portanto, o texto precisou de muitas adaptações. Com certeza ao apresentar a estrutura gramatical da Novilíngua, Orwell exacerbou características sintáticas e morfológicas da língua inglesa.
2. Um grande esforço, em francês no original. (N. do E.)

outros significados e também a possibilidade de chegar a eles por métodos indiretos. Isso foi feito em parte pela invenção de novas palavras, mas principalmente eliminando palavras indesejáveis e despojando as palavras que restaram de significados não ortodoxos e, na medida do possível, de todos os significados secundários. Para dar um único exemplo. A palavra livre ainda existia em Novilíngua, mas só poderia ser usada em declarações como "Este cão está livre de piolhos" ou "Este campo está livre de ervas daninhas". Não poderia ser usada em seu antigo sentido de "politicamente livre" ou "intelectualmente livre", já que a liberdade política e intelectual não existia mais nem mesmo como conceitos e, portanto, eram necessariamente sem nome. Além da supressão de palavras definitivamente heréticas, a redução do vocabulário era considerada um fim em si mesma, e nenhuma palavra que pudesse ser dispensada podia sobreviver. A Novilíngua foi projetada não para estender, mas para diminuir o alcance do pensamento, e esse propósito foi indiretamente auxiliado pela redução da escolha de palavras ao mínimo.

A Novilíngua foi fundada na língua inglesa como a conhecemos hoje, embora muitas frases da Novilíngua, mesmo quando não contenham palavras recém-criadas, sejam pouco inteligíveis para um falante de inglês de nossos dias. As palavras da Novilíngua foram divididas em três classes distintas, conhecidas como vocabulário A, vocabulário B (também chamado de palavras compostas) e vocabulário C. Será mais simples discutir cada classe separadamente, mas as peculiaridades gramaticais da língua podem ser tratadas na seção dedicada ao vocabulário A, uma vez que as mesmas regras valem para as três categorias.

O vocabulário A consistia nas palavras necessárias para os negócios da vida cotidiana — para coisas como comer, beber, trabalhar, vestir-se, subir e descer escadas, andar de carro, praticar jardinagem, cozinhar e coisas do gênero. Era composto quase inteiramente de palavras que já possuímos — palavras como BATER, CORRER, CÃO, ÁRVORE, AÇÚCAR, CASA, CAMPO — mas em comparação com o vocabulário inglês atual, seu número era extremamente pequeno, enquanto seus significados eram definidos de maneira muito mais rígida. Todas as ambiguidades e matizes de significado foram expurgados. Na medida do possível, uma palavra de Novilíngua dessa classe se limitava a sons curtos expressando um conceito claramente entendido. Teria sido impossível usar o vocabulário A para fins literários ou para discussão política ou filosófica. Destinava-se apenas a expressar pensamentos simples e intencionais, geralmente envolvendo objetos concretos ou ações físicas.

A gramática da Novilíngua tinha duas peculiaridades notáveis. A primeira delas era uma permutabilidade quase completa entre diferentes partes do discurso. Qualquer palavra na língua (em princípio, isso se aplicava até mesmo a palavras muito abstratas, como se ou quando) poderia ser usada como verbo, substantivo, adjetivo ou advérbio. Entre a forma verbal e a forma nominal, quando eram da mesma raiz, nunca houve variação, esta regra por si mesma envolvendo a destruição de muitas formas arcaicas. A palavra PENSAMENTO, por exemplo, não existia na Novilíngua. Seu lugar foi tomado por PENSAR, que fazia as vezes de verbo e substantivo. Nenhum princípio etimológico foi seguido aqui; em alguns casos foi o substantivo original escolhido para retenção, em outros casos foi o verbo. Mesmo onde um substantivo e um verbo de significado semelhante não estivessem etimologicamente conectados, um ou outro deles era frequentemente suprimido. Não havia, por exemplo, a palavra CORTAR, seu significado sendo suficientemente coberto pelo substantivo-verbo FACA. Adjetivos foram formados pela adição do sufixo -OSO ao substantivo-verbo, e os advérbios acrescidos de -MENTE. Assim, por exemplo, velocidadoso significava "rápido" e velocidademente significava "depressa". Alguns dos adjetivos que usamos hoje, como BOM, FORTE, GRANDE, NEGRO, SUAVE, foram mantidos, porém em número bastante reduzido. Havia pouca necessidade para eles, uma vez que quase qualquer significado adjetivo poderia ser alcançado adicionando -OSO a um substantivo-verbo. Todos os advérbios não terminados em -MENTE foram abolidos; a terminação -MENTE era invariável. A palavra BEM, por exemplo, foi substituída por BENEMENTE.

Além disso, qualquer palavra – isso novamente aplicado em princípio a todas as palavras na língua – podia ser transformada em seu antônimo por meio do acréscimo do prefixo DES-, ou podia ser reforçada com o prefixo MAIS- ou, para ênfase ainda maior, DUPLOMAIS. Assim, por exemplo, DESFRIO significava "quente", ao passo que MAISFRIO e DUPLOMAISFRIO significavam, respectivamente, "muito frio" e "extremamente frio". Também era possível modificar o sentido de quase todas as palavras com prefixos prepositivos como ANTE-, PÓS-, SOBRE-, SUB- etc. Esses métodos viabilizaram uma significativa redução vocabular. Dada a palavra BOM, por exemplo, não havia necessidade de uma palavra como RUIM, pois o sentido por ela veiculado seria tão bem ou ainda mais bem expresso com DESBOM. Em todos os casos em que duas palavras formassem um par natural de opostos, bastava escolher qual delas suprimir. ESCURO, por exemplo, podia ser substituído por DESCLARO; ou CLARO por DESESCURO.

A segunda marca distintiva da gramática da Novilíngua era sua regularidade. Com algumas exceções mencionadas abaixo, todas as flexões seguiram as mesmas regras. Assim, em todos os verbos o pretérito e o particípio passado eram os mesmos. Todos os plurais eram formados com o acréscimo de -S ou, conforme o caso, -ES. A comparação entre adjetivos era sempre feita por meio da adição de um sufixo. As flexões irregulares só foram conservadas no caso dos pronomes relativos e demonstrativos e dos verbos auxiliares, que continuaram a ser empregados de acordo com as regras do inglês padrão. Preservaram-se também certas irregularidades na formação de palavras, com o intuito de facilitar a pronúncia. Qualquer palavra cuja pronúncia fosse difícil ou cuja sonoridade causasse confusões era malvista. Assim, ocasionalmente, em benefício da eufonia, acrescentaram-se letras às palavras ou preservaram-se formações arcaicas. Contudo, é no vocabulário B que essa característica adquire especial relevo. Mais adiante o leitor compreenderá o porquê de tal preocupação com a pronúncia.

O vocabulário B. Esta categoria consistia em palavras que foram deliberadamente construídas para fins políticos: palavras, isto é, que não apenas tinham em todos os casos uma implicação política, mas pretendiam impor uma atitude mental desejável à pessoa que as utilizava. Sem uma compreensão completa dos princípios do Socing, era difícil usar essas palavras corretamente. Em alguns casos, elas podiam ser traduzidas para Velhalíngua, ou mesmo em palavras retiradas do vocabulário A, mas isso geralmente exigia uma longa paráfrase e sempre envolvia a perda de certos tons. As palavras B eram uma espécie de taquigrafia verbal, muitas vezes reunindo toda uma gama de ideias em poucas sílabas e, ao mesmo tempo, mais precisas e convincentes do que a linguagem comum.

As palavras B foram em todos os casos palavras compostas[3]. Elas consistiam em duas ou mais palavras, ou porções de palavras, soldadas em uma forma facilmente pronunciável. O amálgama resultante era sempre um substantivo-verbo e flexionado de acordo com as regras comuns. Para dar um exemplo: a palavra BOMPENSAR, que muito grosseiramente poderia ser traduzida por "ortodoxia", ou, na função de verbo: "pensar de maneira ortodoxa". O vocábulo era flexionado da seguinte maneira: substantivo-verbo, BENEPENSAR; particípio, BENEPENSADO; gerúndio, BENEPENSANDO; adjetivo, BENEPENSIVO; advérbio, BENEPENSADAMENTE; substantivo verbal, BENEPENSADOR.

Essas palavras não foram construídas em nenhum plano etimológico. As palavras de que eram compostas podiam ser quaisquer partes do discurso, e podiam ser colocadas em qualquer ordem e mutiladas de qualquer maneira que as tornasse fáceis de pronunciar ao mesmo tempo que indicavam sua derivação. Por exemplo: se, por um lado, o termo pensar formava a segunda parte do vocábulo CRIMEPENSAR, por outro, era o elemento inicial de pensapolícia (Polícia do Pensamento), em que também havia perdido a letra "r". Devido à maior dificuldade de preservar a eufonia, as formações irregulares eram mais comuns no vocabulário B do que no A. Por exemplo, os termos MINIVER, MINIPAZ e MINIAMOR eram adjetivados como MINIVERDADEIRO, MINIMANSO e MINIAMOROSO, pois essas formas eram menos esquisitas e tinham uma pronúncia mais simples do que MINIVERCOM, MINIPAZCOM e MINIAMORCOM.

---

3. Podia-se encontrar palavras compostas no vocabulário A, mas tratava-se apenas de abreviações ditadas pela conveniência, sem nenhuma coloração ideológica especial.

Em princípio, porém, todas as palavras do vocabulário B podiam ser flexionadas e todas eram flexionadas da mesma maneira.

Algumas das palavras B tinham significados altamente sutilizados, pouco inteligíveis para quem não dominasse a língua como um todo. Considere, por exemplo, uma frase tão típica de um artigo principal do *Times* como: PENSOCRÉPITOS DESVENTRESENTEM O SOCING. A tradução mais sucinta disso em Velhalíngua seria: "Aqueles cujas ideias se formaram antes da Revolução não têm como alcançar uma compreensão sensível dos princípios do Socialismo Inglês." Mas esta não é uma tradução adequada. Para apreender o sentido completo da frase Novilíngua citada acima, seria preciso ter uma ideia clara do que se entende por Socing. E, além disso, apenas uma pessoa completamente fundamentada em Socing poderia apreciar toda a força da palavra VENTRESENTIR, que implicava uma aceitação cega e entusiástica difícil de imaginar hoje; ou da palavra PENSOCRÉPITO, que estava inextricavelmente misturada com a ideia de maldade e decadência. Mas a função especial de certas palavras da Novilíngua, prestavam-se menos a comunicar significados do que a destruí-los. Essas palavras, necessariamente poucas em número, tiveram seus significados estendidos até conterem em si mesmas pilhas inteiras de palavras que, por estarem suficientemente cobertas por um único termo abrangente, agora podiam ser descartadas e esquecidas. A maior dificuldade dos compiladores do dicionário Novilíngua não foi inventar palavras novas, mas, tendo-as inventado, certificar-se do que elas significavam: certificar-se, ou seja, das quais gamas de palavras seriam canceladas por sua existência.

Como já vimos no caso da palavra LIVRE, palavras que antes tinham um significado herético eram às vezes retidas por conveniência, mas apenas com os significados indesejáveis expurgados delas. Inúmeras outras palavras como HONRA, JUSTIÇA, MORALIDADE, INTERNACIONALISMO, DEMOCRACIA, CIÊNCIA e RELIGIÃO simplesmente deixaram de existir. Algumas palavras gerais as cobriram e, ao cobri-las, acabaram por aboli-las. Todas as palavras agrupadas em torno dos conceitos de liberdade e igualdade, por exemplo, estavam contidas na única palavra CRIMEPENSAR. Maior precisão teria sido um perigo. O que era exigido de um membro do Partido era uma perspectiva semelhante à do antigo hebreu que sabia, sem saber muito mais, que todas as nações, exceto a sua, adoravam "falsos deuses". Ele não precisava saber que esses deuses eram chamados de Baal, Osíris, Moloch, Astarote e outros; provavelmente, quanto menos soubesse sobre eles, melhor para sua ortodoxia. Ele conhecia Jeová e os mandamentos de Jeová; ele sabia, portanto, que todos os deuses com outros nomes ou outros atributos eram deuses falsos. Da mesma forma, o membro do Partido sabia o que constituía a conduta correta e, em termos extremamente vagos e generalizados, sabia que tipos de desvio eram possíveis. Sua vida sexual, por exemplo, era inteiramente regulada pelas duas palavras em Novilíngua, SEXOCRIME (imoralidade sexual) e BENESEXO (castidade). SEXOCRIME englobava toda e qualquer forma de transgressão sexual, incluindo fornicação, adultério, homossexualidade e outras perversões e, além disso, relações sexuais normais praticadas por si mesmas. Não havia necessidade de enumerá-las separadamente, pois todos eram igualmente culpáveis e, em princípio, todos passíveis de pena de morte. No vocabulário C, que consistia em palavras científicas e técnicas, talvez fosse necessário dar nomes especializados a certas aberrações sexuais, mas o cidadão comum não precisava delas. Ele sabia o que significava BENESEXO, isto é, relações normais entre marido e mulher, com o único propósito de gerar filhos, e sem prazer físico por parte da mulher; todo o resto era SEXOCRIME. Em Novilíngua raramente era possível seguir um pensamento herético além da percepção de que era herético; além desse ponto, as palavras necessárias eram inexistentes.

Nenhuma palavra do vocabulário B era ideologicamente neutra. Muitos eram eufemismos. Palavras, por exemplo, como CAMPOFOLIA (campo de trabalhos forçados) ou MINIPAZ (Ministério da Paz, ou seja, Ministério da Guerra) significavam quase exatamente o oposto do que pareciam significar. Algumas palavras, por outro lado, mostravam uma compreensão franca e desdenhosa da real natureza da sociedade oceânica. Um exemplo foi o papaproleta, ou seja, o entretenimento lixo e as notícias espúrias que o Partido distribuiu para as massas. Outras palavras, novamente, eram ambivalentes, tendo a conotação "bom" quando aplicado ao Partido e "ruim" quando aplicado a seus inimigos. Mas, além disso, havia um grande número de palavras que à primeira vista pareciam meras abreviações e que derivavam sua cor ideológica não de seu significado, mas de sua estrutura.

Na medida do possível, tudo o que tinha ou pudesse ter significado político de qualquer tipo se encaixava no vocabulário B. O nome de cada organização, ou corpo de pessoas, ou doutrina, ou país, ou instituição, ou edifício público, era invariavelmente cortado na forma familiar; ou seja, uma única palavra de fácil pronúncia com o menor número de sílabas que preservaria a derivação original. No Ministério da Verdade, por exemplo, o Departamento de Registros, no qual Winston Smith trabalhava, Dereg; o Departamento de Ficção era conhecido como Defic; o Departamento de Teleprogramas, como Detel; e assim por diante. O objetivo disso não era apenas economizar tempo. Mesmo nas primeiras décadas do século XX, palavras e frases reduzidas eram um dos traços característicos da linguagem política; e notou-se que a tendência de usar abreviaturas desse tipo era mais acentuada em países totalitários e organizações totalitárias. Exemplos foram palavras como NAZISTA, GESTAPO, COMINTERN, INPRECORR, AGITPROP. No início, a prática foi adotada instintivamente, mas em Novilíngua foi usada com um propósito consciente. Percebeu-se que, ao abreviar assim um nome, estreitava-se e alterava-se sutilmente seu significado, eliminando-se a maioria das associações que, de outra forma, se apegariam a ele. As palavras INTERNACIONAL COMUNISTA, por exemplo, evocam uma imagem composta de fraternidade humana universal, bandeiras vermelhas, barricadas, Karl Marx e a Comuna de Paris. A palavra COMINTERN, por outro lado, sugere meramente uma organização bem unida e um corpo de doutrina bem definido. Refere-se a algo quase tão facilmente reconhecido, e tão limitado em propósito, como uma cadeira ou uma mesa. COMINTERN é uma palavra que pode ser pronunciada quase sem pensar, enquanto INTERNACIONAL COMUNISTA é uma expressão sobre a qual somos obrigados a nos deter pelo menos momentaneamente. Da mesma forma, as associações convocadas por uma palavra como MINIVER são menos e mais controláveis do que aquelas convocadas por MINISTÉRIO DA VERDADE. Isso explicou não apenas o hábito de abreviar sempre que possível, mas também o cuidado quase exagerado de tornar cada palavra facilmente pronunciável.

Em Novilíngua, a eufonia superava qualquer consideração que não fosse a exatidão do significado. A regularidade da gramática sempre lhe era sacrificada quando parecia necessário. E com razão, pois o que era necessário, sobretudo para fins políticos, eram palavras curtas e recortadas de significado inconfundível, que pudessem ser pronunciadas rapidamente e que despertassem o mínimo de ecos na mente do orador. As palavras do vocabulário B até ganharam força pelo fato de quase todas serem muito parecidas. Quase invariavelmente essas palavras — MINIPAZ, SEXOCRIME, CAMPOFOLIA, SOCING, e inúmeras outras; eram palavras de duas ou três sílabas, com o acento distribuído igualmente entre a primeira e a última sílaba. O uso deles encorajou um estilo de fala tagarela, ao mesmo tempo *staccato* e monótono. E era exatamente isso que se pretendia. A intenção era tornar o discurso, e especialmente o discurso sobre qualquer assunto não ideologicamente neutro, o mais próximo possível da consciência. Para fins da vida cotidiana era sem dúvida necessário, ou às vezes necessário, refletir antes de falar, mas um membro do Partido chamado a fazer um julgamento político ou ético deveria ser capaz de emitir as opiniões corretas tão automaticamente quanto uma metralhadora que dispara uma saraivada de balas. Seu treinamento o preparou para isso, a linguagem lhe deu um instrumento quase infalível, e a textura das palavras, com sua sonoridade rude e certa deselegância intencional em conformidade com o espírito do Socing, prestava um auxílio adicional ao processo.

Assim também era o fato de ter muito poucas palavras para escolher. Em relação ao nosso, o vocabulário Novilíngua era minúsculo e novas maneiras de reduzi-lo estavam sendo constantemente inventadas. A Novilíngua, de fato, diferia de quase todas as outras línguas pelo fato de seu vocabulário ficar menor em vez de maior a cada ano. Cada redução era um ganho, pois quanto menor a área de escolha, menor a tentação de pensar. Em última análise, esperava-se que a fala articulada saísse da laringe sem envolver os centros cerebrais superiores. Esse objetivo foi francamente admitido na palavra em Novilíngua PATOFALA, que significa "grasnar como um pato". Como várias outras palavras do vocabulário B, PATOFALA era ambivalente no significado. Se as opiniões grasnadas eram ortodoxas, o termo só implicava elogios, e quando o *Times* dizia que determinado membro do Partido era um orador PATOFALOSODUPLOMAISBOM, isso era visto como uma calorosa e significativa manifestação de apreço.

O vocabulário C. Era um vocabulário complementar aos demais e consistia inteiramente em termos científicos e técnicos. Estes se assemelhavam aos termos científicos em uso hoje, e foram construídos a partir das mesmas raízes, mas o cuidado usual foi tomado para defini-los rigidamente e despojá-los de significados indesejáveis. Eles seguiam as mesmas regras gramaticais que as palavras nos outros dois vocabulários. Pouquíssimas palavras do vocabulário C tinham algum valor tanto no discurso cotidiano quanto no discurso político. Qualquer trabalhador científico ou técnico poderia encontrar todas as palavras de que precisava na lista dedicada à sua própria especialidade, mas raramente tinha mais do que um punhado das palavras que ocorriam nas outras listas. Apenas algumas poucas palavras eram comuns a todas as listas, e não havia vocabulário que expressasse a função da Ciência como um hábito mental ou um método de pensamento, independentemente de seus ramos particulares. Não havia, de fato, nenhuma palavra para "Ciência", qualquer significado que pudesse suportar já estar suficientemente coberto pela palavra SOCING.

A partir do relato anterior, será visto que em Novilíngua a expressão de opiniões não ortodoxas, acima de um nível muito baixo, era quase impossível. Claro que era possível proferir heresias de um tipo muito grosseiro, uma espécie de blasfêmia. Seria possível, por exemplo, dizer que o Grande Irmão não é bom. Mas esta afirmação, que para um ouvido ortodoxo apenas transmitia um absurdo evidente, não poderia ter sido sustentada por argumentos racionais, porque as palavras necessárias não estariam disponíveis. Ideias hostis ao Socing só podiam ser acolhidas em uma forma vaga e sem palavras, e só podiam ser nomeadas em termos muito amplos que agrupavam e condenavam grupos inteiros de heresias sem defini-los ao fazê-lo. Podia-se, de fato, usar a Novilíngua apenas para propósitos não ortodoxos, traduzindo ilegitimamente algumas das palavras de volta para a Velhalíngua. Por exemplo, TODOS OS HOMENS SÃO IGUAIS era uma possível sentença de Novilíngua, mas apenas no mesmo sentido em que TODOS OS HOMENS SÃO RUIVOS é uma possível sentença

Velhalíngua. Não continha um erro gramatical, mas expressava uma inverdade palpável, ou seja, que todos os homens iguais em mesmo tamanho, peso ou força. O conceito de igualdade política não existia mais, e esse significado secundário foi expurgado da palavra igual. Em 1984, quando a Velhalíngua ainda era o meio normal de comunicação, teoricamente existia o perigo de que, ao usar as palavras da Novilíngua, alguém pudesse lembrar seus significados originais. Na prática, não era difícil para qualquer pessoa bem fundamentada no duplipensar evitar fazer isso, mas dentro de algumas gerações até mesmo a possibilidade de tal lapso teria desaparecido. Uma pessoa crescendo com Novilíngua como sua única língua não saberia mais que IGUAL um dia teve o significado secundário de "politicamente igual", ou que LIVRE já significou "intelectualmente livre", do que, por exemplo, uma pessoa que nunca tinha ouvido falar de xadrez estaria ciente dos significados secundários ligados à rainha e à torre. Haveria muitos crimes e erros que estariam além de seu poder de cometer, simplesmente porque eram inomináveis e, portanto, inimagináveis. E seria previsto que, com o passar do tempo, as características distintivas da Novilíngua se tornariam cada vez mais pronunciadas, haveria cada vez menos palavras, seus significados seriam cada vez mais rígidos, e a chance de usá-las indevidamente estaria sempre diminuindo.

Quando a Velhalíngua tivesse sido substituída de uma vez por todas, o último vínculo com o passado estaria rompido. A história já havia sido reescrita, mas fragmentos da literatura do passado sobreviveram aqui e ali, imperfeitamente censurados, e enquanto se retivesse o conhecimento da Velhalíngua seria possível lê-los. No futuro, esses fragmentos, mesmo que sobrevivessem, seriam ininteligíveis e intraduzíveis. Era impossível traduzir qualquer passagem de Velhalíngua para Novilíngua a menos que se referisse a algum processo técnico ou a alguma ação cotidiana muito simples, ou que já não fosse um texto ortodoxo (BENEPENSANTE seria a palavra em Novilíngua) em tendência. Na prática, isso significava que nenhum livro escrito antes de aproximadamente 1960 poderia ser traduzido como um todo. A literatura pré-revolucionária só poderia ser submetida à tradução ideológica — isto é, alteração de sentido, bem como de linguagem. Tomemos, por exemplo, a conhecida passagem da Declaração de Independência dos Estados Unidos:

CONSIDERAMOS POR SI SÓ EVIDENTES AS SEGUINTES VERDADES, QUE TODOS OS HOMENS SÃO CRIADOS IGUAIS, QUE SÃO DOTADOS POR SEU CRIADOR DE CERTOS DIREITOS INALIENÁVEIS, QUE ENTRE ESTES ESTÃO A VIDA, A LIBERDADE E A BUSCA DA FELICIDADE. QUE PARA ASSEGURAR ESSES DIREITOS, GOVERNOS SÃO INSTITUÍDOS EN-

TRE OS HOMENS, DERIVANDO SEUS PODERES DO CONSENTIMENTO DOS GOVERNADOS. QUE SEMPRE QUE QUALQUER FORMA DE GOVERNO SE TORNE DESTRUTIVA DESSES FINS, É DIREITO DO POVO ALTERÁ-LA OU ABOLI-LA E INSTITUIR NOVO GOVERNO...

Teria sido impossível traduzir isso em Novilíngua mantendo o sentido do original. O mais próximo que poderia chegar de fazer isso seria engolir toda a passagem em uma única palavra: CRIMEPENSAR. Uma tradução completa só poderia ser uma tradução ideológica, pela qual as palavras de Jefferson seriam transformadas em um panegírico sobre o governo absoluto.

Boa parte da literatura do passado já estava, de fato, sendo transformada dessa maneira. Considerações de prestígio tornavam desejável preservar a memória de certas figuras históricas, ao mesmo tempo em que alinhava suas realizações com a filosofia do Socing. Vários escritores, como Shakespeare, Milton, Swift, Byron, Dickens e alguns outros estavam, portanto, em processo de tradução; quando a tarefa estivesse concluída, seus escritos originais, com tudo o mais que sobrevivesse da literatura do passado, seriam destruídos. Essas traduções foram um processo lento e difícil, e não se esperava que fossem concluídas antes da primeira ou segunda década do século XXI. Havia também uma grande quantidade de literatura meramente utilitária — manuais técnicos indispensáveis e similares — que precisavam ser tratados da mesma forma. Foi principalmente para dar tempo ao trabalho preliminar de tradução que a adoção final da Novilíngua foi fixada para uma data tão tardia quanto 2050.

**CONFIRA NOSSOS
LANÇAMENTOS AQUI!**

A REVOLUÇÃO DOS BICHOS

GEORGE ORWELL

A REVOLUÇÃO DOS BICHOS

CONHEÇA NOSSOS LIVROS
ACESSANDO AQUI!

Copyright da tradução e desta edição ©2021 por Fabio Kataoka

Título original: Animal Farm: A Fairy Story
Textos originais de domínio público. Reservados todos os direitos desta tradução e produção.

Direitos reservados e protegidos pela lei 9.610 de 19.2.1998.
Nenhuma parte deste livro pode ser reproduzida, arquivada em sistema de busca ou transmitida por qualquer meio, seja ele eletrônico, xérox, gravação ou outros, sem prévia autorização do detentor dos direitos, e não pode circular encadernada ou encapada de maneira distinta daquela em que foi publicada, ou sem que as mesmas condições sejam impostas aos compradores subsequentes.
2ª Impressão 2022

Presidente: Paulo Roberto Houch
MTB 0083982/SP

Coordenação Editorial: Priscilla Sipans
Coordenação de Arte: Rubens Martim (capa)
Tradução e preparação de texto: Fábio Kataoka
Revisão: Valéria Paixão
Apoio de revisão: Lilian Rozati
Diagramação: Rogério Pires

Vendas: Tel.: (11) 3393-7727 (comercial2@editoraonline.com.br)

Impresso no Brasil.
Foi feito o depósito legal.

Direitos reservados ao
IBC — Instituto Brasileiro de Cultura LTDA
CNPJ 04.207.648/0001-94
Avenida Juruá, 762 — Alphaville Industrial
CEP. 06455-010 — Barueri/SP
www.editoraonline.com.br

SUMÁRIO

Capítulo 1 7

Capítulo 2 15

Capítulo 3 23

Capítulo 4 31

Capítulo 5 37

Capítulo 6 47

Capítulo 7 55

Capítulo 8 65

Capítulo 9 77

Capítulo 10 87

"A vida de um animal é miséria e escravidão: essa é a pura verdade."

1

O Sr. Jones, proprietário da Fazenda Solar, havia trancado os galinheiros durante a noite, mas estava bêbado demais para se lembrar de fechar os trincos. Com o feixe de luz de sua lanterna dançando de um lado para o outro, ele cambaleou pelo quintal, tirou as botas na porta dos fundos, pegou um último copo de cerveja do barril na copa e foi para a cama, onde a Sra. Jones já estava ressonando.

Assim que a luz do quarto se apagou, houve uma agitação por todos os galpões da fazenda. Correu a notícia durante o dia de que o velho major, o premiado porco branco, tivera um sonho estranho na noite anterior e desejava comunicá-lo aos outros animais. Tinha sido combinado que todos deveriam se encontrar no grande celeiro assim que o Sr. Jones estivesse fora do caminho. O velho Major (assim o chamavam, embora conhecido nas exposições como Belo Willingdon) era tão respeitado na fazenda que todos estavam dispostos a perder uma hora de sono para ouvir o que ele tinha a dizer.

Numa das extremidades do grande celeiro, numa espécie de plataforma elevada, Major já estava acomodado em sua cama de palha, sob uma lanterna pendurada em uma viga. Ele já estava com doze anos e ultimamente tinha engordado bastante, mas ainda era um porco de aparência majestosa, com um ar sábio e benevolente, apesar do fato de que suas presas nunca haviam sido cortadas. Em pouco tempo, os outros animais começaram a chegar e se acomodar cada qual a sua maneira. Primeiro vieram os três cães, Luca, Kika e Nero, e depois os porcos, que se acomodaram na palha imediatamente em frente ao estrado. As galinhas empoleiraram-se no parapeito das janelas, os pombos esvoaçaram até as vigas, as ovelhas e as vacas deitaram-se atrás dos porcos e começaram a ruminar. Os dois cavalos de carroça, Tritão e Ariel, chegaram juntos, andando muito devagar e abaixando seus grandes cascos peludos com muito cuidado para que não houvesse algum pequeno animal escondido na palha. Ariel era uma égua forte e maternal que se aproximava da meia-idade, e que nunca conseguiu recuperar sua forma depois de seu quarto potro. Tritão era um animal enorme, com quase um metro e noventa de altura, tão forte quanto dois cavalos comuns juntos. Uma listra branca no nariz lhe dava uma aparência um tanto estúpida e, na verdade, ele não era muito inteligente, mas era respeitado por sua firmeza de caráter e tremenda capacidade de trabalho. Depois dos cavalos vieram Esmeralda, a cabra branca, e Benjamim, o burro. Benjamin era o animal mais velho da fazenda e o mais mal-humorado. Ele raramente falava e, quando o fazia, geralmente era para fazer algum comentário cínico — por exemplo, ele diria que Deus lhe dera um rabo para afastar as moscas, mas que ele preferia não ter rabo nem moscas. Ele era o único entre os animais da fazenda que nunca ria. Se perguntado o porquê, ele diria que não tinha motivo para rir. No entanto, sem admitir abertamente, ele era dedicado a Tritão; os dois costumavam passar os domingos juntos no pequeno cercado além do pomar, pastando lado a lado, em silêncio.

    Os dois cavalos tinham acabado de se deitar quando uma ninhada de patinhos, que havia perdido a mãe, entrou no celeiro, piando debilmente e vagando de um lado para o outro para encontrar algum lugar onde não fossem pisados. Ariel fez uma espécie de parede ao redor deles com sua grande pata dianteira, e os patinhos se aninharam dentro dela e logo adormeceram. No último momento, Serena, a tola e bonita égua branca que puxava a carroça do Sr. Jones, entrou delicadamente, mastigando um torrão de açúcar. Ela tomou um lugar na frente e começou a mexer em sua crina branca, esperando chamar a atenção para as fitas vermelhas com as quais estava enfeitada. Por último veio o gato, que olhou em volta, como sempre, procurando o lugar mais quente, e finalmente se espremeu entre Tritão e Ariel; lá ronronou satisfeito durante todo o discurso do Major, sem prestar atenção.

Todos os animais estavam agora presentes, exceto Moisés, o corvo domesticado, que dormia em um poleiro atrás da porta dos fundos. Quando Major viu que todos se acomodaram e esperavam com atenção, pigarreou e começou:

— Camaradas, vocês já ouviram falar do estranho sonho que tive ontem à noite. Mas voltarei ao sonho mais tarde. Tenho outra coisa a dizer primeiro. Não acho, camaradas, que ficarei com vocês por muitos meses, e antes de morrer, sinto que é meu dever transmitir a todos a sabedoria que adquiri. Tive uma vida longa, muito tempo para pensar enquanto estava sozinho em meu chiqueiro, e acho que posso dizer que compreendo a natureza da vida nesta terra tão bem quanto qualquer animal. É sobre isso que desejo falar com vocês.

Agora, camaradas, qual é a natureza desta nossa vida? Vamos encarar: nossas vidas são miseráveis, laboriosas e curtas. Nascemos, recebemos comida suficiente apenas para manter a respiração, e os que podem trabalhar são forçados a trabalhar até o último sopro de suas forças; e no mesmo instante em que nossa utilidade chega ao fim, somos massacrados com crueldade hedionda. Nenhum animal na Inglaterra conhece o significado de felicidade ou lazer depois de um ano de idade. Nenhum animal na Inglaterra é livre. A vida de um animal é miséria e escravidão: essa é a pura verdade.

Mas isso é simplesmente parte da ordem da natureza? É porque esta nossa terra é tão pobre que não pode dar uma vida decente para aqueles que nela habitam? Não, camaradas, mil vezes não! O solo da Inglaterra é fértil, seu clima é bom, é capaz de fornecer comida em abundância a um número enormemente maior de animais do que agora habitam. Esta única fazenda sustentaria uma dúzia de cavalos, vinte vacas, centenas de ovelhas — e todas elas vivendo em um conforto e uma dignidade que estão agora quase além de nossa imaginação. Por que então continuamos nesta condição miserável? Porque quase todo o produto de nosso trabalho é roubado de nós por seres humanos. Aí, camaradas, está a resposta para todos os nossos problemas. Está resumido em uma única palavra: Homem. O homem é o único inimigo real que temos. Retire o homem de cena, e a causa raiz da fome e do excesso de trabalho é abolida para sempre.

— O Homem é a única criatura que consome sem produzir. Não produz leite, não põe ovos, é fraco demais para puxar o arado, não corre o suficiente para alcançar uma lebre. Mesmo assim, é o senhor de todos os animais. Força-os a trabalhar, fornece o mínimo para evitar a inanição e fica com o restante. O nosso trabalho lavra a terra, nosso estrume a fertiliza e, no entanto, nenhum de nós possui mais do que a própria pele. As vacas, que aqui vejo à minha frente, quantos litros de leite terão produzido este ano? E que aconteceu a esse leite, que deveria estar alimentando robustos bezerrinhos? Desceu pela garganta dos nossos inimigos. E as galinhas, quantos ovos puseram este ano, e quantos se transformaram em pintinhos? O resto foi todo ao mercado para trazer dinheiro para Jones e seus homens. E você, Ariel, onde estão aqueles quatro potros que você deu à luz, que deveriam ter sido o apoio e o prazer de sua velhice? Cada um foi vendido com um ano de idade — você nunca mais verá um deles. Em troca de seus quatro potrinhos e todo o seu trabalho nos campos, o que você já teve, exceto suas rações e o estábulo?

— E mesmo as vidas miseráveis que levamos não chegam ao fim de modo natural. Por mim, não resmungo, pois sou um dos sortudos. Tenho doze anos e tive mais de quatrocentos filhos. Essa é a vida natural de porco. Mas nenhum animal escapa da faca cruel no final. Vocês, jovens porcos que estão sentados na minha frente, cada um de vocês vai gritar pelas suas vidas no cepo dentro de um ano. Todos nós enfrentaremos esse horror — vacas, porcos, galinhas, ovelhas, todo mundo. Nem os cavalos e os cachorros têm melhor destino. Você, Tritão, no mesmo dia em que esses seus grandes músculos perderem o poder, Jones o venderá ao esquartejador, que cortará sua garganta e cozinhará sua carne para os cães de caça. Quanto aos cães, quando envelhecerem e ficarem desdentados, Jones amarrará um tijolo em seus pescoços e os afogará todos no lago mais próximo.

— Não está claro, então, camaradas, que todos os males desta nossa vida brotam da tirania dos seres humanos? Ricos e livres. O que devemos fazer, então? Ora, trabalhar noite e dia, corpo e alma, pela derrubada da raça humana! Esta é a minha mensagem para vocês, camaradas: Rebelião! Eu não sei quando essa Rebelião virá, pode ser em uma semana ou em cem anos, mas eu sei, tão certo quanto vejo esta palha sob meus pés, que mais cedo ou mais tarde a justiça será feita. E sobretudo, transmita esta minha mensagem aos que vierem depois de vocês, para que as gerações futuras continuem a luta até que seja vitoriosa.

— E lembre-se, camaradas, sua resolução nunca deve vacilar. Nenhum argumento deve levá-los ao erro. Nunca ouça quando eles lhe disserem que o homem e os animais têm um interesse comum, que a prosperidade de um é a prosperidade dos outros. É tudo mentira. O homem não serve aos interesses de nenhuma criatura, exceto a si mesmo. E entre nós, animais, que haja perfeita unidade, perfeita camaradagem na luta. Todos os homens são inimigos. Todos os animais são camaradas.

Neste momento houve um tremendo alvoroço. Enquanto Major falava, quatro ratos grandes saíram de suas tocas e estavam sentados nas patinhas traseiras, ouvindo-o. Os cães os avistaram de repente, e somente devido à rapidez com que sumiram nos buracos foi que os ratos conseguiram escapar com vida. Major levantou a pata, pedindo silêncio.

— Camaradas — disse ele —, aqui está um ponto que deve ser resolvido. As criaturas selvagens, como ratos e coelhos, são nossos amigos ou nossos inimigos? Vamos colocar esse assunto em votação. Proponho esta pergunta à reunião: Os ratos são camaradas?

A votação foi feita de uma só vez, e foi concordado por uma esmagadora maioria que os ratos eram camaradas. Havia apenas quatro dissidentes, os três cães e o gato, que mais tarde se descobriu ter votado em ambos os lados. Major continuou:

— Tenho pouco mais a dizer. Apenas repito, lembre-se sempre de seu dever de inimizade para com o homem e todos os seus caminhos. Tudo o que anda sobre duas pernas é um inimigo. Tudo o que anda sobre quatro pernas, ou tem asas, é um amigo. E lembre-se também que na luta contra o homem, não devemos ser como ele. Mesmo quando você o tiver vencido, não adote seus vícios. Nenhum animal deve morar em uma casa, ou dormir em uma cama, ou usar roupas, ou beber álcool, ou fumar tabaco, ou tocar em dinheiro, ou se envolver no comércio. Todos os hábitos do homem são maus. E, acima de tudo, nenhum animal deve tiranizar sobre sua própria espécie. Fracos ou fortes, inteligentes ou simples, somos todos irmãos. Nenhum animal deve matar outro animal, todos os animais são iguais.

— E agora, camaradas, vou lhes contar sobre meu sonho de ontem à noite. Não sei como explicá-lo. Foi um sonho sobre como será o mundo quando o homem desaparecer. Mas me lembrou de algo que eu tinha há muito tempo esquecido. Muitos anos atrás, quando eu era um porquinho, minha mãe e as outras porcas costumavam cantar uma velha canção da qual só conheciam a melodia e as três primeiras palavras. Eu conhecia essa melodia na minha infância, mas há muito que tinha saído da minha mente. Ontem à noite, no entanto, voltou à minha mente em meu sonho. E, além disso, as palavras da canção também voltaram — palavras, tenho certeza, que foram cantadas pelos animais de antigamente e estão perdidas na memória por gerações. Vou cantar essa canção para vocês agora, camaradas. Estou velho e minha voz está rouca, mas quando eu lhes ensinar a melodia, vocês poderão cantá-la melhor do que eu. Chama-se *Bichos da Inglaterra*.

O Velho Major pigarreou e começou a cantar. Como ele havia dito, sua voz era rouca, mas cantava bem, e era uma melodia emocionante, algo entre *Clementine* e *La Cucaracha*. Os versos diziam o seguinte:

> *Bichos da Inglaterra e da Irlanda,*
> *Bichos de todas as terras distantes,*
> *Ouçam minha alegre demanda,*
> *Do tempo futuro brilhante.*
>
> *Cedo ou tarde virá o dia,*
> *E nos campos férteis da Inglaterra,*
> *O homem será derrotado junto com sua tirania,*
> *E apenas por animais será habitada a terra.*
>
> *Anéis desaparecerão de nossas ventas,*
> *E os arreios de nossas costas,*
> *Enferrujarão os freios, esporas e outras ferramentas,*
> *Chicotes cruéis não mais estarão a postos.*
>
> *Riquezas mais do que todos imaginarão,*
> *Trigo e cevada, aveia e feno,*
> *Trevo, feijão e manjericão,*
> *Nossos dias serão mais amenos.*

Os campos da Inglaterra brilharão,
Mais puras serão suas águas,
Mais doces ainda suas brisas soprarão,
No dia que nos libertar das mágoas.

Todos nós devemos trabalhar para alcançar esse dia,
Mesmo que morramos antes que chegue o dia da verdade,
Vacas, cavalos, gansos, perus e cotias,
Todos devem trabalhar pela liberdade.

Bichos da Inglaterra e da Irlanda,
Bichos de todas as terras distantes,
Ouçam e espalhem minha alegre demanda,
Do tempo futuro brilhante.

O canto lançou os animais à mais selvagem excitação. Quase antes de Major chegar ao fim, eles começaram a cantar para si mesmos. Até os mais estúpidos já tinham captado a melodia e algumas palavras, e os mais espertos, como os porcos e os cães, memorizaram a música inteira em poucos minutos. E então, depois de algumas tentativas preliminares, toda a fazenda cantou *Bichos da Inglaterra* em um tremendo uníssono. As vacas mugiram, os cães ganiram, as ovelhas baliram, os cavalos relincharam, os patos grasnaram. Eles ficaram tão encantados com a música que a cantaram cinco vezes sucessivamente, e poderiam ter continuado cantando a noite toda se não tivessem sido interrompidos.

Infelizmente, o alvoroço acordou o Sr. Jones, que saltou da cama, certificando-se de que havia uma raposa no quintal. Ele pegou a arma que sempre ficava em um canto de seu quarto e disparou uma carga na escuridão. O chumbo fixou na parede do celeiro e a reunião terminou às pressas. Cada um fugiu para seu canto. Os pássaros pularam em seus poleiros, os animais se acomodaram na palha e toda a fazenda adormeceu em um momento.

"Nenhum animal deve matar qualquer outro animal..."

2

Três noites depois, o velho Major morreu pacificamente enquanto dormia. Seu corpo foi enterrado ao pé do pomar.

Isso foi no início de março. Durante os três meses seguintes houve muita atividade secreta. O discurso de Major tinha dado aos animais mais inteligentes da fazenda uma visão completamente nova da vida. Eles não sabiam quando a Rebelião prevista pelo Major aconteceria, eles não tinham motivos para pensar que seria durante sua própria vida, mas viram claramente que era seu dever se preparar para isso. O trabalho de ensinar e organizar os outros recaiu naturalmente sobre os porcos, que eram reconhecidos como os mais inteligentes dos animais. Destacados entre os porcos estavam dois jovens ilustres chamados Bola de Neve e Napoleão, que o Sr. Jones estava criando para venda. Napoleão era um grande porco da raça Berkshire de aparência bastante feroz, o único Berkshire na fazenda, não muito falador, mas com a reputação de conseguir o que queria. Bola de Neve era um porco mais vivaz do que Napoleão, mais rápido no discurso e mais inventivo, mas não era considerado como tendo a mesma solidez de caráter. Todos os outros porcos machos da fazenda eram castrados. O mais conhecido deles era um porquinho gordo chamado Procópio, de bochechas muito redondas, olhos cintilantes, movimentos ágeis e voz estridente. Ele era um orador brilhante e, quando discutia algum ponto difícil, tinha um jeito de pular de um lado para o outro e balançar o rabo, o que era de alguma forma muito persuasivo. Os outros diziam que Procópio podia transformar preto em branco.

Esses três haviam elaborado os ensinamentos do velho Major em um sistema completo de pensamento, ao qual deram o nome de Animalismo. Várias noites por semana, depois que o Sr. Jones dormia, eles realizavam reuniões secretas no celeiro e expunham os princípios do Animalismo aos outros. No início, eles encontraram muita estupidez e apatia. Alguns dos animais falavam da lealdade ao Sr. Jones, a quem chamavam de "Mestre", ou faziam comentários elementares como "O Sr. Jones nos alimenta. Se ele se fosse, morreríamos de fome". Outros faziam perguntas como "Por que devemos nos importar com o que acontece depois que morremos?" ou "Se esta Rebelião vai acontecer de qualquer maneira, que diferença faz trabalharmos para ela ou não?", e os porcos tiveram grande dificuldade em fazê-los perceber que isso era contrário ao espírito do Animalismo. As perguntas mais estúpidas de todas foram feitas por Serena, a égua branca. A primeira pergunta que ela fez a Bola de Neve foi: "Ainda haverá açúcar depois da Rebelião?"

— Não — disse Bola de Neve com firmeza—, não temos como fazer açúcar nesta fazenda. Além disso, você não precisa de açúcar. Você terá toda a aveia e feno que quiser.

— E ainda terei permissão para usar fitas na minha crina? — perguntou Serena.

— Camarada — disse Bola de Neve —, essas fitas às quais você é tão devota são o emblema da escravidão. Você não consegue entender que a liberdade vale mais do que fitas?

Serena concordou, mas não parecia muito convencida.

Os porcos tiveram uma luta ainda mais difícil para neutralizar as mentiras de Moisés, o corvo domesticado. Moisés, que era o animal de estimação especial do Sr. Jones, era um espião e um fofoqueiro, mas também um conversador inteligente. Ele alegou saber da existência de um país misterioso chamado Montanha de Açúcar, para onde todos os animais iam quando morriam. Estava situado em algum lugar no céu, um pouco além das nuvens, segundo dizia Moisés. Na Montanha de Açúcar era domingo sete dias por semana, o campo floria durante todo o ano, e açúcar em pedaços e bolo de linhaça cresciam nas sebes. Os animais odiavam Moisés porque ele contava histórias e não trabalhava, mas alguns deles acreditavam na Montanha de Açúcar, e os porcos tiveram que argumentar muito para convencê-los de que tal lugar não existia.

Os discípulos mais fiéis eram os dois cavalos de carroça, Tritão e Ariel. Esses dois tiveram grande dificuldade em pensar em algo por si mesmos, mas, uma vez que aceitaram os porcos como seus professores, absorveram tudo o que lhes foi dito e transmitiram os ensinamentos aos outros animais por meio de argumentos simples. Eles eram infalíveis em sua participação nas reuniões secretas no celeiro e lideravam o canto *Bichos da Inglaterra*, com o qual as reuniões sempre terminavam.

Afinal, a Rebelião foi alcançada muito mais cedo e mais facilmente do que qualquer um esperava. Nos últimos anos, o Sr. Jones, embora um mestre duro, tinha sido um fazendeiro capaz, mas ultimamente ele estava em dias ruins. Ele ficou muito desanimado depois de perder dinheiro em um processo e passou a beber bastante. Durante dias inteiros ele ficava sentado em sua cadeira na cozinha, lendo os jornais, bebendo e ocasionalmente alimentando Moisés com pedaços de pão embebidos em cerveja. Seus funcionários eram ociosos e desonestos, os campos estavam cheios de ervas daninhas, os galpões precisavam de telhados, as sebes eram negligenciadas e os animais eram mal alimentados.

Junho chegou e o feno estava quase pronto para ser cortado. Na véspera do Solstício de Verão, que era um sábado, o Sr. Jones foi a Willingdon e bebeu tanto no Leão Vermelho que só voltou ao meio-dia de domingo. Os homens haviam ordenhado as vacas de manhã cedo e depois saído para caçar coelhos, sem se preocupar em alimentar os animais. Quando o Sr. Jones voltou, foi dormir no sofá da sala com o jornal sobre seu rosto, de modo que, quando a noite chegou, os animais ainda não tinham sido alimentados. Por fim, eles não aguentaram mais. Uma das vacas quebrou a porta do galpão com seu chifre e todos os animais começaram a se servir das lixeiras. Foi então que o Sr. Jones acordou. No momento seguinte, ele e seus quatro funcionários estavam no galpão com chicotes nas mãos, chicoteando em todas as direções. Isso era mais do que os animais famintos podiam suportar. De comum acordo, embora nada do tipo tivesse sido planejado de antemão, eles se lançaram sobre seus algozes. Jones e seus homens de repente se viram sendo golpeados e chutados de todos os lados. A situação estava completamente fora de controle. Eles nunca tinham visto animais se comportarem assim antes, e esse súbito levante de criaturas, a quem eles estavam acostumados a surrar e maltratar exatamente como queriam, os apavorou. Depois de apenas um momento ou dois, eles desistiram de tentar se defender e fugiram. Um minuto depois, todos os cinco estavam em plena fuga pela trilha que levava à estrada principal, com os animais os perseguindo triunfantes.

A Sra. Jones olhou pela janela do quarto, viu o que estava acontecendo, atirou apressadamente alguns pertences em uma sacola e saiu da fazenda por outro caminho. Moisés saltou de seu poleiro e voou atrás dela, grasnando alto. Enquanto isso, os animais perseguiram Jones e seus homens na estrada e bateram o portão de cinco barras atrás deles. E assim, quase antes que eles soubessem o que estava acontecendo, a Rebelião foi realizada com sucesso: Jones foi expulso, e a Fazenda Solar era deles.

Nos primeiros minutos, os animais mal puderam acreditar na sorte. O primeiro ato deles foi galopar em bando até os limites da fazenda, como se quisesse ter certeza de que nenhum ser humano estava escondido em qualquer lugar; então eles correram de volta para os galpões da fazenda para eliminar os últimos vestígios do odiado reinado de Jones. A sala de ferramentas no final dos estábulos foi arrombada; os freios, as argolas de nariz, as correntes de cachorro, as cruéis facas com que Jones castrava os porcos e os cordeiros, foram todos jogados no poço. As rédeas, os cabrestos, os antolhos, os bornais degradantes, foram jogados no fogo que ardia no pátio. Assim como os chicotes. Todos os animais pularam de alegria quando viram os chicotes pegando fogo. Bola de Neve também jogou no fogo as fitas que enfeitavam as crinas e caudas dos cavalos em dias de feira. "As fitas", disse ele, "devem ser consideradas como roupas, que são a marca de um ser humano. Todos os animais devem andar nus."

Ao ouvir isso, Tritão foi buscar o pequeno chapéu de palha que usava no verão para manter as moscas longe de suas orelhas e o jogou no fogo com o resto.

Em pouco tempo, os animais destruíram tudo o que os lembrava do Sr. Jones. Napoleão então os levou de volta ao galpão e serviu uma ração dupla de milho para todos, com dois biscoitos para cada cachorro. Então eles cantaram *Bichos da Inglaterra* de ponta a ponta sete vezes seguidas, e depois disso eles se acomodaram e dormiram como nunca tinham dormido antes.

Mas eles acordaram ao amanhecer como de costume e, de repente, lembrando-se da coisa gloriosa que havia acontecido, todos correram para o pasto juntos. Um pouco mais abaixo no pasto havia uma colina que dava para a vista da maior parte da fazenda. Os animais correram para o topo e olharam em volta na clara luz da manhã. Sim, era deles — tudo o que eles podiam ver era deles! No êxtase desse pensamento, eles deram voltas e mais voltas, eles se lançaram no ar em grandes saltos de excitação. Rolaram no orvalho, colheram bocados da erva doce do verão, levantaram torrões de terra negra e aspiraram seu cheiro. Em seguida, fizeram uma ronda de inspeção por toda a fazenda e examinaram com admiração a lavoura, o campo de feno, o pomar, a piscina, o espinheiro.

Então eles voltaram para os galpões da fazenda e pararam em silêncio do lado de fora da casa da fazenda. Também era deles, mas estavam com medo de entrar. Depois de um momento, porém, Bola de Neve e Napoleão abriram a porta com os ombros e os animais entraram em fila indiana, caminhando com o maior cuidado por medo de atrapalhar alguma coisa. Andaram nas pontas dos pés, de quarto em quarto, sussurrando e olhando com uma espécie de assombro o luxo inacreditável, as camas com seus colchões de penas, os espelhos, o sofá de crina de cavalo, o tapete de Bruxelas, a litografia da rainha Vitória sobre a lareira da sala de visitas. Eles estavam descendo as escadas quando deram pela falta de Serena. Voltando, os outros descobriram que ela havia ficado no melhor quarto. Ela pegou um pedaço de fita azul da Sra. Jones na penteadeira, e estava segurando-a contra seu ombro e se admirando no espelho de uma maneira muito tola. Os outros a repreenderam severamente e foram para fora. Alguns presuntos pendurados na cozinha foram levados para fora e enterrados, e o barril de cerveja na copa foi rebentado com um chute do casco de Tritão, além disso, nada na casa foi tocado. Uma resolução unânime foi aprovada no local: a de que a casa da fazenda deveria ser preservada como um museu. Todos concordaram que nenhum animal jamais deveria viver ali.

Os animais tomaram o café da manhã, e foram convocados por Bola de Neve e Napoleão.

— Camaradas — disse Bola de Neve —, são seis e meia e temos um longo dia pela frente. Hoje começamos a colheita do feno. Mas há outro assunto que devemos discutir primeiro.

Os porcos revelaram que durante os últimos três meses eles aprenderam a ler e escrever com um velho livro de ortografia que pertenceu aos filhos do Sr. Jones e que foi jogado no lixo. Napoleão mandou buscar potes de tinta preta e branca e desceu até o portão de cinco barras que dava para a estrada principal. Então Bola de Neve (que escrevia melhor) pegou um pincel entre as juntas da pata, pintou a barra superior do portão onde se lia FAZENDA SOLAR, apagando a inscrição e escreveu FAZENDA DOS ANIMAIS no lugar. Este seria o nome da fazenda a partir de agora. Depois disso, eles voltaram para os prédios da fazenda, onde Bola de Neve e Napoleão mandaram buscar uma escada que eles colocaram contra a parede de fundo do grande celeiro. Eles explicaram que por seus estudos dos últimos três meses os porcos conseguiram reduzir os princípios do Animalismo a Sete Mandamentos. Esses Sete Mandamentos seriam agora escritos na parede; eles formariam uma lei inalterável pela qual todos os animais da Fazenda dos Animais deveriam seguir para sempre. Com alguma dificuldade (pois não é fácil para um porco se equilibrar em uma escada), Bola de Neve subiu e começou a trabalhar, com Procópio alguns degraus abaixo dele segurando o pote de tinta. Os Mandamentos foram escritos na parede alcatroada em grandes letras brancas que podiam ser lidas a trinta metros de distância. Escreveram assim:

OS SETE MANDAMENTOS

1. Tudo o que anda sobre duas pernas é um inimigo.
2. Tudo o que anda sobre quatro patas, ou tem asas, é um amigo.
3. Nenhum animal deve usar roupas.
4. Nenhum animal deve dormir na cama.
5. Nenhum animal deve beber álcool.
6. Nenhum animal deve matar qualquer outro animal.
7. Todos os animais são iguais.

Foi muito bem escrito, exceto que "amigo" foi escrito "amig" e um dos "S" estava ao contrário, o resto da ortografia estava correta. Bola de Neve leu em voz alta para o benefício dos outros. Todos os animais concordaram com a cabeça, e os mais espertos logo começaram a decorar os Mandamentos.

— Agora, camaradas! — exclamou Bola de Neve, jogando o pincel no chão —, para o campo de feno! É uma questão de honra fazer a colheita mais rápido do que Jones e seus homens poderiam fazer.

Mas nesse momento as três vacas, que pareciam inquietas há algum tempo, começaram a mugir alto. Elas não eram ordenhadas havia vinte e quatro horas, e seus úberes estavam quase estourando. Depois de pensar um pouco, os porcos mandaram buscar baldes e ordenharam as vacas com bastante sucesso, pois seus pés estavam bem adaptados a essa tarefa. Logo havia cinco baldes de leite cremoso e espumante para os quais muitos dos animais olhavam com considerável interesse.

— O que vai acontecer com todo esse leite? — perguntou alguém.

— Jones costumava misturar um pouco disso em nosso purê — disse uma das galinhas.

— Não importa o leite, camaradas! — gritou Napoleão, colocando-se na frente dos baldes. A colheita é mais importante. O camarada Bola de Neve vai liderar o caminho. Eu o seguirei em alguns minutos. Avante, camaradas! O feno está esperando.

Assim, os animais desceram para o campo de feno para começar a colheita e, quando voltaram à noite, notaram que o leite havia desaparecido.

"Eram os porcos que apresentavam as resoluções. Os outros animais sabiam como votar, mas nunca conseguiam pensar em nenhuma resolução própria."

3

Como eles trabalhavam e suavam para conseguir o feno! Mas seus esforços foram recompensados, pois a colheita foi um sucesso ainda maior do que eles esperavam. Às vezes o trabalho era difícil, os implementos foram projetados para seres humanos e não para animais, e era uma grande desvantagem que nenhum animal pudesse usar qualquer ferramenta que envolvesse ficar em pé sobre as patas traseiras. Mas os porcos eram tão espertos que sempre conseguiam pensar em uma maneira de contornar cada dificuldade. Quanto aos cavalos, eles conheciam cada centímetro do campo e, de fato, entendiam o negócio de ceifar e varrer muito melhor do que Jones e seus homens jamais haviam feito. Os porcos não trabalhavam de fato, mas dirigiam e supervisionavam os outros. Com seu conhecimento superior, era natural que assumissem a liderança. Tritão e Ariel se atrelavam ao cortador ou ao ancinho (não eram necessários freios ou rédeas naqueles dias, é claro) e vagavam sem parar pelo campo com um porco andando atrás e gritando "Puxa, camarada!" ou "Ei, de volta, camarada!", conforme o caso. E todos os animais, até os mais humildes, trabalhavam para juntar o feno e colhê-lo. Até os patos e as galinhas trabalhavam de um lado para o outro ao sol, carregando no bico pequenos tufos de feno. No final, eles terminaram a colheita em dois dias a menos do que costumava levar Jones e seus homens. Além disso, foi a maior colheita que a fazenda já viu. Não houve qualquer desperdício, as galinhas e os patos com seus olhos aguçados haviam recolhido o último talo. E nenhum animal da fazenda havia roubado nem um bocado. Durante todo aquele verão, o trabalho da fazenda funcionou como um relógio. Os animais estavam felizes como nunca imaginaram que fosse possível. Cada bocado de comida era um imenso prazer, agora que a comida era realmente deles, produzida por eles mesmos e para eles mesmos, não distribuída a eles por um mestre relutante. Com o desaparecimento dos seres humanos parasitas inúteis, havia mais para todos comerem. Havia mais lazer também, por mais inexperientes que fossem os animais. Eles encontraram muitas dificuldades — por exemplo, no final do ano, quando eles colhiam o milho, tinham que pisar no estilo antigo e soprar o joio com o fôlego, já que a fazenda não possuía máquina de debulha — mas os porcos com sua esperteza e Tritão com seus músculos incríveis sempre os puxava. Tritão era a admiração de todos. Ele tinha sido um árduo trabalhador, mesmo no tempo de Jones, mas agora ele parecia mais três cavalos do que um; havia dias em que todo o trabalho da fazenda parecia repousar sobre seus ombros poderosos. De manhã à noite, ele estava empurrando e puxando, sempre no local onde o trabalho era mais difícil. Ele havia combinado com um dos galos para acordá-lo meia hora mais cedo do que os outros, e empregava esse tempo em trabalho voluntário no que parecesse ser mais necessário, antes que o trabalho normal do dia começasse. Sua resposta para cada problema, era "Vou trabalhar mais ainda!", frase que ele adotou como seu lema pessoal.

Cada um trabalhava de acordo com sua capacidade. As galinhas e os patos, por exemplo, economizaram cinco baldes de milho na colheita, recolhendo os grãos perdidos. Ninguém roubava, ninguém resmungava sobre suas rações, as brigas, mordidas e ciúmes que eram características normais da vida nos velhos tempos quase desapareceram. Ninguém se esquivou — ou quase ninguém. Serena, é verdade, não era boa em levantar de manhã e parava de trabalhar cedo porque havia uma pedra em seu casco. E o comportamento do gato era um tanto peculiar. Logo se percebeu que, quando havia trabalho a ser feito, o gato nunca podia ser encontrado. Ele desaparecia por horas a fio e depois reaparecia na hora das refeições, ou à noite, depois que o trabalho acabava, como se nada tivesse acontecido. Mas ele sempre dava desculpas excelentes, e ronronava com tanto carinho, que era impossível não acreditar em suas boas intenções. O velho Benjamin, o burro, parecia inalterado desde a Rebelião. Ele fazia seu trabalho da mesma maneira lenta e obstinada como fizera no tempo de Jones, nunca se esquivando e nunca se voluntariando para trabalho extra. Sobre a Rebelião e seus resultados ele não opinava. Quando perguntado se ele não estava mais feliz agora que Jones se foi, ele respondia "Os burros vivem muito tempo. Nenhum de vocês jamais viu um burro morto", e os outros tinham que se contentar com essa resposta enigmática.

Aos domingos não havia trabalho. O desjejum era uma hora mais tarde do que o habitual, e depois do desjejum havia uma cerimônia que se realizava todas as semanas sem falta. Começava com o hasteamento da bandeira. Bola de Neve encontrara na sala dos arreios uma velha toalha de mesa verde da Sra. Jones e pintara nela um casco e um chifre de branco. Essa era bandeira que subia ao topo do mastro todos os domingos pela manhã. A bandeira era verde, explicava Bola de Neve, para representar os campos verdes da Inglaterra, enquanto o casco e o chifre significavam a futura República dos Animais que surgiria quando a raça humana fosse finalmente derrubada. Após o hasteamento da bandeira, todos os animais marchavam para o grande celeiro para uma assembleia geral que ficou conhecida como Reunião. Aqui o trabalho da próxima semana era planejado e as resoluções eram apresentadas e debatidas. Eram os porcos que apresentavam as resoluções. Os outros animais sabiam como votar, mas nunca conseguiam pensar em nenhuma resolução própria. Bola de Neve e Napoleão eram de longe os mais ativos nos debates. Mas notou-se que esses dois nunca estavam de acordo: qualquer sugestão que um deles fizesse, o outro poderia se opor. Mesmo quando foi resolvido — algo que ninguém poderia se opor — que o pequeno cercado atrás do pomar seria um lar de descanso para os animais aposentados, houve também um debate tempestuoso sobre a idade correta de aposentadoria para cada classe de animal. A Reunião terminava sempre com o canto *Bichos da Inglaterra*, e a tarde destinava-se à recreação.

Os porcos tinham reservado a sala de ferramentas como quartel-general para si mesmos. Ali, à noite, eles estudavam mecânica, carpintaria e outras artes necessárias a partir de livros que haviam trazido da casa da fazenda. Bola de Neve também se ocupou em organizar os outros animais no que chamou de Comitês de Animais. Ele era incansável nisso. Ele formou o Comitê de Produção de Ovos para as galinhas, a Liga de Caudas Limpas para as vacas, o Comitê de Reeducação dos Camaradas Selvagens (o objetivo disso era domar os ratos e coelhos), o Movimento da Lã Mais Branca para as ovelhas e vários outros, além de instituir aulas de leitura e escrita. No geral, esses projetos foram um fracasso. A tentativa de domar as criaturas selvagens, por exemplo, fracassou quase imediatamente. Eles continuaram a se comportar como antes, e quando tratados com generosidade, tiravam proveito da oportunidade. O gato ingressou no Comitê de Reeducação e foi muito ativo nele por alguns dias. Ele foi visto um dia sentado em um telhado conversando com alguns pardais que estavam fora de seu alcance. Ele estava dizendo a eles que todos os animais eram agora camaradas e que qualquer pardal que escolhesse poderia vir e pousar em sua pata; mas os pardais mantiveram distância.

As aulas de leitura e escrita, no entanto, foram um grande sucesso. No outono, quase todos os animais da fazenda estavam alfabetizados em algum grau.

Quanto aos porcos, eles já sabiam ler e escrever perfeitamente. Os cães aprenderam a ler razoavelmente bem, mas não estavam interessados em ler nada além dos Sete Mandamentos. Esmeralda, a cabra, sabia ler um pouco melhor do que os cães, e às vezes costumava ler para os outros à noite pedaços de jornal que encontrava no lixo. Benjamin sabia ler tão bem quanto qualquer porco, mas nunca exerceu sua faculdade. Até onde ele sabia, dizia ele, não havia nada que valesse a pena ler. Ariel aprendeu todo o alfabeto, mas não conseguia juntar as palavras. Tritão não conseguia ir além da letra D. Ele traçava A, B, C, D, na poeira com seu grande casco, e depois ficava olhando para as letras com as orelhas para trás, às vezes balançando o topete, tentando com a sua força lembrar o que vinha a seguir e nunca tinha sucesso. Em várias ocasiões, na verdade, ele aprendeu E, F, G, H, mas no momento em que conseguia, sempre descobria que ele havia esquecido A, B, C e D. Finalmente ele decidiu se contentar com as primeiras quatro letras, e costumava escrevê-las uma ou duas vezes por dia para refrescar sua memória. Serena se recusou a aprender qualquer outra, exceto as seis letras que formavam seu próprio nome. Ela as formava com muito capricho com pedaços de galho, e então as decorava com uma ou duas flores e andava em volta delas admirando-as.

Nenhum dos outros animais da fazenda conseguia ir além da letra A. Descobriu-se também que os animais mais estúpidos, como as ovelhas, galinhas e patos, eram incapazes de aprender os Sete Mandamentos de cor. Depois de muito pensar, Bola de Neve declarou que os Sete Mandamentos poderiam, na verdade, ser reduzidos a uma única máxima, a saber: "Quatro pernas bom, duas pernas ruim". Isso, dizia ele, continha o princípio essencial do Animalismo. Quem tivesse compreendido estaria a salvo das influências humanas. Os pássaros a princípio se opuseram, pois, lhes parecia que também tinham duas patas, mas Bola de Neve provou-lhes que não era assim.

— A asa de um pássaro, camaradas — disse ele —, é um órgão de propulsão e não de manipulação. Portanto, deve ser considerada uma perna. A marca distintiva do homem é a mão, o instrumento com o qual ele faz todas as suas travessuras.

Os pássaros não entenderam as longas palavras de Bola de Neve, mas aceitaram sua explicação, e todos os animais mais humildes começaram a trabalhar para aprender de cor a nova máxima. QUATRO PERNAS BOM, DUAS PERNAS RUIM, que foi escrito na parede do fundo do celeiro, acima dos Sete Mandamentos e em letras maiores. Depois de decorá-la, as ovelhas passaram a gostar muito dessa máxima e, muitas vezes, deitadas no campo, todas começavam a balir:

"QUATRO PERNAS BOM, DUAS PERNAS RUIM! QUATRO PERNAS BOM, DUAS PERNAS RUIM!"

E baliam horas a fio, sem nunca se cansar.

Napoleão não se interessou pelos comitês de Bolas de Neve. Ele disse que a educação dos jovens era mais importante do que qualquer coisa que pudesse ser feita por aqueles que já eram adultos. Aconteceu que Kika e Luca pariram logo após a colheita do feno, dando à luz nove filhotes robustos. Assim que foram desmamados, Napoleão os afastou de suas mães, dizendo que se responsabilizaria por sua educação. Ele os levou para um sótão que só podia ser alcançado por uma escada da sala das ferramentas, e lá os manteve em tal reclusão que o resto da fazenda logo esqueceu de sua existência.

O mistério de para onde foi o leite se esclareceu. Era misturado todos os dias no purê dos porcos. As primeiras maçãs estavam agora amadurecendo, e a grama do pomar estava repleta de colheitas inesperadas. Os animais presumiram naturalmente que as frutas fossem divididas igualmente; um dia, porém, chegou a ordem para que todas as frutas caídas fossem recolhidas e levadas ao depósito das ferramentas, para consumo dos porcos.

Com isso alguns dos outros animais murmuraram, mas não adiantou. Todos os porcos estavam de pleno acordo nesse ponto, até Bola de Neve e Napoleão. Procópio foi enviado para dar as explicações necessárias aos demais.

— Camaradas! — ele gritou —, vocês não imaginam, espero, que nós, porcos, estamos fazendo isso com espírito de egoísmo e privilégio. Muitos de nós não gostam de leite e maçãs. Eu mesmo não gosto. Nosso único objetivo ao tomar essas coisas é preservar nossa saúde. Leite e maçãs (isso foi comprovado pela ciência, camaradas) contêm substâncias absolutamente necessárias à saúde de um porco. Nós, porcos, somos trabalhadores intelectuais. Toda a gestão e organização desta fazenda depende de nós. Dia e noite estamos zelando pelo bem-estar de todos. É por causa de vocês que bebemos esse leite e comemos essas maçãs. Vocês sabem o que aconteceria se nós, porcos, falhássemos em nosso dever? Jones voltaria! Sim, Jones voltaria! Certamente, camaradas —, gritou Procópio quase suplicante, pulando de um lado para o outro balançando o rabo. Certamente não há ninguém entre vocês que queira ver Jones voltar.

Agora, se havia uma coisa de que os animais estavam completamente certos, era que eles não queriam Jones de volta. Quando foi colocado esta opção, eles não tinham mais nada a dizer. A importância de manter os porcos em boa saúde era muito óbvia. Assim, foi acordado sem mais argumentos que o leite e as maçãs inesperadas (e também a colheita principal de maçãs quando maduras) deveriam ser reservados para os porcos.

"Bola de Neve, que estudara um velho livro das campanhas de Júlio César, estava encarregado das operações defensivas."

4

No final do verão, as notícias do que acontecera na Fazenda dos Animais se espalharam pelo condado. Todos os dias Bola de Neve e Napoleão enviavam bandos de pombos cujas instruções eram misturar-se com os animais nas fazendas vizinhas, contar-lhes a história da Rebelião e ensinar-lhes a canção *Bichos da Inglaterra*.

A maior parte desse tempo o Sr. Jones passou sentado na taverna do Leão Vermelho em Willingdon, reclamando com quem quisesse ouvir sobre a monstruosa injustiça que ele sofrera ao ser expulso de sua propriedade por um bando de animais imprestáveis. Os outros fazendeiros simpatizaram em princípio, mas não lhe ofereceram ajuda. No fundo, cada um deles se perguntava secretamente se não poderia de alguma forma transformar o infortúnio de Jones em seu próprio benefício. Foi uma sorte que os donos das duas fazendas adjacentes à Fazenda dos Animais estivessem permanentemente em más relações. Uma delas, que se chamava *Foxwood*, era uma fazenda grande, abandonada e antiquada, coberta de mata, com todos os seus pastos desgastados e suas cercas em condições vergonhosas. Seu proprietário, Sr. Pilkington, era um agricultor descontraído que passava a maior parte do tempo pescando ou caçando de acordo com a estação. A outra fazenda, que se chamava *Pinchfield*, era menor e mais bem conservada. Seu dono era um certo Sr. Frederick, um homem duro e astuto, perpetuamente envolvido em ações judiciais e com fama de conduzir barganhas difíceis. Esses dois não gostavam um do outro e era difícil eles chegarem a um acordo, mesmo em defesa de seus próprios interesses.

No entanto, ambos estavam assustados com a rebelião na Fazenda dos Animais e muito preocupados em evitar que seus próprios animais tomassem conhecimento sobre isso. A princípio, fingiam rir para desprezar a ideia de animais administrando uma fazenda. A coisa toda terminaria em quinze dias, eles diziam. Eles diziam também que os animais da Fazenda Solar (eles insistiam em chamá-la de Fazenda Solar; pois não toleravam o nome "Fazenda dos Animais") estavam perpetuamente lutando entre si e também estavam morrendo de fome rapidamente. Quando o tempo passou e os animais evidentemente não morreram de fome, Frederick e Pilkington mudaram de tom e começaram a falar da terrível maldade que agora florescia na Fazenda dos Animais. Foi divulgado que os animais ali praticavam canibalismo, torturavam uns aos outros com ferraduras em brasa e tinham suas fêmeas em comum. Foi isso que resultou a revolta contra as leis da natureza, diziam Frederick e Pilkington.

No entanto, nunca ninguém acreditou nessas histórias. Rumores de uma fazenda maravilhosa, onde os seres humanos haviam sido expulsos e os animais administravam seus próprios negócios, continuaram a circular de formas vagas e distorcidas, e durante todo aquele ano uma onda de rebeldia percorreu o campo. Os touros, que sempre foram dóceis, de repente se tornaram selvagens, as ovelhas quebraram as cercas e devoraram o trevo, as vacas chutaram os baldes, os cavalos de salto refugavam os obstáculos, jogando os cavaleiros para o outro lado. Acima de tudo, a melodia e até as palavras de *Bichos da Inglaterra* tornaram-se conhecidas em todos os lugares. Espalhou-se com uma velocidade espantosa. Os seres humanos não conseguiam conter sua raiva quando ouviam essa música, embora fingissem pensar que era apenas ridícula. Eles não conseguiam entender, diziam, como até os animais conseguiam cantar uma bobagem tão desprezível. Qualquer animal pego cantando era açoitado no local. E, no entanto, a música era irreprimível. Os melros assobiavam-na nas sebes, os pombos arrulhavam-na nos ulmeiros, entrava no alarido das ferrarias e na melodia dos sinos das igrejas. E quando os seres humanos a ouviam, eles secretamente tremiam, ouvindo nela uma profecia de seu destino.

No início de outubro, quando o milho estava cortado e empilhado e parte dele já estava debulhado, uma revoada de pombos veio rodopiando pelo ar e pousou no pátio da Fazenda dos Animais em agitação. Jones e todos os seus homens, com meia dúzia de outros de Foxwood e Pinchfield, haviam entrado pelo portão de cinco barras e estavam subindo a trilha que levava à fazenda. Todos carregavam bastões, exceto Jones, que marchava à frente com uma arma nas mãos. Obviamente eles iriam tentar a recaptura da fazenda.

Isso era esperado há muito tempo, e todos os preparativos haviam sido feitos. Bola de Neve, que estudara um velho livro das campanhas de Júlio César que encontrara na casa da fazenda, estava encarregado das operações defensivas. Ele deu suas ordens rapidamente e, em alguns minutos, todos os animais estavam preparados.

Quando os homens se aproximaram dos galpões da fazenda, Bola de Neve lançou seu primeiro ataque. Todos os pombos, em número de trinta e cinco, voaram para lá e para cá sobre as cabeças dos homens e defecaram sobre eles no ar; e enquanto os homens lidavam com isso, os gansos, que estavam escondidos atrás da cerca viva, correram e bicaram ferozmente as panturrilhas de suas pernas. No entanto, esta foi apenas uma manobra de escaramuça leve, destinada a criar um pouco de desordem, e os homens facilmente expulsaram os gansos com suas varas. Bola de Neve lançou sua segunda linha de ataque. Esmeralda, Benjamin e todas as ovelhas, com Bola de Neve à frente, correram para a frente, cutucaram e bateram nos homens de todos os lados, enquanto Benjamin se virava e os açoitava com seus cascos pequenos. Mas, mais uma vez, os homens, com suas bengalas e suas botas com cravos, eram fortes demais para eles; e de repente, a um guincho de Bola de Neve, que era o sinal de retirada, todos os animais se viraram e fugiram pelo portão em direção ao pátio.

Os homens deram um grito de triunfo. Eles viram, como imaginavam, seus inimigos em fuga e correram atrás deles. Isso era exatamente o que Bola de Neve pretendia. Assim que estavam bem dentro do pátio, os três cavalos, as três vacas e o resto dos porcos, que estavam emboscados no estábulo, de repente surgiram na retaguarda, cortando-os. Bola de Neve agora deu o sinal de carga. Ele próprio correu direto para Jones. Jones o viu chegando, ergueu a arma e disparou. Os projéteis marcaram rastros de sangue nas costas de Bola de Neve e uma ovelha caiu morta. Sem parar por um instante, Bola de Neve se atirou contra as pernas de Jones. Jones foi jogado em uma pilha de esterco e sua arma voou de suas mãos. Mas o espetáculo mais aterrorizante de todos foi Tritão, erguendo-se sobre as patas traseiras e golpeando com seus grandes cascos com ferraduras como um garanhão. Seu primeiro golpe atingiu um cavalariço de Foxwood no crânio e o atirou na lama. Com a visão, vários homens largaram seus bastões e tentaram correr. O pânico tomou conta deles e, no momento seguinte, todos os animais juntos os perseguiram ao redor do pátio. Eles foram chifrados, chutados, mordidos e pisoteados. Não havia um animal na fazenda que não se vingasse deles à sua maneira. Até a gata de repente pulou de um telhado sobre os ombros de um vaqueiro e afundou suas garras em seu pescoço, e ele gritou horrivelmente. No momento em que a abertura estava livre, os homens ficaram felizes o suficiente para sair correndo do pátio e correr para a estrada principal.

 Todos os homens se foram, exceto um. De volta ao pátio, Tritão estava apalpando com o casco o rapaz que estava caído de bruços na lama, tentando virá-lo. O rapaz não se mexia.

 — Ele está morto — disse Tritão com tristeza. Eu não tinha intenção de fazer isso. Esqueci que estava usando ferraduras. Quem vai acreditar que não fiz isso de propósito?

 — Sem sentimentalismo, camarada — gritou Bola de Neve, de cujas feridas o sangue ainda escorria. Guerra é guerra. O único ser humano bom é um morto.

 — Não tenho vontade de tirar a vida de ninguém, nem mesmo a vida humana — repetiu Tritão, com os olhos cheios de lágrimas.

 — Onde está Serena? — perguntou alguém.

 Serena na verdade estava desaparecida. Por um momento houve grande alarme, temia-se que os homens pudessem tê-la prejudicado de alguma forma, ou até mesmo a levado com eles. No final, no entanto, ela foi encontrada escondida em sua baia com a cabeça enterrada no feno da manjedoura. Ela tinha fugido assim que a arma disparou. E quando os outros voltaram a procurá-la, descobriram que o rapaz, na verdade estava apenas atordoado, e já havia se recuperado e fugido.

Os animais agora se reuniram com a mais selvagem excitação, cada um contando suas próprias façanhas na batalha com a voz mais alta possível. Uma celebração improvisada da vitória foi realizada imediatamente. A bandeira foi hasteada e *Bichos da Inglaterra* foi cantada várias vezes, então a ovelha que havia sido morta recebeu um funeral solene, um arbusto de espinheiro foi plantado em seu túmulo. Ao lado do túmulo, Bola de Neve fez um pequeno discurso, enfatizando a necessidade de todos os animais estarem prontos para morrer pela Fazenda dos Animais, se necessário.

Os animais decidiram por unanimidade criar uma condecoração militar, "Herói Animal, Primeira Classe", que foi conferida ali mesmo a Bola de Neve e Tritão. Consistia em uma medalha de latão (eram na verdade alguns antigos bronzes dos arreios que haviam sido encontrados na sala de ferramentas), para serem usados aos domingos e feriados. Havia também "Herói Animal, Segunda Classe", que foi conferido postumamente à ovelha morta.

Houve muita discussão sobre como a batalha deveria ser chamada. No final, foi batizada de Batalha do Estábulo, pois foi lá que a emboscada foi lançada. A arma do Sr. Jones foi encontrada na lama, e sabia-se que havia um suprimento de cartuchos na casa da fazenda. Decidiu-se colocar a arma ao pé do mastro, como uma peça de artilharia, e disparála duas vezes por ano — uma vez no dia doze de outubro, aniversário da Batalha do Estábulo, e outra no dia do solstício de verão, o aniversário da Rebelião.

"Os porcos, que eram claramente mais espertos do que os outros animais, deveriam decidir todas as questões de política agrícola..."

5

À medida que o inverno se aproximava, Serena se tornava cada vez mais problemática. Atrasava-se todas as manhãs para o trabalho e desculpava-se dizendo que tinha dormido demais, queixando-se de dores misteriosas, embora seu apetite fosse excelente. Sob todo tipo de pretexto, ela fugia do trabalho e ia para o açude, onde ficava olhando tolamente para seu próprio reflexo na água. Mas também havia rumores de algo mais sério. Um dia, enquanto Serena passeava alegremente pelo quintal, flertando com o rabo comprido e mastigando um talo de feno, Ariel a chamou de lado.

— Serena — disse ela —, tenho algo muito sério para lhe dizer. Esta manhã vi você olhando por cima da cerca viva que divide a Fazenda Animal de Foxwood. Um dos homens do Sr. Pilkington estava do outro lado da cerca. E... eu estava muito longe, mas tenho quase certeza de ter visto isso... ele estava falando com você e você estava permitindo que ele acariciasse seu nariz. O que isso significa, Serena?

— Ele não! Eu não! Não é verdade! — exclamou Serena, começando a empinar-se e bater as patas no chão.

— Serena! Olhe na minha cara. Você me dá sua palavra de honra de que aquele homem não estava acariciando seu nariz?

— Não é verdade! — repetiu Serena, mas ela não conseguia olhar Ariel no rosto, e no momento seguinte ela deu um salto e galopou para o campo.

Um pensamento atingiu Ariel. Sem dizer nada aos outros, ela foi até a baia de Serena e virou a palha com o casco. Escondidos sob o canudo havia uma pequena pilha de torrões de açúcar e vários feixes de fitas de cores diferentes.

Três dias depois, Serena desapareceu. Durante algumas semanas nada se soube do seu paradeiro, depois os pombos informaram que a tinham visto do outro lado de Willingdon. Ela estava atrelada a uma bonita carroça pintada de vermelho e preto, em frente a uma taberna. Um homem gordo, de rosto vermelho e calções xadrez e polainas, que parecia um taberneiro, acariciava seu nariz e a alimentava com açúcar. Seu pelo fora recentemente rasqueteado e ela usava uma fita escarlate em volta do topete. Ela parecia estar se divertindo, assim disseram os pombos. Nenhum dos animais jamais mencionou Serena novamente.

Em janeiro veio um tempo amargamente duro. A terra era como ferro, e nada podia ser feito nos campos. Muitas reuniões foram realizadas no grande celeiro, e os porcos se ocuparam em planejar o trabalho da próxima temporada. Chegou-se a aceitar que os porcos, que eram claramente mais espertos do que os outros animais, deveriam decidir todas as questões de política agrícola, embora suas decisões tivessem que ser ratificadas por maioria de votos. Esse arranjo teria funcionado bem se não fossem as disputas entre Bola de Neve e Napoleão. Esses dois discordavam em todos os pontos em que o desacordo era possível. Se um deles sugerisse semear uma área maior com cevada, o outro certamente exigiria uma área maior de aveia, e se um deles dissesse que tal ou tal campo era adequado para repolhos, o outro declararia que era inútil para qualquer coisa, exceto raízes. Cada um tinha seus próprios seguidores, e houve alguns debates violentos. Nas Reuniões, Bola de Neve muitas vezes conquistava a maioria por seus discursos brilhantes, mas Napoleão era melhor em angariar apoio para si mesmo nos intervalos. Ele foi especialmente bem-sucedido com as ovelhas. Ultimamente, as ovelhas criaram o hábito de balir "Quatro patas bom, duas pernas ruim", e muitas vezes interrompiam a Reunião com isso. Notou-se que elas eram especialmente propensas a balir "Quatro pernas bom, duas pernas ruim" em momentos cruciais nos discursos de Bola de Neve. Ele estudara atentamente alguns números anteriores da revista do Fazendeiro e Pecuarista que havia encontrado na casa da fazenda, e estava cheio de planos inovadores e melhorias. Ele falava eruditamente sobre drenos de campo, silagem e fertilização, e havia elaborado um esquema complicado para que todos os animais jogassem seu esterco diretamente nos campos, em um local diferente a cada dia, para economizar o trabalho de transporte. Napoleão não apresentou nenhum esquema próprio, mas disse baixinho que o de Bola de Neve não daria em nada e ele parecia estar ganhando tempo. Mas de todas as suas controvérsias, nenhuma foi tão amarga quanto a que ocorreu sobre o moinho de vento.

No longo pasto, não muito longe das construções da fazenda, havia uma pequena colina que era o ponto mais alto da fazenda. Após a análise do terreno, Bola de Neve declarou que ali seria um bom lugar para um moinho de vento, que poderia ser feito para operar um dínamo e fornecer energia elétrica à fazenda. Isso iluminaria as baias e as aqueceria no inverno, e também acionaria uma serra circular, um cortador de palha, um cortador de beterraba e uma máquina de ordenha elétrica. Os animais nunca tinham ouvido falar de nada desse tipo antes (pois a fazenda era antiquada e tinha apenas máquinas primitivas), e eles ouviram atônitos enquanto Bola de Neve evocava imagens de máquinas fantásticas que fariam seu trabalho por eles, enquanto pastariam à vontade nos campos ou aprimorariam suas mentes com leitura e conversação.

Dentro de algumas semanas, os planos de Bola de Neve para o moinho de vento foram totalmente elaborados. Os detalhes mecânicos vinham principalmente de três livros que haviam pertencido ao Sr. Jones — *Mil Coisas Úteis para Fazer em Casa, Seja Seu Próprio Pedreiro e Eletricidade para Iniciantes*. Bola de Neve usou como escritório um galpão que já havia sido usado para incubadoras e tinha um piso de madeira liso, adequado para desenhar. Ele ficou trancado lá por horas a fio. Com seus livros abertos por uma pedra e com um pedaço de giz preso entre os nós dos dedos, ele se movia rapidamente de um lado para outro, desenhando linha após linha e soltando pequenos gemidos de excitação. Gradualmente, os planos se transformaram em um jogo complicado de manivelas e rodas dentadas, cobrindo mais da metade do piso, que os outros animais acharam completamente incompreensível, mas muito impressionante. Todos vinham ver os desenhos de Bola de Neve pelo menos uma vez por dia. Até as galinhas e os patos vieram, e se esforçaram para não pisar nas marcas de giz. Apenas Napoleão se manteve distante. Ele havia se declarado contra o moinho de vento desde o início. Um dia, porém, ele chegou inesperadamente para examinar os planos. Andou pesadamente em volta do galpão, olhou atentamente para cada detalhe dos planos e farejou-os uma ou duas vezes, depois ficou parado por um tempo contemplando-os com o canto do olho; então, de repente, ele levantou a perna, urinou sobre os planos e saiu sem dizer uma palavra.

Toda a fazenda estava profundamente dividida sobre o moinho de vento. Bola de Neve não negava que sua construção seria um negócio difícil. A pedra teria que ser extraída para construir paredes, então as pás teriam que ser feitas e depois disso haveria necessidade de dínamos e cabos. (Como eles seriam obtidos, Bola de Neve não disse.) Mas ele sustentou que tudo poderia ser feito em um ano. E depois disso, ele declarou, que seria economizado tanto trabalho que os animais só precisariam trabalhar três dias por semana. Napoleão, por outro lado, argumentava que a grande necessidade do momento era aumentar a produção de alimentos e que, se perdessem tempo no moinho, todos morreriam de fome. Os animais dividiram-se em duas facções sob os slogans "Vote em Bola de Neve e na semana de três dias" e "Vote em Napoleão e na manjedoura cheia". Benjamim foi o único animal que não aderiu a lado nenhum. Recusava-se a acreditar, tanto em que haveria fartura de alimento, como em que o moinho de vento economizaria trabalho. Moinho ou não moinho, dizia ele, a vida prosseguiria como sempre fora — ou seja, mal.

Além das disputas pelo moinho, havia a questão da defesa da fazenda. Compreendeu-se plenamente que, embora os seres humanos tivessem sido derrotados na Batalha do Estábulo, eles poderiam fazer outra tentativa mais determinada de recapturar a fazenda e reintegrar o Sr. Jones. Eles tinham ainda mais motivos para fazê-lo porque a notícia de sua derrota se espalhou pelo campo e tornou os animais das fazendas vizinhas mais inquietos do que nunca. Como de costume, Bola de Neve e Napoleão estavam em desacordo. Segundo Napoleão, o que os animais deveriam fazer era adquirir armas de fogo e treinar o uso. De acordo com Bola de Neve, eles deviam enviar cada vez mais pombos e incitar a rebelião entre os animais das outras fazendas. Um argumentou que se eles não pudessem se defender, eles estariam fadados a serem conquistados, o outro argumentou que, se as rebeliões acontecessem em todos os lugares, eles não teriam necessidade de se defender. Os animais ouviram primeiro Napoleão, depois Bola de Neve, e não conseguiram decidir o que estava certo; aliás, sempre se encontravam de acordo com aquele que falava no momento.

Finalmente chegou o dia em que os planos de Bola de Neve foram concluídos. Na reunião do domingo seguinte, a questão de começar ou não a trabalhar no moinho de vento foi colocada em votação. Quando os animais se reuniram no grande celeiro, Bola de Neve se levantou e, embora ocasionalmente interrompido pelo balido das ovelhas, expôs suas razões para defender a construção do moinho de vento. Então Napoleão se levantou para responder. Ele disse muito baixinho que o moinho de vento era um absurdo e que não aconselhou ninguém a votar nele, e prontamente sentou-se novamente; ele havia falado por apenas trinta segundos e parecia quase indiferente ao efeito que produziu. Nesse momento, Bola de Neve pôs-se de pé e calou a gritos as ovelhas que começavam a balir de novo, e irrompeu num apelo em favor do moinho de vento. Até agora os animais estavam divididos igualmente em suas simpatias, mas em um momento a eloquência de Bola de Neve os levou embora. Em frases brilhantes, ele pintou um quadro da Fazenda dos Animais como ela poderia ser quando o trabalho sórdido fosse tirado das costas dos animais. Sua imaginação agora ia muito além de moinhos de cereais e cortadores de nabo. A eletricidade, disse ele, poderia operar debulhadoras, arados, grades, rolos, ceifeiras e ligantes, além de abastecer cada baia com sua própria luz elétrica, água quente e fria e um aquecedor elétrico. Quando ele terminou de falar, não havia dúvida sobre qual seria o rumo da votação. Mas nesse exato momento Napoleão se levantou e, lançando um olhar peculiar de soslaio para Bola de Neve, soltou um gemido agudo de um tipo que ninguém jamais o ouvira proferir antes.

Com isso, ouviu-se um terrível latido do lado de fora, e nove cães enormes, usando coleiras cravejadas de latão, entraram saltitando no celeiro. Eles correram direto para Bola de Neve, que saltou de seu lugar bem a tempo de escapar de suas mandíbulas. Em um instante ele saiu porta afora, e os cães atrás dele. Espantados e assustados demais para falar, todos os animais se amontoaram na porta para assistir à perseguição. Bola de neve corria pelo longo pasto que levava à estrada. Ele correu como só um porco pode correr, mas os cães estavam perto de seus calcanhares. De repente, ele escorregou e parecia certo que eles o pegariam. Mas levantou-se e correu como um desesperado, então os cachorros se aproximaram dele novamente. Um deles quase fechou a boca no rabo de Bola de Neve, que o sacudiu bem a tempo. Então ele deu um impulso extra e, ganhando alguma vantagem, enfiou-se por um buraco da sebe e sumiu.

Silenciosos e aterrorizados, os animais voltaram para o celeiro. Em seguida os cães chegaram saltitando. A princípio, ninguém conseguia imaginar de onde vinham essas criaturas, mas o problema logo foi resolvido: eram os filhotes que Napoleão havia tirado de suas mães e criado em particular. Embora ainda não crescidos, eram cães enormes e tão ferozes quanto lobos. Mantiveram-se perto de Napoleão. Percebeu-se que eles abanavam o rabo para ele da mesma forma que os outros cães costumavam fazer com o Sr. Jones.

Napoleão, com os cães o seguindo, subiu na parte elevada do piso onde Major havia feito seu discurso. Anunciou que a partir de agora as reuniões de domingo de manhã chegariam ao fim. Elas eram desnecessárias, disse ele, e desperdiçavam tempo. No futuro, todas as questões relativas ao funcionamento da fazenda seriam resolvidas por uma comissão especial de porcos, presidida por ele. Estes se reuniam em particular e depois comunicavam suas decisões aos demais. Os animais ainda iriam se reunir nas manhãs de domingo para saudar a bandeira, cantar *Bichos da Inglaterra* e receber seus pedidos para a semana; mas não haveria mais debates.

Apesar do choque que a expulsão de Bola de Neve lhes causou, os animais ficaram consternados com esse anúncio. Vários deles teriam protestado se pudessem encontrar os argumentos certos. Até Tritão estava vagamente perturbado. Ele colocou as orelhas para trás, balançou o topete várias vezes e se esforçou para organizar seus pensamentos; mas no final ele não conseguia pensar em nada para dizer. Alguns dos próprios porcos, no entanto, eram mais articulados. Quatro jovens porcos na primeira fila soltaram gritos estridentes de desaprovação, e todos os quatro se levantaram e começaram a falar ao mesmo tempo. Mas, de repente, os cães sentados ao redor de Napoleão soltaram rosnados profundos e ameaçadores, e os porcos ficaram em silêncio e se sentaram novamente. Então as ovelhas irromperam em um tremendo balido: "Quatro pernas bom, duas pernas ruim!"

Depois, Procópio foi enviado para explicar a nova situação.

— Camaradas — disse ele —, acredito que todos os animais aqui compreendem o sacrifício que o camarada Napoleão fez ao assumir esse trabalho extra. Não imaginem, camaradas, que a liderança é um prazer. Na verdade, é uma imensa responsabilidade. Ninguém acredita mais firmemente do que o camarada Napoleão que todos os animais são iguais. Ele ficaria muito feliz em deixar cada um tomar suas decisões. Mas às vezes vocês podem tomar decisões erradas, camaradas, e então onde iríamos parar? Suponha que alguém tenha decidido seguir Bola de Neve, com seus sonhos de moinhos de vento — Bola de Neve, que, como sabemos agora, não passava de um criminoso.

— Ele lutou bravamente na Batalha do Estábulo — disse alguém.

— A bravura não é suficiente — disse Procópio. Lealdade e obediência são mais importantes. E quanto à Batalha do Estábulo, acredito que chegará o momento em que descobriremos que a participação de Bola de Neve nela foi muito exagerada. Disciplina, camaradas, disciplina de ferro! Essa é a palavra de ordem para hoje. Um passo em falso e nossos inimigos estariam sobre nós. Certamente, camaradas, vocês não querem Jones de volta, não é?

Mais uma vez, o argumento era incontestável. Certamente os animais não queriam Jones de volta; e se a realização de debates nas manhãs de domingo era suscetível a trazê-lo de volta, então os debates deveriam parar. Tritão, que agora tivera tempo para refletir sobre as coisas, expressou o sentimento geral dizendo:

— Se o camarada Napoleão diz, deve estar certo.

E a partir de então adotou a máxima: "Napoleão tem sempre razão", além de seu lema particular: "Trabalharei mais ainda".

A essa altura, o tempo havia melhorado e a lavoura da primavera iniciado. O galpão onde Bola de Neve desenhara seus planos do moinho de vento havia sido fechado e, supunha-se, os planos haviam sido apagados do chão. Todos os domingos de manhã, às dez horas, os animais se reuniam no grande celeiro para receber os pedidos da semana. O crânio do velho Major, agora limpo de carne, havia sido desenterrado do pomar e colocado em um toco ao pé do mastro, ao lado da arma. Após o hasteamento da bandeira, os animais eram obrigados a passar pelo crânio de maneira reverente antes de entrar no celeiro. Hoje em dia eles não se sentam todos juntos como faziam no passado. Napoleão, com Procópio e outro porco chamado Apolo, que tinha um dom notável para compor canções e poemas, sentavam-se na frente da plataforma elevada, com os nove cachorros em semicírculo ao redor deles e os outros porcos atrás. O restante dos animais ficava de frente para eles, no chão do celeiro. Napoleão lia as ordens para a semana em um rude estilo militar, e depois de cantarem *Bichos da Inglaterra*, todos os animais se dispersavam.

No terceiro domingo após a expulsão de Bola de Neve, os animais ficaram surpresos ao ouvir Napoleão anunciar que o moinho de vento seria construído. Ele não deu nenhuma razão para ter mudado de ideia, mas apenas advertiu os animais que essa tarefa extra significaria muito trabalho; podendo até ser necessário reduzir as rações. Os planos, no entanto, haviam sido todos preparados, até o último detalhe. Um comitê especial de porcos estava trabalhando neles nas últimas três semanas. A construção do moinho de vento, com várias outras melhorias, estava prevista para durar dois anos.

Naquela noite, Procópio explicou em particular aos outros animais que Napoleão nunca se opôs ao moinho de vento. Pelo contrário, foi ele quem o defendeu no início, e o plano que Bola de Neve desenhara no chão do galpão da incubadora havia sido roubado dos papéis de Napoleão. O moinho de vento foi, na verdade, criação do próprio Napoleão. Por que, então, perguntou alguém, ele havia falado tão fortemente contra isso? Aqui Procópio parecia muito astuto. Isso, disse ele, era a astúcia do camarada Napoleão. Ele parecia se opor ao moinho de vento, simplesmente como uma manobra para se livrar de Bola de Neve, que era um personagem perigoso e uma má influência. Agora que Bola de Neve estava fora do caminho, o plano poderia seguir em frente sem sua interferência. Isso, disse Procópio, era algo chamado tática. Ele repetiu várias vezes: "Tática, camaradas, tática!", saltando e sacudindo o rabicho com um riso jocoso. Os bichos não estavam muito certos do significado da palavra, mas Procópio falava com convicção e os três cachorros — que por coincidência estavam com ele — rosnavam tão ameaçadoramente, que todos aceitaram a explicação sem mais perguntas.

"Alguns animais ficaram perturbados quando souberam que os porcos não só faziam suas refeições na cozinha, mas também dormiam na cama."

6

Durante todo aquele ano, os animais trabalharam como escravos. Mas eles estavam felizes com seu trabalho; eles não relutavam em esforço ou sacrifício, cientes de que tudo o que faziam era para o benefício deles mesmos e daqueles de sua espécie que viriam atrás deles, e não para um bando de seres humanos ociosos e ladrões.

Durante a primavera e o verão, trabalharam sessenta horas por semana e, em agosto, Napoleão anunciou que haveria trabalho também nas tardes de domingo. Este trabalho era estritamente voluntário, mas qualquer animal que se ausentasse teria suas rações reduzidas pela metade. Mesmo assim, foi necessário deixar algumas tarefas por fazer. A colheita foi um pouco menos bem-sucedida do que no ano anterior, e dois campos que deveriam ter sido semeados com raízes no início do verão não foram semeados porque a lavoura não foi concluída com antecedência. Era possível prever que o inverno que se aproximava seria duro.

O moinho de vento apresentou dificuldades inesperadas. Havia uma boa pedreira de calcário na fazenda, e muita areia e cimento foram encontrados em um dos anexos, de modo que todos os materiais de construção estavam à mão. Mas o problema que os animais não conseguiram resolver a princípio foi como quebrar a pedra em pedaços de tamanho adequado. Parecia não haver maneira de fazer isso exceto com picaretas e pés-de-cabra, que nenhum animal poderia usar, porque nenhum animal poderia ficar em pé nas patas traseiras. Somente depois de semanas de esforço em vão, a ideia certa ocorreu a alguém — a saber, utilizar a força da gravidade. Enormes pedregulhos, grandes demais para serem usados como eram, estavam espalhados por todo o leito da pedreira. Os animais amarravam cordas em volta deles, e então todos juntos, vacas, cavalos, ovelhas, qualquer animal que conseguisse segurar a corda — até os porcos às vezes se juntavam em momentos críticos — arrastavam-nas com desesperada lentidão pela encosta até o topo da pedreira, onde eram derrubadas da beirada, para se despedaçarem abaixo. Transportar as pedras depois de quebradas era relativamente simples. Os cavalos as carregavam em carroças, as ovelhas arrastavam blocos isolados, até Esmeralda e Benjamin se atrelavam a uma velha carroça e faziam sua parte. No final do verão, um estoque suficiente de pedra havia se acumulado, e então a construção começou, sob a superintendência dos porcos.

Mas foi um processo lento e trabalhoso. Frequentemente levava um dia inteiro de esforço exaustivo para arrastar uma única pedra até o topo da pedreira e, às vezes, quando era empurrada para a borda, não quebrava. Nada poderia ter sido alcançado sem Tritão, cuja força era a mesma de todos os outros animais juntos. Quando a pedra começava a escorregar e os animais gritavam desesperados por se verem arrastados morro abaixo, era sempre Tritão que se esforçava contra a corda e fazia a pedra parar. Vê-lo subindo a encosta com dificuldade, centímetro por centímetro, sua respiração acelerada, as pontas de seus cascos arranhando o chão e seus grandes flancos cobertos de suor, enchia todos de admiração. Ariel às vezes o alertava para ter cuidado para não se esforçar demais, mas Tritão nunca a escutava. Seus dois lemas, "Vou trabalhar mais ainda" e "Napoleão tem sempre razão", pareciam-lhe a resposta suficiente para todos os problemas. Ele combinara com o galo para acordá-lo três quartos de hora mais cedo pela manhã, em vez de meia hora. E nas horas vagas, que hoje em dia não eram muitas, ia sozinho à pedreira, apanhava uma carga de pedra partida e a arrastava para o local do moinho sem ajuda.

Os animais não ficaram mal durante todo aquele verão, apesar da dureza de seu trabalho. Se eles não tinham mais comida do que tinham na época de Jones, pelo menos não tinham menos. A vantagem de ter apenas que se alimentar, e não ter que sustentar cinco seres humanos extravagantes, era tão grande que seriam necessários muitos fracassos para superá-la. E de muitas maneiras o método animal de fazer as coisas era mais eficiente e poupava trabalho. Trabalhos como capinar, por exemplo, poderiam ser feitos com um rigor impossível para os seres humanos. E como nenhum animal roubava agora, era desnecessário cercar pastagens de terras aráveis, o que economizou muito trabalho na manutenção de cercas e portões. No entanto, à medida que o verão avançava, várias carências imprevistas começaram a se fazer sentir. Havia necessidade de óleo de parafina, pregos, barbante, biscoitos de cachorro e ferro para ferraduras dos cavalos, nenhum dos quais poderia ser produzido na fazenda. Mais tarde também haveria necessidade de sementes e adubos artificiais, além de ferramentas diversas e, por fim, o maquinário para o moinho de vento. Como eles deveriam ser adquiridos, ninguém era capaz de imaginar.

Certa manhã de domingo, quando os animais se reuniram para receber suas ordens, Napoleão anunciou que havia decidido uma nova política. De agora em diante, a Fazenda dos Animais passaria a fazer comércio com as fazendas vizinhas: não, é claro, para qualquer fim comercial, mas simplesmente para obter certos materiais que eram urgentemente necessários. As necessidades do moinho de vento deviam substituir todo o resto, dizia ele. Estava, portanto, providenciando a venda de uma pilha de feno e parte da safra de trigo do ano corrente, e mais tarde, se fosse preciso mais dinheiro, teria que ser compensado com a venda de ovos, para os quais sempre havia mercado em Willingdon. As galinhas, disse Napoleão, deveriam acolher este sacrifício como sua contribuição especial para a construção do moinho de vento.

Mais uma vez os animais estavam conscientes de uma vaga inquietação. Nunca ter quaisquer relações com seres humanos, nunca se envolver em comércio, nunca fazer uso de dinheiro — essas não estavam entre as primeiras resoluções aprovadas naquela primeira Reunião triunfante depois que Jones foi expulso? Todos os animais se lembravam de tais resoluções: ou pelo menos pensavam que se lembravam. Os quatro porquinhos que protestaram quando Napoleão aboliu as Assembleias levantaram a voz timidamente, mas foram prontamente silenciados por um tremendo rosnado dos cães. Então, como de costume, as ovelhas baliram: "Quatro pernas bom, duas pernas ruim!" E o constrangimento momentâneo foi suavizado. Por fim, Napoleão pediu silêncio e anunciou que já havia feito todos os preparativos. Não haveria necessidade de nenhum dos animais entrar em contato com seres humanos, o que seria claramente indesejável. Ele pretendia levar todo o fardo sobre seus próprios ombros. Um certo Sr. Whymper, um advogado que morava em Willingdon, concordou em atuar como intermediário entre a Fazenda dos Animais e o mundo exterior, e iria visitar a fazenda toda segunda-feira de manhã para receber suas instruções. Napoleão encerrou seu discurso com seu costumeiro grito de "Viva a Fazenda dos Animais!", e após o canto *Bichos da Inglaterra* os animais foram dispensados.

Depois Procópio deu uma volta pela fazenda e deixou as mentes dos animais em paz. Ele assegurou-lhes que a resolução contra o comércio e o uso de dinheiro nunca havia sido aprovada, ou mesmo sugerida. Era pura imaginação, provavelmente tinha origem nas mentiras divulgadas por Bola de Neve. Alguns animais ainda se sentiam levemente duvidosos, mas Procópio perguntou-lhes astutamente:

— Vocês têm certeza de que isso não é algo que vocês sonharam, camaradas? Vocês têm algum registro de tal resolução? Está escrito em algum lugar?

E como era certamente verdade que nada disso existia por escrito, os animais estavam convencidos de que haviam se enganado.

Todas as segundas-feiras, o Sr. Whymper visitava a fazenda, conforme combinado. Ele era um homenzinho de aparência astuta com bigodes laterais, um advogado com poucos clientes, mas esperto o suficiente para ter percebido mais cedo do que qualquer outro que a Fazenda dos Animais precisaria de um advogado e que as comissões valeriam a pena. Os animais observavam suas idas e vindas com uma espécie de pavor e o evitavam ao máximo. No entanto, a visão de Napoleão, de quatro, dando ordens a Whymper, que estava em duas pernas, despertou seu orgulho e os reconciliou em parte com a nova situação. Suas relações com a raça humana agora não eram exatamente as mesmas de antes. Os seres humanos não odiavam menos a Fazenda dos Animais agora que ela estava prosperando; na verdade, eles a odiavam mais do que nunca. Todo ser humano tinha como artigo de fé que a fazenda iria à falência mais cedo ou mais tarde e, acima de tudo, que o moinho de vento seria um fracasso. Eles se reuniam nas tavernas e provavam uns aos outros por meio de diagramas que o moinho de vento estava fadado a cair ou que, se ficasse de pé, nunca funcionaria. E, no entanto, contra sua vontade, haviam desenvolvido certo respeito pela eficiência com que os animais administravam seus próprios assuntos. Um sintoma disso foi que eles começaram a chamar a Fazenda dos Animais pelo nome próprio e deixaram de fingir que se chamava Fazenda Solar. Eles também abandonaram Jones, que tinha perdido a esperança de recuperar sua fazenda e ido morar em outra parte do condado. Até agora, exceto por intermédio de Whymper, nenhum contato houvera entre a Fazenda dos Animais e o mundo exterior, mas já circulavam boatos de que Napoleão estava por fechar um acordo de negócios, ora com Pilkington, de Foxwood, ora com Frederick, de Pinchfield — mas nunca, interessante, com ambos, simultaneamente.

Foi nessa época que os porcos de repente se mudaram para a casa da fazenda e passaram a residir lá. Mais uma vez os animais pareciam lembrar que uma resolução contra isso havia sido aprovada nos primeiros dias, e novamente Procópio conseguiu convencê-los de que não era o caso. Era absolutamente necessário, disse ele, que os porcos, que eram o cérebro da fazenda, tivessem um lugar tranquilo para trabalhar. Além disso, viver em uma casa era mais adequado à dignidade do Líder (nos últimos tempos dera para referir-se a Napoleão pelo título de "Líder") do que viver em um chiqueiro. No entanto, alguns animais ficaram perturbados quando souberam que os porcos não só faziam suas refeições na cozinha e usavam a sala como um local de recreação, mas também dormiam nas camas. Tritão resolveu, como de costume, com "Napoleão está sempre certo!", mas Ariel, que pensou que se lembrava de uma decisão definitiva contra camas, foi até o final do celeiro e tentou decifrar os Sete Mandamentos que estavam escritos lá. Vendo-se incapaz de ler mais do que letras individuais, ela foi buscar Esmeralda.

— Esmeralda — disse ela —, leia para mim o Quarto Mandamento. Não diz algo sobre nunca dormir em uma cama?

Com alguma dificuldade, Esmeralda soletrou:

— Nenhum animal deve dormir em uma cama com lençóis.

Curiosamente, Ariel não se lembrava de que o Quarto Mandamento mencionava lençóis; mas como estava ali na parede, devia haver isso. E Procópio, que por acaso estava passando neste momento, acompanhado por dois ou três cães, conseguiu colocar todo o assunto em sua devida perspectiva.

— Vocês ouviram, então, camaradas — disse ele —, que nós, porcos, agora dormimos nas camas da casa da fazenda? E por que não? Um lugar para dormir. Uma pilha de palha em uma baia é uma cama, devidamente considerada. A regra era contra lençóis, que são uma invenção humana. Tiramos os lençóis das camas da fazenda e dormimos entre os cobertores. É muito confortável. As camas também são! Mas não mais confortáveis do que precisamos, posso lhes dizer, camaradas, com todo o trabalho intelectual que temos que fazer hoje em dia. Vocês não nos roubariam nosso repouso, não é, camaradas? Certamente nenhum de vocês deseja ver Jones de volta, não é?

Os animais se tranquilizaram imediatamente, e nada mais foi dito sobre os porcos dormindo nas camas da fazenda. E quando, alguns dias depois, foi anunciado que a partir de agora os porcos se levantariam uma hora mais tarde do que os outros animais, também não se reclamou disso.

No outono, os animais estavam cansados, mas felizes. Eles tiveram um ano difícil e, depois da venda de parte do feno e do milho, as reservas de alimentos para o inverno não eram muito abundantes, mas o moinho de vento compensou tudo. Já estava quase pela metade. Após a colheita, houve um período de tempo claro e seco, e os animais trabalharam mais do que nunca, achando que valia a pena andar de um lado para o outro com blocos de pedra, se com isso pudessem erguer os muros mais um palmo. Tritão até saía à noite e trabalhava por uma ou duas horas sozinho à luz da lua cheia. Em seus momentos de folga, os animais davam voltas e mais voltas pelo moinho inacabado, admirando a força e a verticalidade de suas paredes e maravilhando-se por terem sido capazes de construir algo tão imponente. Somente o velho Benjamim se recusava a entusiasmar-se com o moinho de vento, embora, como sempre, não fizesse outro comentário além do enigma de que os burros vivem muito tempo.

Novembro chegou, com fortes ventos de sudoeste. A construção teve que parar porque agora o tempo estava muito úmido para fazer a mistura de cimento. Houve uma noite em que o vendaval foi tão violento que os galpões da fazenda balançaram em suas fundações e várias telhas foram arrancadas do telhado do celeiro. As galinhas acordaram cacarejando de pavor porque todas tinham sonhado ao mesmo tempo em ouvir uma arma disparar ao longe. De manhã, os animais saíram de suas baias para descobrir que o mastro da bandeira havia sido derrubado e um olmeiro ao pé do pomar havia sido arrancado como um rabanete. Eles tinham acabado de perceber isso quando um grito de desespero saiu da garganta de cada animal. Uma visão terrível encontrou seus olhos. O moinho de vento estava em ruínas.

Correram todos para o local. Napoleão, que raramente abandonava seu passo lento, corria à frente de todos eles. Sim, ali estava, o fruto de todas as suas lutas, nivelado até os alicerces, as pedras que eles haviam quebrado e carregado tão laboriosamente espalhadas por toda parte. Incapaz de falar a princípio, eles ficaram olhando tristemente para as pedras caídas. Napoleão andava de um lado para o outro em silêncio, ocasionalmente farejando o chão. Sua cauda ficou rígida e se contraiu bruscamente de um lado para o outro, um sinal de intensa atividade mental. De repente, ele parou como se sua mente estivesse decidida.

— Camaradas — ele disse baixinho —, vocês sabem quem é o responsável por isso? Vocês conhecem o inimigo que veio à noite e derrubou nosso moinho de vento? BOLA DE NEVE!

Ele de repente rugiu em uma voz de trovão:

— Bola de Neve fez isso! Por pura maldade, pensando em atrasar nossos planos e se vingar de sua infame expulsão, esse traidor se infiltrou aqui na calada da noite e destruiu nosso trabalho de quase um ano. Camaradas, aqui e agora eu declaro a sentença de morte para Bola de Neve. Uma condecoração de Herói Animal e meio alqueire de maçãs para qualquer animal que fizer justiça. Um balde cheio para quem o capturar vivo!

Os animais ficaram chocados ao saber que Bola de Neve poderia ser culpado de tal ação. Houve um grito de indignação, e todos começaram a pensar em maneiras de pegar Bola de Neve se ele voltasse. Quase imediatamente as pegadas de um porco foram descobertas na grama a uma pequena distância da colina. Elas só podiam ser rastreadas por alguns metros, mas pareciam levar a um buraco na cerca viva. Napoleão as cheirou profundamente e declarou que eram de Bola de Neve. Ele deu como sua opinião que Bola de Neve provavelmente tinha vindo da direção da Fazenda Foxwood.

— Chega de atrasos, camaradas! — gritou Napoleão quando as pegadas foram examinadas. Há trabalho a ser feito. Esta manhã começaremos a reconstruir o moinho de vento, e vamos construir durante todo o inverno, faça chuva ou faça sol. Vamos ensinar a esse miserável traidor que ele não pode desfazer nosso trabalho tão facilmente. Lembrem-se, camaradas, que não deve haver nenhuma alteração em nossos planos: eles devem ser executados ao dia. Avante, camaradas! Viva o moinho de vento! Viva a Fazenda dos Animais!

"Expressamos nosso anseio por um uma sociedade melhor nos próximos dias..."

7

Foi um inverno amargo. O tempo tempestuoso foi seguido por granizo e neve, e depois por uma forte geada que não se desfez até meados de fevereiro. Os animais fizeram todo o possível na reconstrução do moinho de vento, sabendo muito bem que o mundo exterior os observava e que os seres humanos invejosos se alegrariam e triunfariam se o moinho não fosse concluído a tempo.

Por despeito, os seres humanos fingiram não acreditar que foi Bola de Neve quem destruiu o moinho de vento: disseram que ele havia caído porque as paredes eram muito finas. Os animais sabiam que não era verdade. Ainda assim, havia sido decidido construir paredes mais espessas, o que significava coletar quantidades muito maiores de pedra. Durante muito tempo a pedreira estava cheia de montes de neve e nada podia ser feito. Houve algum progresso no tempo seco e gelado que se seguiu, mas era um trabalho cruel, e os animais não podiam se sentir tão esperançosos quanto antes. Eles estavam sempre com frio, e geralmente com fome. Apenas Tritão e Ariel nunca desanimaram. Procópio fez excelentes discursos sobre a alegria de servir e a dignidade do trabalho, mas os animais encontravam maior inspiração na força de Tritão e no seu infalível brado "Trabalharei mais ainda!"

Em janeiro, a comida ficou aquém. A ração de milho foi drasticamente reduzida e foi anunciado que uma ração extra de batata seria fornecida para compensar isso. Então descobriu-se que a maior parte da colheita de batata havia sido congelada, pois não tinham sido protegidas o suficiente. As batatas ficaram macias e descoloridas, e apenas algumas eram comestíveis. Por dias a fio, os animais não tinham nada para comer, a não ser palha e beterraba. A fome parecia estampada nos seus rostos.

Era vitalmente necessário esconder este fato do mundo exterior. Encorajados pelo colapso do moinho de vento, os seres humanos estavam inventando novas mentiras sobre a Fazenda dos Animais. Mais uma vez, dizia-se que todos os animais estavam morrendo de fome e doença, e que lutavam continuamente entre si e haviam recorrido ao canibalismo e ao infanticídio. Napoleão estava bem ciente dos maus resultados que poderiam ocorrer se os fatos reais da situação alimentar fossem conhecidos, e decidiu usar o Sr. Whymper para espalhar uma impressão contrária. Até então, os animais tinham pouco ou nenhum contato com Whymper em suas visitas semanais: agora, porém, alguns animais selecionados, principalmente as ovelhas, foram instruídos a comentar casualmente que as rações haviam sido aumentadas. Além disso, Napoleão ordenou que as caixas vazias do galpão fossem enchidas quase até a borda com areia, depois coberta com o que restava do grão e da farinha. Com algum pretexto adequado, Whymper foi conduzido até o galpão e autorizado a dar uma olhada nas tulhas. Ele foi enganado e continuou a relatar ao mundo exterior que não havia escassez de alimentos na Fazenda dos Animais.

No entanto, no final de janeiro, tornou-se óbvio que seria necessário obter mais grãos de algum lugar. Naqueles dias, Napoleão raramente aparecia em público, mas passava todo o tempo na casa da fazenda, que era guardada em cada porta por cães de aparência feroz. Quando ele saiu, foi de maneira cerimonial, com uma escolta de seis cães que o cercavam de perto e rosnavam se alguém se aproximasse demais. Frequentemente ele nem aparecia nas manhãs de domingo, mas dava suas ordens através de um dos outros porcos, geralmente Procópio.

Num domingo de manhã, Procópio anunciou que as galinhas, que tinham acabado de voltar para botar, deveriam entregar seus ovos. Napoleão aceitara, por meio de Whymper, um contrato de quatrocentos ovos por semana. O valor que receberiam pagaria grãos e farinha suficientes para manter a fazenda funcionando até que o verão chegasse e as condições fossem mais fáceis.

Quando as galinhas ouviram isso, deram um grito terrível. Elas haviam sido avisadas anteriormente de que esse sacrifício poderia ser necessário, mas não acreditavam que realmente aconteceria. Como elas estavam preparando suas ninhadas de ovos para a chocagem da primavera, protestaram dizendo que tomar-lhes os ovos, agora, seria um crime. Pela primeira vez desde a expulsão de Jones, havia algo parecido com uma rebelião. Lideradas por três jovens frangas Minorca, as galinhas fizeram um esforço para frustrar as ordens de Napoleão. O método delas era voar até os caibros do telhado e lá depositar seus ovos, que se despedaçavam no chão. Napoleão agiu rápida e implacavelmente. Ele ordenou que as rações das galinhas fossem interrompidas e decretou que qualquer animal que desse um grão de milho a uma galinha deveria ser punido com a morte. Os cães cuidaram para que essas ordens fossem cumpridas. Por cinco dias as galinhas resistiram, depois capitularam e voltaram para seus ninhos. Nove galinhas morreram nesse meio tempo. Seus corpos foram enterrados no pomar, e foi divulgado que elas morreram de coccidiose[1]. Whymper não ouviu nada sobre esse caso, e os ovos foram devidamente entregues, vindo um caminhão uma vez por semana para buscá-los.

Tudo isso enquanto não se falava mais em Bola de Neve. Havia rumores de que ele estava escondido em uma das fazendas vizinhas, Foxwood ou Pinchfield. A essa altura, Napoleão estava em termos ligeiramente melhores com os outros agricultores do que antes. Aconteceu que havia no pátio uma pilha de madeira que tinha sido empilhada dez anos antes, quando um bosque de faias foi derrubado. A madeira estava bem seca, e Whymper aconselhara Napoleão a vendê-la; tanto o Sr. Pilkington quanto o Sr. Frederick estavam ansiosos para comprá-la. Napoleão estava hesitando entre os dois, incapaz de se decidir. Notou-se que sempre que ele parecia a ponto de chegar a um acordo com Frederick, surgia o boato de que Bola de Neve estava escondido em Foxwood, e quando ele se inclinava para Pilkington, diziam que Bola de Neve estava em Pinchfield.

De repente, no início da primavera, uma coisa alarmante foi descoberta. Bola de Neve estava frequentando secretamente a fazenda à noite! Os animais estavam tão perturbados que mal conseguiam dormir em suas baias. Todas as noites, dizia-se, ele vinha rastejando sob o manto da escuridão e fazia todo tipo de travessuras. Roubava o milho, derrubava os baldes de leite, quebrava os ovos, pisoteava os canteiros, roía as cascas das árvores frutíferas. Sempre que algo dava errado, era comum atribuí-lo a Bola de Neve. Se uma janela fosse quebrada ou um ralo entupido, alguém certamente diria que Bola de Neve tinha vindo à noite e feito isso, e quando a chave do galpão foi perdida, toda a fazenda estava convencida de que Bola de Neve a havia atirado no poço. Curiosamente, eles continuaram acreditando nisso mesmo

---

1. Doença parasitária que ataca o intestino das aves (N. do E.).

depois que a chave perdida foi encontrada debaixo de um saco de farinha. As vacas declararam unanimemente que Bola de Neve entrava em suas baias e as ordenhava enquanto dormiam. Dizia-se também que os ratos, que haviam sido problemáticos naquele inverno, estavam aliados a Bola de Neve.

Napoleão decretou que deveria haver uma investigação completa sobre as atividades de Bola de Neve. Com seus cães presentes, ele partiu e fez um cuidadoso passeio de inspeção das construções da fazenda e os outros animais o seguiram a uma distância respeitosa. A pequenos intervalos, Napoleão parava e farejava o chão em busca de vestígios dos passos de Bola de Neve, que, segundo ele, podia detectar pelo cheiro. Ele farejou em todos os cantos, no celeiro, no estábulo, nos galinheiros, na horta, e encontrou vestígios de Bola de Neve em quase toda parte. Ele colocava o focinho no chão, dava várias fungadas profundas e exclamava com uma voz terrível: "Bola de neve! Ele esteve aqui! Eu posso sentir o cheiro dele distintamente!" E quando ouviam o nome "Bola de Neve" todos os cães soltavam rosnados de gelar o sangue e mostravam os dentes laterais.

Os animais estavam completamente assustados. Parecia-lhes que Bola de Neve era algum tipo de influência invisível, impregnando o ar ao redor deles e os ameaçando com todos os tipos de perigos. À noite, Procópio os reuniu e, com uma expressão alarmada no rosto, disse-lhes que tinha uma notícia séria para dar.

— Camaradas! — gritou Procópio, dando pequenos saltos nervosos —, uma coisa terrível foi descoberta. Bola de Neve se vendeu para Frederick, da fazenda Pinchfield, que agora está planejando nos atacar e tirar nossa fazenda! Bola de Neve deve agir como seu guia quando o ataque começar. Mas há algo pior do que isso. Pensávamos que a rebelião de Bola de Neve foi causada simplesmente por sua vaidade e ambição. Mas estávamos errados, camaradas. Vocês sabem qual foi o verdadeiro motivo? Bola de Neve estava em aliança com Jones desde o início! Ele era o agente secreto de Jones. Tudo foi provado por documentos que ele deixou para trás e que acabamos de descobrir. Para mim, isso explica muita coisa, camaradas.

Os animais ficaram estupefatos. Essa foi uma maldade que superou em muito a destruição do moinho de vento por Bola de Neve. Mas alguns minutos se passaram até que eles pudessem entender completamente. Todos eles se lembraram, ou pensaram que se lembravam, de como tinham visto Bola de Neve avançando à frente deles na Batalha do Estábulo, como ele os havia reunido e encorajado a cada passo, e como ele não parou por um instante, mesmo quando os projéteis da arma de Jones feriram suas costas. No começo foi um pouco difícil ver como isso se encaixava com o fato de ele estar do lado de Jones. Até Tritão, que raramente fazia perguntas, ficou intrigado. Deitou-se, enfiou as patas dianteiras debaixo do corpo, fechou os olhos e, com grande esforço, conseguiu formular seus pensamentos.

— Eu não acredito nisso — disse ele. Bola de Neve lutou bravamente na Batalha do Estábulo. Eu mesmo o vi. Não lhe demos "Herói Animal, Primeira Classe" imediatamente depois?

— Esse foi o nosso erro, camarada. Pois sabemos agora — está tudo escrito nos documentos secretos que encontramos — que na verdade ele estava tentando nos atrair para o nosso destino.

— Mas ele foi ferido — disse Tritão. Todos nós o vimos correndo sangrando.

— Isso era parte do acordo! — gritou Procópio. O tiro de Jones só o atingiu de raspão. Eu poderia mostrar isso em sua própria escrita, se você conseguisse ler. O enredo era para Bola de Neve, no momento crítico, dar o sinal de fuga e deixar o campo para o inimigo. E ele quase conseguiu — eu diria mesmo, camaradas, ele teria conseguido se não fosse por nosso heroico Líder, camarada Napoleão. Você não se lembra de como, exatamente no momento em que Jones e seus homens entraram no pátio, de repente, Bola de Neve virou-se e fugiu, e muitos animais o seguiram? E você não se lembra, também, que foi justamente nesse momento, quando o pânico se espalhava e tudo parecia perdido, que o camarada Napoleão saltou para a frente com um grito de "Morte à Humanidade!" e afundou os dentes na perna de Jones? Certamente vocês se lembram disso, camaradas? — perguntou Procópio, pulando de um lado para o outro.

Quando Procópio descreveu a cena com tanta convicção, parecia aos animais que eles se lembravam dela. De qualquer forma, eles se lembraram de que no momento crítico da batalha, Bola de Neve havia se virado para fugir. Mas Tritão ainda estava um pouco inquieto.

— Não acredito que Bola de Neve fosse um traidor no início — disse ele finalmente. O que ele fez depois é diferente. Mas acredito que na Batalha do Estábulo ele foi um bom camarada.

— Nosso líder, camarada Napoleão — anunciou Procópio, falando muito devagar e com firmeza —, declarou categoricamente que Bola de Neve foi agente de Jones desde o início, muito antes de se pensar na Rebelião.

— Ah, isso é diferente! — disse Tritão —, se o camarada Napoleão diz isso, deve estar certo.

— Esse é o verdadeiro espírito, camarada! — gritou Procópio.

Mas notou-se que ele lançou um olhar muito feio para Tritão com seus olhinhos cintilantes. Virou-se para sair, depois parou e acrescentou de forma impressionante:

— Advirto todos os animais desta fazenda para manter os olhos bem abertos. Pois temos motivos para pensar que alguns dos agentes secretos de Bola de Neve estão à espreita entre nós neste momento!

Quatro dias depois, no final da tarde, Napoleão ordenou que todos os animais se reunissem no pátio. Quando todos estavam reunidos, Napoleão emergiu, da casa da fazenda, usando suas duas medalhas (pois recentemente havia se premiado "Herói Animal, Primeira Classe" e "Herói Animal, Segunda Classe"), com seus nove cachorros enormes soltando grunhidos que causavam arrepios na espinha de todos os animais. Todos se encolheram silenciosamente em seus lugares, parecendo saber de antemão que algo terrível estava prestes a acontecer.

Napoleão ficou olhando severamente sua audiência, então soltou um gemido agudo. Imediatamente os cães saltaram para a frente, agarraram quatro dos porcos pela orelha e os arrastaram, guinchando de dor e terror, aos pés de Napoleão. As orelhas dos porcos estavam sangrando, os cães tinham provado sangue e, por alguns momentos, pareciam enlouquecer. Para espanto de todos, três deles se atiraram em cima de Tritão. Tritão os viu chegando e esticou seu grande casco, pegou um cachorro no ar e o prendeu no chão. O cachorro gritou por misericórdia e os outros dois fugiram com o rabo entre as pernas. Tritão olhou para Napoleão para saber se deveria esmagar o cachorro até a morte ou deixá-lo ir. Napoleão pareceu mudar de semblante e ordenou bruscamente a Tritão que soltasse o cachorro, então Tritão levantou o casco e o cachorro fugiu.

Logo o tumulto cessou. Os quatro porcos esperavam, trêmulos, com a culpa escrita em cada linha de seus semblantes. Napoleão agora os chamava a confessar seus crimes. Eram os mesmos quatro porcos que protestaram quando Napoleão aboliu as Reuniões Dominicais. Sem mais nenhuma solicitação, eles confessaram que mantinham contato secreto com Bola de Neve desde sua expulsão, que haviam colaborado com ele na destruição do moinho de vento e que haviam feito um acordo com ele para entregar a Fazenda dos Animais ao Sr. Frederick. Eles acrescentaram que Bola de Neve havia admitido em particular a eles que ele havia sido o agente secreto de Jones nos últimos anos. Quando terminaram sua confissão, os cães prontamente rasgaram suas gargantas e, com uma voz terrível, Napoleão perguntou se algum outro animal tinha algo a confessar.

As três galinhas que haviam sido as líderes na tentativa de rebelião pelos ovos agora se apresentaram e afirmaram que Bola de Neve havia aparecido para elas em um sonho e as incitado a desobedecer às ordens de Napoleão. Elas também foram massacradas. Então um ganso se adiantou e confessou ter roubado seis espigas de milho durante a colheita do ano passado e as comido à noite. Então, uma ovelha confessou ter urinado no açude por insistência, disse, de Bola de Neve — e duas outras ovelhas confessaram ter assassinado um carneiro velho, um seguidor especialmente devoto de Napoleão, perseguindo-o em voltas e voltas na fogueira quando ele estava com tosse. Todos foram mortos no local. E assim a história de confissões e execuções continuou, até que havia uma pilha de cadáveres diante de Napoleão; e no ar um pesado cheiro de sangue, coisa que não sucedia desde a expulsão de Jones.

Quando tudo acabou, os animais restantes, exceto os porcos e os cães, fugiram. Eles estavam abalados e miseráveis. Eles não sabiam o que era mais chocante: a traição dos animais que se aliaram a Bola de Neve ou a repressão cruel que presenciaram. Antigamente, muitas vezes havia cenas de derramamento de sangue igualmente terríveis, mas parecia a todos que era muito pior agora que estava acontecendo entre eles. Desde que Jones saiu da fazenda, até hoje, nenhum animal havia matado outro animal. Nem mesmo um rato foi morto. Eles tinham ido para a pequena colina onde ficava o moinho de vento inacabado, e todos se deitaram juntos como se estivessem se aconchegando para se aquecer — Ariel, Esmeralda, Benjamin, as vacas, as ovelhas e um rebanho inteiro de gansos e galinhas — todos, de fato, exceto o gato, que desapareceu de repente pouco antes de Napoleão ordenar que os animais se reunissem. Por algum tempo ninguém falou. Apenas Tritão permaneceu de pé. Ele se mexeu para lá e para cá, balançando sua longa cauda preta e ocasionalmente soltando um pequeno relincho de surpresa. Finalmente ele disse:

— Eu não entendo. Eu não teria acreditado que tais coisas pudessem acontecer em nossa fazenda. Deve ser devido a alguma falha nossa. A solução, a meu ver, é trabalhar mais, uma hora inteira mais cedo pela manhã.

E ele se afastou em seu trote pesado e foi para a pedreira. Chegando lá, ele recolheu duas cargas sucessivas de pedra e as arrastou até o moinho de vento antes de se retirar para a noite. Os animais se amontoaram em torno de Ariel, sem falar. A colina onde estavam deitados dava-lhes uma ampla perspectiva do campo. A maior parte da Fazenda dos Animais estava à vista deles — o longo pasto que se estendia até a estrada principal, o campo de feno, o espinheiro, o açude, os campos arados onde o trigo jovem era espesso e verde, e os telhados vermelhos das construções da fazenda com a fumaça saindo das chaminés. Era uma noite clara de primavera. A grama e as cercas vivas pareciam douradas pelos raios nivelados do sol. Nunca a fazenda — e com uma espécie de surpresa eles se lembraram de que era sua própria fazenda, cada centímetro dela sua própria propriedade — parecera aos animais um lugar tão desejável. Enquanto Ariel olhava para a encosta, seus olhos se encheram de lágrimas. Se ela pudesse ter falado seus pensamentos, teria dito que não era isso que eles almejavam quando se puseram anos atrás para trabalhar pela derrubada da raça humana. Essas cenas de terror e matança não eram o que eles esperavam naquela noite em que o velho Major os incitou à rebelião. Se ela mesma tivera alguma imagem do futuro, seria de uma sociedade de animais libertos da fome e do chicote, todos iguais, cada um trabalhando de acordo com sua capacidade, os fortes protegendo os fracos, como ela protegera a ninhada perdida de patinhos com a pata dianteira na noite do discurso do Major. Em vez disso, ela não sabia por quê, eles chegaram a uma época em que ninguém ousava falar o que pensava, quando cães ferozes vagavam por toda parte e quando você tinha que ver seus companheiros serem despedaçados depois de confessar crimes chocantes. Não havia nenhum pensamento de Rebelião ou desobediência em sua mente. Ela sabia que, mesmo do jeito que as coisas estavam, eles estavam muito melhores do que nos dias de Jones, e que antes de tudo era necessário impedir o retorno dos seres humanos. Aconteça o que acontecer, ela permanecerá fiel, trabalhará duro, cumprirá as ordens que lhe forem dadas e aceitará a liderança de Napoleão. Mas ainda assim, não era para isso que ela e todos os outros animais esperavam e trabalhavam. Não foi para isso que construíram o moinho de vento e enfrentaram as balas da arma de Jones. Tais eram seus pensamentos, embora lhe faltassem as palavras para expressá-los.

Por fim, sentindo que isso era de alguma forma um substituto para as palavras que ela não conseguia encontrar, ela começou a cantar *Bichos da Inglaterra*. Os outros animais sentados ao redor dela foram aderindo e cantaram três vezes, lenta e tristemente, de uma maneira que nunca haviam cantado antes.

Tinham acabado de cantar pela terceira vez quando Procópio, acompanhado por dois cachorros, se aproximou deles com ar de quem tinha algo importante a dizer. Anunciou que, por um decreto especial do camarada Napoleão, que *Bichos da Inglaterra* havia sido abolida. A partir de agora era proibido cantá-la.

Os animais foram pegos de surpresa.

— Por quê? — gritou Esmeralda.

— Não é mais necessário, camarada — disse Procópio rigidamente. *Bichos da Inglaterra* foi a canção da Rebelião. Mas a Rebelião está agora concluída. A execução dos traidores esta tarde foi o ato final. O inimigo tanto externo quanto interno foi derrotado. Em *Bichos da Inglaterra*, expressamos nosso anseio por um uma sociedade melhor nos próximos dias. Mas essa sociedade já foi estabelecida. Claramente essa música não tem mais nenhum propósito.

Por mais assustados que estivessem, alguns dos animais poderiam ter protestado, mas nesse momento as ovelhas iniciaram seu balido habitual de "Quatro pernas bom, duas pernas ruim", que se prolongou por vários minutos e pôs fim à discussão.

Então *Bichos da Inglaterra* não foi mais ouvida. Em seu lugar, Apolo, o poeta, compôs outra canção que começou:

FAZENDA DE ANIMAIS, FAZENDA DE ANIMAIS, NUNCA POR MIM SERÁS MALTRATADA!

E isso foi cantado todos os domingos de manhã após o hasteamento da bandeira. Mas, de alguma forma, nem as palavras nem a melodia jamais pareceram, aos animais, como as de *Bichos da Inglaterra*.

"Quando tudo acabou, outra reunião especial foi realizada no celeiro para os animais inspecionarem as notas bancárias..."

8

Poucos dias depois, quando o terror causado pelas execuções diminuiu, alguns dos animais se lembraram, ou pensaram que se lembravam, de que o Sexto Mandamento decretava "Nenhum animal matará outro animal". E embora ninguém se importasse em mencioná-lo aos ouvidos dos porcos ou dos cães, achava-se que os assassinatos ocorridos não correspondiam a isso. Ariel pediu a Benjamin que lesse para ela o Sexto Mandamento, e quando Benjamin, como sempre, disse que se recusava a se intrometer em tais assuntos, ela chamou Esmeralda. Esmeralda leu o Mandamento para ela. Dizia: "Nenhum animal matará qualquer outro animal sem motivo. "De uma ou outra maneira, as duas últimas palavras haviam escapado à memória dos bichos. Mas estes viam agora que o Sexto Mandamento não fora violado; sim, pois, evidentemente, havia boas razões para matar os traidores que se haviam aliado a Bola de Neve. Durante aquele ano, os bichos trabalharam ainda mais que no ano anterior. A reconstrução do moinho de vento, as paredes mais espessas, sua conclusão no prazo marcado, juntamente com o trabalho normal da granja, era tudo laborioso. Momentos houve em que lhes pareceu que estavam trabalhando mais do que no tempo de Jones, sem se alimentarem melhor. Nos domingos de manhã, Procópio, segurando uma comprida folha de papel, lia para eles relações de estatísticas comprobatórias de que a produção de todas as classes de gêneros alimentícios havia aumentado em duzentos, trezentos ou quinhentos por cento, conforme o caso. Os animais não viam motivo para não acreditar nele, especialmente porque não conseguiam mais lembrar com muita clareza como eram as condições antes da Rebelião. Mesmo assim, houve dias em que eles sentiram que antes teriam menos números e mais comida.

Todas as ordens agora eram emitidas através de Procópio ou de um dos outros porcos. O próprio Napoleão não era visto em público com frequência. Quando ele aparecia, era acompanhado não apenas por seu séquito de cães, mas por um galo preto que marchava na frente dele e agia como uma espécie de arauto, soltando um alto "cocorocó" antes de Napoleão falar. Mesmo na casa da fazenda, dizia-se, que Napoleão morava em um quarto separado dos outros. Ele fazia suas refeições sozinho, com dois cães para servi-lo, e sempre comia no serviço de jantar de porcelana que ficava na cristaleira. Também foi anunciado que a arma seria disparada todos os anos no aniversário de Napoleão.

Napoleão não era chamado simplesmente de "Napoleão". Referiam-se a ele de maneira formal como "nosso líder, camarada Napoleão", e os porcos gostavam de inventar para ele títulos como Pai de Todos os Animais, Terror da Humanidade, Protetor do Aprisco, Amigo dos Patinhos e assim por diante. Em seus discursos, Procópio falava com as lágrimas rolando pelo rosto da sabedoria de Napoleão, a bondade de seu coração e o profundo amor que ele nutria por todos os animais em todos os lugares, mesmo e especialmente os animais infelizes que ainda viviam na ignorância e escravidão em outros lugares. Tornou-se comum dar a Napoleão o crédito por cada conquista bem-sucedida e cada golpe de boa sorte. Você ouviria muitas vezes uma galinha comentar com outra: "Sob a orientação de nosso líder, camarada Napoleão, coloquei cinco ovos em seis dias"; ou duas vacas, desfrutando de uma bebida no açude, exclamavam: "Graças à liderança do camarada Napoleão, como é excelente esta água!" O sentimento geral na fazenda foi bem expresso em um poema intitulado "Camarada Napoleão", que foi composto por Apolo e que era assim:

> *Amigo dos órfãos!*
> *Fonte de felicidade,*
> *E senhor do balde de lama!*
> *Minha alma está em chamas.*
> *Teus olhos me acalmam e me dominam,*

Como o céu de verão,
Camarada Napoleão!

Tu és o doador de tudo,
O que tuas criaturas amam!
Barriga cheia duas vezes por dia, palha limpa para rolar,
Todos animais grandes ou pequenos,
Têm o direito de sonhar.
Tu cuidas de tudo, mesmo na escuridão,
Camarada Napoleão!

Se eu tivesse um leitão,
Antes que ele crescesse tanto,
Quanto uma garrafa de meio litro ou um barril,
Ele deveria aprender a ser,
Fiel a ti no que viesse a acontecer.
O primeiro grito que daria o meu leitão seria então,
Camarada Napoleão!

Napoleão aprovou este poema e fez com que fosse escrito na parede do grande celeiro, na extremidade oposta aos Sete Mandamentos. Era encimado por um retrato de Napoleão, de perfil, executado por Procópio em tinta branca.

Enquanto isso, por intermédio de Whymper, Napoleão estava envolvido em complicadas negociações com Frederick e Pilkington. A pilha de madeira ainda não tinha sido vendida. Dos dois, Frederick era o mais ansioso para obtê-la, mas não quis oferecer um preço razoável. Ao mesmo tempo, havia rumores de que Frederick e seus homens estavam planejando atacar a Fazenda dos Animais e destruir o moinho de vento, cuja construção havia despertado nele um ciúme furioso. Acreditava-se que Bola de Neve ainda estava escondido na Fazenda Pinchfield. No meio do verão, os animais ficaram alarmados ao saber que três galinhas se apresentaram e confessaram que, instigadas por Bola de Neve, haviam entrado em um complô para assassinar Napoleão. Elas foram executadas imediatamente, e novas precauções para a segurança de Napoleão foram tomadas. Quatro cachorros passaram a montar guarda junto à sua cama, durante a noite, um em cada canto, e um jovem porco de nome Rosito recebeu a tarefa de provar a comida, para evitar que ele fosse envenenado.

Mais ou menos na mesma época, foi divulgado que Napoleão havia combinado vender a pilha de madeira ao Sr. Pilkington; ele também ia firmar um acordo regular para a troca de certos produtos entre a Fazenda dos Animais e Foxwood. As relações entre Napoleão e Pilkington, embora só fossem conduzidas por Whymper, eram agora quase amistosas. Os animais desconfiavam de Pilkington, como ser humano, mas o preferiam muito a Frederick, a quem tanto temiam quanto odiavam. À medida que o verão avançava e o moinho de vento se aproximava da conclusão, os rumores de um ataque traiçoeiro iminente ficaram cada vez mais fortes. Frederick, dizia-se, pretendia trazer contra eles vinte homens, todos armados com revólveres, e já havia subornado os magistrados e a polícia, para que, se conseguisse obter os títulos de propriedade da Fazenda dos Animais, eles não fizessem perguntas. Além disso, histórias terríveis vazavam de Pinchfield sobre as crueldades que Frederick praticava com seus animais. Ele havia açoitado um velho cavalo até a morte, ele deixou suas vacas famintas, ele havia matado um cachorro jogando-o na fornalha, ele se divertia à noite fazendo galos lutar com lascas de lâminas de barbear amarradas às esporas. O sangue dos animais fervia de raiva quando ouviam que essas coisas estavam sendo feitas a seus companheiros, e às vezes, alguns pediam que lhes fosse permitido sair para atacar a Fazenda Pinchfield, expulsar os humanos e libertar os animais. Mas Procópio aconselhou-os a evitar ações precipitadas e confiar na estratégia do camarada Napoleão.

No entanto, o sentimento contra Frederick continuou em alta. Certa manhã de domingo, Napoleão apareceu no celeiro e explicou que nunca pensara em vender a pilha de madeira a Frederick; ele considerava abaixo de sua dignidade lidar com patifes daquele tipo. Os pombos que ainda eram enviados para espalhar as notícias da Rebelião foram proibidos de pisar em Foxwood, e também foram obrigados a abandonar seu antigo lema de "Morte à Humanidade" em favor de "Morte a Frederick". No final do verão, mais uma das maquinações de Bola de Neve foi desmascarada. A colheita de trigo estava cheia de ervas daninhas, e descobriu-se que, em uma de suas visitas noturnas, Bola de Neve havia misturado sementes de ervas daninhas com sementes de milho. Um ganso que estava a par da trama confessou sua culpa a Procópio e imediatamente cometeu suicídio engolindo bagas mortais de beladona. Os animais agora também descobriram que Bola de Neve nunca — como muitos deles acreditavam até então — recebeu a condecoração de "Herói Animal, Primeira Classe". Esta era apenas uma lenda que havia sido espalhada algum tempo depois da Batalha do Estábulo pelo próprio Bola de Neve. Longe de ser condecorado, fora censurado por mostrar covardia na batalha. Mais uma vez, alguns dos animais ouviram isso com certa perplexidade, mas Procópio logo conseguiu convencê-los de que suas memórias estavam erradas.

No outono, por um esforço tremendo e exaustivo, pois a colheita aconteceu quase ao mesmo tempo — o moinho de vento ficou pronto. O maquinário ainda precisava ser instalado, e Whymper negociava a compra, mas a estrutura estava pronta. Apesar de todas as dificuldades, apesar da inexperiência, dos implementos primitivos, da má sorte e da traição de Bola de Neve, o trabalho havia sido concluído pontualmente! Cansados, mas orgulhosos, os animais davam voltas e voltas em torno de sua obra-prima, que parecia ainda mais bela aos seus olhos do que quando foi construída pela primeira vez. Além disso, as paredes eram mais espessas do que antes. Nada menos que explosivos as derrubaria desta vez! E quando eles pensaram em como trabalharam, que desencorajamentos superaram, e a enorme diferença que faria em suas vidas quando as velas estivessem girando e os dínamos funcionando — quando eles pensaram em tudo isso, seu cansaço os abandonou e eles davam voltas e voltas no moinho de vento, soltando gritos de triunfo. O próprio Napoleão, acompanhado por seus cães e seu galo, desceu para inspecionar a obra concluída; ele pessoalmente parabenizou os animais por sua conquista e anunciou que o moinho se chamaria "Moinho Napoleão".

Dois dias depois, os animais foram convocados para uma reunião especial no celeiro. Eles ficaram mudos de surpresa quando Napoleão anunciou que havia vendido a pilha de madeira para Frederick. Amanhã as carroças de Frederick chegariam e começariam a levá-la embora. Durante todo o período de sua aparente amizade com Pilkington, Napoleão estivera realmente em acordo secreto com Frederick.

Todas as relações com Foxwood haviam sido rompidas; mensagens insultuosas haviam sido enviadas a Pilkington. Os pombos foram instruídos a evitar a Fazenda Pinchfield e alterar seu lema de "Morte a Frederick" para "Morte a Pilkington". Ao mesmo tempo, Napoleão assegurou aos animais que as histórias de um ataque iminente à Fazenda dos Animais eram completamente falsas e que as histórias sobre a crueldade de Frederick com seus próprios animais haviam sido muito exageradas. Todos esses rumores provavelmente se originaram com Bola de Neve e seus agentes. Agora parecia que Bola de Neve não estava, afinal, escondido na Fazenda Pinchfield e, na verdade, nunca estivera lá em toda a sua vida. Diziam que ele estava vivendo — com um luxo considerável, em Foxwood, e na verdade havia se aposentado.

Os porcos estavam em êxtase com a astúcia de Napoleão. Ao parecer amigo de Pilkington, obrigou Frederick a aumentar seu preço. Mas a qualidade superior da mente de Napoleão, disse Procópio, era demonstrada no fato de que ele não confiava em ninguém, nem mesmo em Frederick. Frederick queria pagar a madeira com algo chamado cheque, que, ao que parecia, era um pedaço de papel com uma promessa de pagamento escrita nele. Mas Napoleão era esperto demais para ele. Ele havia exigido o pagamento em notas reais, que deveriam ser entregues antes que a madeira fosse removida. Frederick já havia pago; e a quantia que ele pagou foi apenas o suficiente para comprar as máquinas para o moinho de vento.

A madeira fora retirada com rapidez. Quando tudo acabou, outra reunião especial foi realizada no celeiro para os animais inspecionarem as notas bancárias de Frederick. Sorrindo beatificamente, e usando ambas as suas condecorações, Napoleão estava deitado em uma cama de palha na plataforma, com o dinheiro ao seu lado, empilhado ordenadamente em um prato de porcelana da cristaleira da fazenda. Os animais passavam lentamente, e cada um olhava para o seu lado. Tritão esticou o nariz para cheirar as notas, e as frágeis coisas brancas agitaram-se e farfalharam em seu hálito.

Três dias depois, houve um terrível tumulto. Whymper, com o rosto mortalmente pálido, veio correndo pela trilha em sua bicicleta, jogou-a no quintal e correu direto para a casa da fazenda. No momento seguinte, um rugido sufocante de raiva soou dos aposentos de Napoleão. A notícia do que havia acontecido correu pela fazenda como um incêndio. As notas eram falsificadas! Frederick tinha conseguido a madeira de graça!

Napoleão chamou os animais imediatamente e com uma voz terrível pronunciou a sentença de morte contra Frederick. Quando capturado, disse ele, Frederick deveria ser fervido vivo. Ao mesmo tempo, advertiu-

-os de que, depois desse ato traiçoeiro, o pior era de se esperar. Frederick e seus homens poderiam fazer seu ataque há muito esperado a qualquer momento. Sentinelas foram colocadas em todos os acessos à fazenda. Além disso, quatro pombos foram enviados a Foxwood com uma mensagem conciliatória, que se esperava poder restabelecer boas relações com Pilkington.

Na manhã seguinte veio o ataque. Os animais estavam tomando o café da manhã quando as sentinelas chegaram correndo com a notícia de que Frederick e seus seguidores já haviam passado pelo portão de cinco barras. Com bastante ousadia, os animais saíram para encontrá-los, mas desta vez não tiveram a vitória fácil que tiveram na Batalha do Estábulo. Havia quinze homens, com meia dúzia de espingardas, e eles abriram fogo assim que chegaram a cinquenta metros. Os animais não puderam enfrentar as terríveis explosões e as pelotas pungentes e, apesar dos esforços de Napoleão e Tritão para animá-los, retrocederam. Alguns deles já estavam feridos. Refugiaram-se nos galpões da fazenda e espiaram cautelosamente pelas frestas e buracos. Todo o grande pasto, incluindo o moinho de vento, estava nas mãos do inimigo. No momento, até Napoleão parecia perdido. Ele andava para cima e para baixo sem dizer uma palavra, com a cauda rígida e se contorcendo. Olhares melancólicos eram lançados na direção de Foxwood. Se Pilkington e seus homens os ajudassem, ainda poderiam ganhar a batalha. Mas nesse momento os quatro pombos, que haviam sido enviados no dia anterior, voltaram, um deles trazendo um pedaço de papel de Pilkington. Nele estavam escritas as palavras: "Bem feito!" escritas a lápis.

Enquanto isso, Frederick e seus homens pararam perto do moinho de vento. Os animais os observavam, e um murmúrio de desânimo ecoou. Dois dos homens tinham trazido um pé-de-cabra e uma marreta. Eles iam derrubar o moinho de vento.

— Impossível! — gritou Napoleão. Construímos as paredes muito grossas. Eles não conseguiriam derrubá-la em uma semana. Coragem, camaradas!

Mas Benjamin observava atentamente os movimentos dos homens. Os dois com o martelo e o pé-de-cabra faziam um buraco perto da base do moinho. Lentamente, e com um ar quase divertido, Benjamin assentiu com o focinho comprido.

— Eu pensei assim — disse ele. Vocês não veem o que eles estão fazendo? Daqui a pouco vão colocar pólvora nesse buraco.

Aterrorizados, os animais esperaram. Agora era impossível sair do abrigo. Depois de alguns minutos, os homens foram vistos correndo em todas as direções. Então houve um rugido ensurdecedor. Os pombos rodopiaram no ar, e todos os animais, exceto Napoleão, se jogaram de barriga para baixo e esconderam o rosto. Quando se levantaram novamente, uma enorme nuvem de fumaça preta pairava onde o moinho de vento estivera. Lentamente, a brisa a afastou. O moinho de vento tinha deixado de existir!

Diante dessa visão, a coragem dos animais voltou. O medo e o desespero que sentiram um momento antes foram afogados em sua raiva contra esse ato vil e desprezível. Um poderoso clamor por vingança subiu, e sem esperar por mais ordens eles atacaram como um só corpo e foram direto para o inimigo. Desta vez, eles não prestaram atenção aos chumbinhos cruéis que os varreram como granizo. Foi uma batalha selvagem e amarga. Os homens atiravam repetidas vezes e, quando os animais se aproximavam, atacavam com seus bastões e suas pesadas botas. Uma vaca, três ovelhas e dois gansos foram mortos e quase todos ficaram feridos. Até Napoleão, que dirigia as operações pela retaguarda, teve a ponta de sua cauda lascada por um projétil. Mas os homens também não saíram ilesos. Três deles tiveram suas cabeças quebradas por golpes dos cascos de Tritão; outro foi ferido na barriga por um chifre de vaca; outro teve as calças quase arrancadas por Kika e Luca. E quando os nove cães de Napoleão, a quem ele havia instruído a fazer um desvio sob a cobertura da cerca, apareceram de repente no flanco dos homens, latindo ferozmente, o pânico os dominou. Eles viram que estavam em perigo de serem cercados. Frederick gritou para seus homens saírem enquanto as coisas estavam boas, e no momento seguinte os inimigos covardes estavam fugindo. Os animais os perseguiram até o fundo do campo e deram alguns últimos chutes neles enquanto forçavam seu caminho através da cerca de espinhos.

Eles venceram, mas estavam cansados e sangrando. Lentamente, começaram a mancar de volta para a fazenda. A visão de seus companheiros mortos estendidos na grama levou alguns deles às lágrimas. E por um momento pararam em triste silêncio no lugar onde o moinho de vento havia estado. Sim, ele se foi; o último vestígio do trabalho deles se foi! Até as fundações foram parcialmente destruídas. E para reconstruí-lo não poderiam, desta vez, como antes, fazer uso das pedras caídas. Desta vez as pedras também haviam desaparecido. A força da explosão as arremessou a distâncias de centenas de metros. Era como se o moinho de vento nunca tivesse existido.

Ao se aproximarem da fazenda, Procópio, que inexplicavelmente estivera ausente durante a luta, veio saltitando na direção deles, balançando o rabo e sorrindo de satisfação. E os animais ouviram, da direção dos galpões da fazenda, o solene estrondo de uma arma.

— Para que está disparando essa arma? — perguntou Tritão.

— Para comemorar nossa vitória! — gritou Procópio.

— Que vitória? — perguntou Tritão. Seus joelhos estavam sangrando, ele havia perdido uma ferradura e rachado o casco, e uma dúzia de chumbinhos se alojaram em sua pata traseira.

— Que vitória, camarada? Não expulsamos o inimigo de nosso sol? — o solo sagrado da Fazenda dos Animais.

— Mas eles destruíram o moinho de vento. E nós trabalhamos nele por dois anos!

— Que importa? Construiremos outro moinho de vento. Construiremos seis moinhos de vento se tivermos vontade. Você não percebe, camarada, a coisa poderosa que fizemos. O inimigo estava ocupando este mesmo terreno em que estamos. E agora — graças à liderança do camarada Napoleão — recuperamos cada centímetro dele novamente!

— Então recuperamos o que tínhamos antes — disse Tritão.

— Essa é a nossa vitória — disse Procópio.

Ele mancou para o pátio. Os chumbinhos sob a pele da perna de Tritão doíam muito. Ele viu à sua frente o trabalho pesado de reconstruir o moinho de vento desde as fundações, e já na imaginação ele se preparou para a tarefa. Mas, pela primeira vez, ocorreu-lhe que tinha onze anos e que talvez seus grandes músculos não fossem exatamente o que eram.

Mas quando os animais viram a bandeira verde esvoaçar e ouviram a arma disparar novamente — sete vezes ao todo — e ouviram o discurso que Napoleão fez, parabenizando-os por sua conduta, parecia-lhes que, afinal de contas, haviam obtido uma grande vitória. Os animais mortos na batalha receberam um funeral solene. Tritão e Ariel puxaram a carroça que servia de carro funerário, e o próprio Napoleão caminhou à frente da procissão. Dois dias inteiros foram dedicados a comemorações. Houve canções, discursos e mais disparos de arma, e um presente especial de uma maçã foi concedido a cada animal, cinquenta gramas de milho para cada pássaro e três biscoitos para cada cachorro. Foi anunciado que a batalha seria chamada de "Batalha do Moinho de Vento", e que Napoleão havia criado uma nova decoração, a "Ordem da Bandeira Verde", que ele mesmo havia conferido. Nos regozijos gerais, o infeliz caso das notas bancárias foi esquecido.

Poucos dias depois, os porcos encontraram uma caixa de uísque nos porões da casa da fazenda. Ele havia sido esquecido no momento em que a casa foi ocupada pela primeira vez. Naquela noite veio da casa da fazenda o som de um canto alto, no qual, para surpresa de todos, trechos de *Bichos da Inglaterra* foram ouvidos. Por volta das nove e meia, Napoleão, usando um velho chapéu-coco do Sr. Jones, foi claramente visto saindo pela porta dos fundos, galopando rapidamente pelo pátio e desaparecendo novamente dentro de casa. Mas pela manhã um profundo silêncio pairou sobre a casa da fazenda. Nem um porco parecia estar se mexendo. Eram quase nove horas quando Procópio apareceu, andando devagar e desanimado, os olhos embaçados, o rabo pendurado frouxamente atrás dele, e com toda aparência de estar seriamente doente. Ele reuniu os animais e disse-lhes que tinha uma notícia terrível para dar. O camarada Napoleão estava morrendo!

Ouviu-se um grito de lamentação. A palha foi colocada do lado de fora da casa da fazenda e os animais andaram nas pontas dos pés. Com lágrimas nos olhos, eles perguntaram uns aos outros o que deveriam fazer se seu Líder fosse tirado deles. Correu o boato de que Bola de Neve tinha, afinal, conseguido introduzir veneno na comida de Napoleão. Às onze horas Procópio saiu para fazer outro anúncio. Como seu último ato na terra, o camarada Napoleão pronunciara um decreto solene: a ingestão de álcool seria punida com a morte.

À noite, no entanto, Napoleão parecia estar um pouco melhor, e na manhã seguinte Procópio comunicou a eles que O Líder estava a caminho da recuperação. Naquela noite, Napoleão estava de volta ao trabalho e, no dia seguinte, soube-se que ele havia instruído Whymper a comprar em Willingdon alguns folhetos sobre fabricação de cerveja e destilação. Uma semana depois, Napoleão deu ordens para que o pequeno cercado além do pomar, que antes se destinava a servir de pastagem para animais que não trabalhavam, fosse arado. Foi informado que o pasto estava esgotado e precisava ser replantado; mas logo se soube que Napoleão pretendia semeá-la com cevada.

Por volta dessa época ocorreu um estranho incidente que quase ninguém foi capaz de entender. Certa noite, por volta da meia-noite, ouviu-se um estrondo no pátio e os animais saíram às pressas de suas baias. Era uma noite de luar. Ao pé da parede final do grande celeiro, onde os Sete Mandamentos foram escritos, havia uma escada quebrada em dois pedaços. Procópio, temporariamente atordoado, estava esparramado ao lado dela, e perto dela havia uma lanterna, um pincel e um pote de tinta branca virado. Os cães imediatamente rodearam Procópio e o escoltaram de volta à casa da fazenda assim que ele conseguiu andar. Nenhum dos animais conseguiu entender o que isso significava, exceto o velho Benjamin, que acenou com o focinho com ar astuto e pareceu entender, mas não disse nada.

Mas, alguns dias depois, Esmeralda, lendo os Sete Mandamentos para si mesma, notou que havia mais um deles que os animais se lembravam errado. Eles pensaram que o Quinto Mandamento era "Nenhum animal beberá álcool", mas havia duas palavras que eles haviam esquecido. Na verdade, o Mandamento dizia: "Nenhum animal beberá álcool em excesso".

"Eles achavam reconfortante ser lembrados de que, afinal, eles eram realmente seus próprios mestres..."

9

O casco fendido de Tritão demorou muito para se curar. Eles começaram a reconstrução do moinho de vento no dia seguinte ao término das comemorações da vitória. Tritão recusou-se a tirar sequer um dia de folga do trabalho e era questão de honra não deixar que ninguém visse que estava com dor. À noite, ele admitia em particular para Ariel que o casco o incomodava muito. Ariel tratou o casco com cataplasmas de ervas que ela preparou mastigando-as, e tanto ela quanto Benjamin pediram a Tritão que trabalhasse menos. "Os pulmões de um cavalo não duram para sempre", ela disse a ele. Mas Tritão não quis ouvir. Ele disse que só lhe restava uma ambição real — ver o moinho de vento bem adiantado antes de atingir a idade da aposentadoria.

No início, quando as leis da Fazenda dos Animais foram formuladas pela primeira vez, a idade de aposentadoria foi fixada para cavalos e porcos em doze anos, para vacas em quatorze, para cães em nove, para ovelhas em sete e para galinhas e gansos em cinco. As pensões liberais de velhice haviam sido acordadas. Até agora nenhum animal havia se aposentado com pensão, mas ultimamente o assunto vinha sendo discutido cada vez mais. Agora que o pequeno campo além do pomar havia sido reservado para a cevada, havia rumores de que um canto do grande pasto seria cercado e transformado em pastagem para animais aposentados. Para um cavalo, dizia-se, a pensão seria de dois quilos e meio de milho por dia e, no inverno, oito quilos de feno, com uma cenoura ou possivelmente uma maçã nos feriados. O décimo segundo aniversário de Tritão era para o final do verão do ano seguinte.

Enquanto isso a vida era dura. O inverno estava tão frio quanto o anterior, e a comida era ainda mais curta. Mais uma vez todas as rações foram reduzidas, exceto as dos porcos e dos cães. Uma igualdade muito rígida nas rações, explicou Procópio, seria contrária aos princípios do Animalismo. Em todo caso, ele não teve dificuldade em provar aos outros animais que na realidade eles não estavam com falta de comida, quaisquer que fossem as aparências. Por enquanto era necessário fazer um reajuste das rações (Procópio sempre falava disso como um "reajuste", nunca como uma "redução"), mas em comparação com os dias de Jones, a melhora foi enorme. Lendo os números com uma voz aguda e rápida, ele provou a eles em detalhes que eles tinham mais aveia, mais feno, mais nabos do que na época de Jones, que trabalhavam menos horas, que sua água potável era de melhor qualidade, que viviam mais, que uma proporção maior de seus filhotes sobrevivia à infância, que tinham mais palha em suas barracas e sofriam menos com pulgas. Os animais acreditaram em cada palavra. Verdade seja dita, Jones e tudo o que ele representava quase desapareceram de suas memórias. Eles sabiam que a vida hoje em dia era dura e vazia, que muitas vezes passavam fome e muitas vezes frio, e que geralmente trabalhavam quando não estavam dormindo. Mas sem dúvida tinha sido pior nos velhos tempos. Eles ficaram felizes em acreditar nisso. Além do mais, naqueles dias eram escravos, ao passo que, agora, eram livres; e tudo isso, afinal, fazia diferença, conforme Procópio sempre dizia.

Havia muito mais bocas para alimentar agora. No outono, as quatro porcas tinham dado cria ao mesmo tempo, produzindo trinta e um leitões. Os leitões eram malhados e, como Napoleão era o único reprodutor da fazenda, era fácil adivinhar sua filiação. Foi anunciado que mais tarde, quando os tijolos e a madeira fossem comprados, uma sala de aula seria construída no jardim da fazenda. Por enquanto, os leitões eram instruídos pelo próprio Napoleão na cozinha da fazenda. Eles faziam exercícios no jardim e eram desencorajados a brincar com os outros animais jovens. Nessa época, também, foi estabelecido como regra que quando um porco e qualquer outro animal se encontrassem no caminho, o outro animal cederia a passagem; e também que os porcos, qualquer que fosse seu grau hierárquico teriam o direito de usar fitas vermelhas no rabicho aos domingos.

A fazenda teve um ano de bastante sucesso, mas ainda estava com pouco dinheiro. Era preciso comprar, tijolos areia e cal para construir a sala de aula, e também seria necessário recomeçar a economizar para a maquinaria do moinho. Depois havia óleo de lamparina e velas para a casa, açúcar para a mesa do próprio Napoleão (ele proibiu isso aos outros porcos, alegando que os engordava), todo o suprimento normal de ferramentas, pregos, barbante, carvão, arame, ferro-velho e biscoitos para cães. Um toco de feno e parte da colheita de batata foram vendidos, e o contrato de ovos foi aumentado para seiscentos por semana, de modo que naquele ano as galinhas mal eclodiram pintinhos suficientes para manter seu número no mesmo nível. As rações, reduzidas em dezembro, foram reduzidas novamente em fevereiro, e as lanternas nas baias foram proibidas para economizar óleo. Mas os porcos pareciam bastante confortáveis e, de fato, estavam ganhando peso. Uma tarde, no final de fevereiro, um cheiro quente, rico e apetitoso, como os animais nunca sentiram antes, flutuou pelo pátio da pequena cervejaria, que havia sido abandonada no tempo de Jones e que ficava além da cozinha. Alguém disse que era o cheiro de cevada cozinhando. Os animais farejaram o ar avidamente e se perguntaram se um purê quente estava sendo preparado para o jantar. Mas não apareceu nenhum purê quente, e no domingo seguinte foi anunciado que a partir de então toda a cevada seria reservada para os porcos. O campo além do pomar já havia sido semeado com cevada. E logo vazou a notícia de que cada porco estava recebendo diariamente, a ração de meia garrafa de cerveja, sendo que Napoleão recebia meio galão e era servido na terrina da baixela de porcelana.

Mas se havia dificuldades a suportar, elas eram parcialmente compensadas pelo fato de que a vida hoje tinha uma dignidade maior do que antes. Havia mais canções, mais discursos, mais procissões. Napoleão havia ordenado que uma vez por semana deveria ser realizada uma coisa chamada Manifestação Espontânea, cujo objetivo era celebrar as lutas e triunfos da Fazenda dos Animais. Na hora marcada, os animais saíam do trabalho e marchavam pelo recinto da fazenda em formação militar, com os porcos à frente, depois os cavalos, depois as vacas, depois as ovelhas e depois as aves. Os cães ladeavam a procissão e à frente de todos marchava o galo preto de Napoleão. Tritão e Ariel sempre carregavam uma bandeira verde com um casco e um chifre desenhados e a legenda dizia: "Viva o camarada Napoleão!" Depois aconteciam recitações de poemas compostos em homenagem a Napoleão e um discurso de Procópio dando detalhes sobre os últimos aumentos na produção de alimentos, e de vez em quando um tiro era disparado. As ovelhas eram as maiores devotas da Manifestação Espontânea, e se alguém reclamasse (como alguns animais às vezes faziam, quando não havia porcos ou cachorros por perto) de que aquele negócio era uma perda de tempo e os obrigava a ficar um bom tempo no frio, as ovelhas invariavelmente calavam o insatisfeito com um balido de "Quatro pernas, bom, duas pernas, ruim!" Mas, em geral, os animais gostavam dessas celebrações. Eles achavam reconfortante ser lembrados de que, afinal, eles eram realmente seus próprios mestres e que o trabalho que faziam era para seu próprio benefício. Então, com as músicas, as procissões, as listas que Procópio elaborava, do estrondo da espingarda, do cocoricó do garnisé e do drapejar da bandeira, conseguiam esquecer que estavam de barriga vazia, pelo menos a maior parte do tempo.

Em abril, a Fazenda dos Animais foi proclamada República, e tornou-se necessário eleger um Presidente. Houve apenas um candidato, Napoleão, que foi eleito por unanimidade. No mesmo dia, foi divulgado que novos documentos haviam sido descobertos, revelando mais detalhes sobre a cumplicidade de Bola de Neve com Jones. Agora parecia que Bola de Neve não tinha, como os animais haviam imaginado anteriormente, meramente tentado perder a Batalha do Estábulo por meio de um estratagema, mas estava lutando abertamente ao lado de Jones. Na verdade, foi ele quem realmente foi o líder das forças humanas e atacou a batalha com as palavras "Viva a Humanidade!" em seus lábios. As feridas nas costas de Bola de Neve, que alguns dos animais ainda se lembravam de ter visto, foram infligidas pelos dentes de Napoleão.

No meio do verão, Moisés, o corvo, reapareceu repentinamente na fazenda, após uma ausência de vários anos. Ele estava praticamente inalterado, ainda não trabalhava e falava com a mesma tensão de sempre sobre a Montanha de Açúcar. Ele se empoleirava em um toco, batia suas asas negras e falava horas a fio com quem quisesse ouvir. "Lá em cima, camaradas", dizia solenemente, apontando para o céu com seu grande bico — "lá em cima, do outro lado daquela nuvem escura que você vê — lá está, a Montanha de Açúcar, aquele país feliz onde nós, pobres animais, descansaremos para sempre de nossos trabalhos!" Ele até afirmou ter estado lá em um de seus voos mais altos, e ter visto os campos eternos de trevo e o bolo de linhaça e torrões de açúcar crescendo nas sebes. Muitos dos animais acreditaram nele. Suas vidas atualmente eram de fome e de trabalho, raciocinavam; era justo que lhes estivesse reservado um mundo melhor, mais além? Uma coisa difícil de determinar era a atitude dos porcos em relação a Moisés. Todos declararam desdenhosamente que suas histórias sobre a Montanha de Açúcar eram mentiras e, no entanto, permitiram que ele permanecesse na fazenda, sem trabalhar, com um subsídio de um copo de cerveja por dia.

Depois que seu casco se curou, Tritão trabalhou mais do que nunca. De fato, todos os animais trabalharam como escravos naquele ano. Além do trabalho regular da fazenda e da reconstrução do moinho de vento, havia a escola dos leitões, iniciada em março. Às vezes, as longas horas com comida insuficiente eram difíceis de suportar, mas Tritão nunca vacilou. Em nada do que ele disse ou fez havia qualquer sinal de que sua força não era o que tinha sido. Foi apenas sua aparência que foi um pouco alterada; sua pele estava menos brilhante do que costumava ser, e suas grandes ancas pareciam ter encolhido. Os outros diziam: "Tritão vai se recuperar quando crescer o capim da primavera"; mas a primavera chegou e Tritão não engordou. Às vezes, na ladeira que levava ao topo da pedreira, quando apoiava os músculos contra o peso de alguma grande pedra, parecia que nada o mantinha de pé, exceto a vontade de continuar. Nesses momentos, seus lábios formavam as palavras: "Vou trabalhar mais ainda"; ele não tinha mais voz. Mais uma vez Ariel e Benjamin o alertaram para cuidar de sua saúde, mas Tritão não prestou atenção. Seu décimo segundo aniversário estava se aproximando. Ele não se importava com o que acontecesse, desde que uma boa reserva de pedra fosse acumulada antes de se aposentar.

No final de uma noite de verão, correu um boato repentino na fazenda de que algo havia acontecido com Tritão. Ele tinha saído sozinho para arrastar uma carga de pedra até o moinho de vento. E com certeza, o boato era verdadeiro. Poucos minutos depois, dois pombos vieram correndo com a notícia:

— O Tritão caiu! Ele está deitado de lado e não consegue se levantar!

Cerca de metade dos animais da fazenda correu para a colina onde ficava o moinho de vento. Lá estava Tritão, entre as varas da carroça, o pescoço esticado, incapaz até de levantar a cabeça. Seus olhos estavam arregalados, seus lados empapados de suor. Uma fina corrente de sangue escorria de sua boca. Ariel caiu de joelhos ao lado dele.

— Tritão! — ela gritou — Como você está?

— É o meu pulmão — disse Tritão com voz fraca. — Não importa. Eu acho que vocês serão capazes de terminar o moinho de vento sem mim. Há uma boa quantidade de pedra acumulada. De qualquer maneira só me resta um mês de atividade. Para dizer a verdade, eu estava ansioso para minha aposentadoria. E talvez, como Benjamin também está envelhecendo, eles o deixem se aposentar ao mesmo tempo e ser um companheiro para mim.

— Precisamos obter ajuda imediatamente — disse Ariel. — Corra, alguém, e conte a Procópio o que aconteceu.

Todos os outros animais imediatamente correram de volta para a fazenda para dar a notícia a Procópio. Restaram apenas Ariel e Benjamin, que se deitou ao lado de Tritão e, sem falar nada, manteve as moscas longe dele com sua longa cauda. Depois de cerca de um quarto de hora, Procópio apareceu, cheio de simpatia e preocupação. Disse que o camarada Napoleão soubera com a mais profunda aflição desse infortúnio a um dos trabalhadores mais leais da fazenda e já estava providenciando para enviar Tritão para ser tratado no hospital de Willingdon. Os animais se sentiram um pouco inquietos com isso. Com exceção de Serena e Bola de Neve, nenhum outro animal jamais havia saído da fazenda, e eles não gostavam de pensar em seu companheiro doente nas mãos de seres humanos. No entanto, Procópio os convenceu facilmente de que o cirurgião veterinário em Willingdon poderia tratar de Tritão de forma mais satisfatória do que poderia ser feito na fazenda. E cerca de meia hora depois, quando Tritão se recuperou um pouco, ele se levantou com dificuldade e conseguiu voltar mancando para sua baia, onde Ariel e Benjamin haviam preparado uma boa cama de palha para ele.

Nos dois dias seguintes, Tritão permaneceu na sua baia. Os porcos enviaram um grande frasco de remédio rosa que encontraram no armário de remédios do banheiro, e Ariel o administrou a Tritão duas vezes ao dia após as refeições. À noite, ela deitava na baia e conversava com ele, enquanto Benjamin mantinha as moscas longe. Tritão confessou não estar arrependido do que aconteceu. Se se recuperasse bem, poderia esperar viver mais três anos, e ansiava pelos dias tranquilos que passaria no canto do grande pasto. Seria a primeira vez que ele teria tempo livre para estudar e aprimorar sua mente. Ele pretendia, dizia ele, dedicar o resto de sua vida a aprender as vinte e duas letras restantes do alfabeto.

No entanto, Benjamin e Ariel só podiam estar com Tritão depois do expediente, e foi no meio do dia que o carroção veio para levá-lo embora. Os animais estavam todos trabalhando capinando nabos sob a supervisão de um porco, quando ficaram surpresos ao ver Benjamin vindo galopando da direção dos galpões da fazenda, zurrando a plenos pulmões. Era a primeira vez que eles viam Benjamin excitado — na verdade, era a primeira vez que alguém o via galopando.

— Rápido, rápido! — ele gritou. — Venham imediatamente! Eles estão levando Tritão!

Sem esperar ordens do porco, os animais interromperam o trabalho e correram de volta para os galpões da fazenda. Com certeza, lá no pátio havia um carroção fechado, puxado por dois cavalos, com letras na lateral e um homem de aparência astuta com um chapéu coco sentado na boleia. E a baia de Tritão estava vazia.

Os animais se aglomeraram em volta do carroção.

— Adeus, Tritão! — eles gritaram — Adeus!

— Tolos! Tolos! — gritou Benjamin, saltitando em volta deles e batendo na terra com seus pequenos cascos. — Tolos! Vocês não percebem o que está escrito na lateral daquele carroção?

Isso fez os animais pararem, e houve um silêncio. Esmeralda começou a soletrar as palavras. Mas Benjamin a empurrou para o lado e, em meio a um silêncio mortal, leu:

— Alfred Simmonds, Matadouro de Cavalos, Fabricante de Cola, Willingdon. Peles e Farinha de Ossos. Vocês não entendem o que isso significa? Eles estão levando Tritão para o matadouro!

Um grito de horror explodiu de todos os animais. Nesse momento, o homem da boleia acelerou seus cavalos e o carroção saiu do pátio em um trote rápido. Todos os animais o seguiram, gritando a plenos pulmões. Ariel forçou seu caminho para a frente. O carroção começou a ganhar velocidade. Ariel tentou mover seus membros robustos para um galope, e conseguiu um galope.

— Tritão! — ela gritou — Tritão! Tritão! Tritão!

E nesse exato momento, como se tivesse ouvido o barulho lá fora, o rosto de Tritão, com a faixa branca no nariz, apareceu na janelinha na parte de trás do carroção.

— Tritão! — gritou Ariel com uma voz desesperada. — Tritão! Saia! Saia rápido! Eles estão levando você para a morte!

Todos os animais ouviram o grito de "Saia, Tritão, saia!" Mas o carroção já estava ganhando velocidade e se afastando deles. Não se sabia se Tritão havia entendido o que Ariel dissera. Mas um momento depois seu rosto desapareceu da janela e ouviu-se o som de um tremendo tamborilar de cascos dentro do carroção. Ele estava tentando escapar de qualquer maneira. Houve uma época em que alguns chutes dos cascos de Tritão teriam esmagado aquele carroção em pedaços. Mas infelizmente sua força o abandonou; e em alguns momentos o som de cascos tamborilando ficou mais fraco e desapareceu. Em desespero os animais começaram a apelar para os dois cavalos que puxaram o carroção para parar.

— Camaradas, camaradas! — eles gritavam — Não leve seu próprio irmão para a morte!

Mas eles eram brutos, estúpidos e ignorantes demais para perceber o que estava acontecendo, simplesmente recuaram as orelhas e aceleraram o passo. O rosto de Tritão não reapareceu na janela. Tarde demais, alguém pensou em correr à frente e fechar o portão de cinco barras; mas em um momento o carroção passou por ele e rapidamente desapareceu na estrada. Tritão nunca mais foi visto.

Três dias depois, foi anunciado que ele havia morrido no hospital de Willingdon, apesar de receber toda a atenção que um cavalo poderia ter. Procópio veio dar a notícia. Presenciara, disse, os últimos momentos de Tritão.

— Foi a visão mais comovente que eu já vi! — disse Procópio, levantando o trote e enxugando uma lágrima. Eu estava ao lado de sua cama no final. E no final, quase fraco demais para falar, ele sussurrou em meu ouvido que sua única tristeza era ter adoecido antes que o moinho terminasse. "Avante, camaradas!", sussurrou ele. "Avante em nome da Rebelião. Viva a Fazenda dos Animais! Viva o camarada Napoleão! Napoleão tem sempre razão." Essas foram suas últimas palavras, camaradas.

Aqui o comportamento de Procópio mudou de repente. Ele ficou em silêncio por um momento, e seus olhos lançaram olhares desconfiados de um lado para o outro antes de prosseguir.

Chegou ao seu conhecimento, disse ele, que um boato tolo e perverso havia circulado no momento da remoção de Tritão. Alguns dos animais notaram que no carroção que levou Tritão estava escrito "Matadouro de Cavalos" e chegaram à conclusão de que Tritão estava sendo enviado para o matadouro. Era quase inacreditável, disse Procópio, que qualquer animal pudesse ser tão estúpido. Certamente, ele gritou indignado, balançando o rabo e pulando de um lado para o outro, que todos conheciam seu amado líder, o camarada Napoleão. Mas a explicação era realmente muito simples. O carroção já havia sido propriedade do carniceiro, e havia sido comprado pelo veterinário, que ainda não havia apagado o antigo nome. Foi assim que surgiu o engano.

Os animais ficaram enormemente aliviados ao ouvir isso. E quando Procópio passou a dar mais detalhes sobre o leito de morte de Tritão, os cuidados admiráveis que recebeu e os remédios caros pelos quais Napoleão pagou sem pensar no custo, suas últimas dúvidas e a tristeza desapareceram, pois sentiram que a morte de seu camarada foi temperada pelo pensamento de que pelo menos ele morrera feliz.

O próprio Napoleão compareceu à reunião na manhã do domingo seguinte e pronunciou um breve discurso em homenagem a Tritão. Não foi possível, disse ele, trazer de volta os restos mortais de seu lamentável camarada para sepultamento na fazenda, mas ele ordenou que uma grande coroa de louros fosse feita e enviada para ser colocada no túmulo de Tritão. E dentro de alguns dias os porcos pretendiam realizar um banquete em homenagem a Tritão. Napoleão terminou seu discurso lembrando as duas máximas favoritas de Tritão: "Vou trabalhar mais ainda" e "O camarada Napoleão está sempre certo" — máximas, disse ele, que todo animal faria bem em adotar como suas.

No dia marcado para o banquete, a carroça de uma mercearia veio de Willingdon e entregou um grande caixote de madeira na casa da fazenda. Naquela noite, ouviu-se o som de uma cantoria ruidosa, que foi seguida pelo que parecia uma briga violenta e terminou por volta das onze horas com um tremendo estrondo de vidro. Ninguém se mexeu na casa da fazenda antes do meio-dia do dia seguinte, e correu o boato de que de algum lugar os porcos haviam conseguido dinheiro para comprar outra caixa de uísque.

"De alguma forma, parecia que a fazenda tinha ficado mais rica sem tornar os próprios animais mais ricos..."

10

Anos se passaram. As estações iam e vinham, as curtas vidas dos animais passavam. Chegou um tempo em que não havia ninguém que se lembrasse dos velhos tempos antes da Rebelião, exceto Ariel, Benjamim, Moisés — o corvo, e vários porcos.

Esmeralda estava morta; Luca, Kika e Nero estavam mortos. Jones também estava morto — ele havia morrido em um centro de recuperação para alcoólatras em outra parte do condado. Bola de neve foi esquecido. Tritão foi esquecido, exceto pelos poucos que o conheceram. Ariel era uma velha égua robusta agora, com dores nas articulações e com tendência a olhos lacrimejantes. Ela tinha passado dois anos da idade de se aposentar, mas, na verdade, nenhum animal jamais se aposentou. A conversa de reservar um canto do pasto para animais aposentados há muito havia sido abandonada. Napoleão era agora um reprodutor maduro pesando cerca de cento e cinquenta quilos. Procópio era tão gordo que mal conseguia enxergar. Só que o velho Benjamin era o mesmo de sempre, exceto por estar um pouco mais grisalho no focinho e, desde a morte de Tritão, ficou mais rabugento e taciturno.

Havia muito mais criaturas na fazenda agora, embora o aumento não fosse tão grande quanto se esperava em anos anteriores. Muitos animais tinham nascido, para quem a Rebelião era apenas uma vaga tradição, passada de boca em boca, e outros que nem sequer tinham ouvido falar coisa nenhuma a respeito. A fazenda agora possuía três cavalos além de Ariel. Eram feras dignas, trabalhadoras dispostas e bons camaradas, mas muito estúpidas. Nenhum deles se mostrou capaz de aprender o alfabeto além da letra B. Aceitaram tudo o que lhes foi dito sobre a Rebelião e os princípios do Animalismo, especialmente de Ariel, por quem tinham muito respeito; mas era duvidoso que eles entendessem muito disso.

    A fazenda estava agora mais próspera e melhor organizada: havia até sido ampliada por dois campos que haviam sido comprados do Sr. Pilkington. O moinho de vento foi finalmente concluído com sucesso, e a fazenda possuía uma debulhadora e um elevador de feno próprio, e vários novos galpões foram adicionados a ele. Whymper havia comprado uma carroça. O moinho de vento, no entanto, não tinha sido usado para gerar energia elétrica. Era usado para moer milho e trouxe um belo lucro em dinheiro. Os animais estavam trabalhando duro para construir mais um moinho de vento; quando aquele estivesse terminado, dizia-se, os dínamos seriam instalados. Mas os luxos com os quais Bola de Neve ensinara os animais a sonhar, as baias com luz elétrica e água quente e fria, e a semana de três dias, não se falava mais. Napoleão havia denunciado tais ideias como contrárias ao espírito do Animalismo. A verdadeira felicidade, dizia ele, estava em trabalhar duro e viver frugalmente.

    De alguma forma, parecia que a fazenda tinha ficado mais rica sem tornar os próprios animais mais ricos — exceto, é claro, os porcos e os cachorros. Talvez fosse em parte porque havia muitos porcos e muitos cachorros. Não que essas criaturas não funcionassem, à sua moda. Havia, como Procópio nunca se cansava de explicar, um trabalho interminável na supervisão e organização da fazenda. Grande parte desse trabalho era de um tipo que os outros animais eram ignorantes demais para entender. Por exemplo, Procópio disse a eles que os porcos despendiam diariamente enormes esforços todos os dias em coisas misteriosas chamadas "arquivos", "relatórios", "minutas" e "memorandos". Estas eram grandes folhas de papel que tinham que ser cobertas com escrita e, assim que estavam cobertas, eram queimadas na fornalha. Isso era da maior importância para o bem-estar da fazenda, dizia Procópio. Mas ainda assim, nem porcos nem cães produziam qualquer alimento por seu próprio trabalho; e havia muitos deles, e seus apetites eram sempre bons.

Quanto aos outros, sua vida, até onde sabiam, era como sempre fora. Eles geralmente estavam com fome, dormiam na palha, bebiam do açude, trabalhavam nos campos; no inverno eram incomodados pelo frio e no verão pelas moscas. Às vezes, os mais velhos entre eles reviravam suas memórias turvas e tentavam determinar se nos primeiros dias da Rebelião, quando a expulsão de Jones ainda era recente, as coisas tinham sido melhores ou piores do que agora. Eles não conseguiam se lembrar. Não havia nada com que pudessem comparar suas vidas atuais: eles não tinham nada com que se basear, exceto as listas de números de Procópio, que invariavelmente demonstravam que tudo estava ficando cada vez melhor. Os animais acharam o problema insolúvel; em todo caso, eles tinham pouco tempo para especular sobre essas coisas agora.

E, no entanto, os animais nunca perderam a esperança. Além disso, eles nunca perderam, nem por um instante, seu senso de honra e privilégio de serem membros da Fazenda dos Animais. Era a única fazenda em todo o condado — em toda a Inglaterra! — de propriedade dos animais e por eles administrada. Nenhum deles, nem mesmo o mais jovem, nem mesmo os recém-chegados trazidos de outras fazendas, jamais deixaram de se maravilhar com isso. E quando eles ouviam o estrondo da arma e viam a bandeira verde tremulando no mastro, seus corações se enchiam de orgulho imperecível, e a conversa se voltava sempre para os velhos tempos heroicos, a expulsão de Jones, a elaboração dos Sete Mandamentos, as grandes batalhas em que os invasores humanos foram derrotados. Nenhum dos velhos sonhos havia sido abandonado. A República dos Animais que Major havia predito, quando os verdes campos da Inglaterra não deveriam ser pisados por pés humanos, era algo em que ainda acreditavam. O dia havia de chegar: poderia não ser em breve, talvez não acontecesse durante a vida de qualquer dos animais de então, mas havia de chegar. Mesmo a melodia de *Bichos da Inglaterra* talvez fosse cantarolada secretamente aqui e ali: de qualquer forma, era um fato que todos os animais da fazenda a conheciam, embora ninguém ousasse cantá-la em voz alta. Pode ser que suas vidas tivessem sido difíceis e que nem todas as suas esperanças tivessem sido cumpridas; mas estavam conscientes de que não eram como os outros animais. Se passaram fome, não foi por alimentar seres humanos tirânicos; se trabalhavam duro, pelo menos trabalhavam para si mesmos. Nenhuma criatura entre eles andava sobre duas pernas. Nenhuma criatura chamou qualquer outra criatura de "Mestre". Todos os animais eram iguais.

    Um dia, no início do verão, Procópio ordenou que as ovelhas o seguissem e as levou para um terreno baldio na outra extremidade da fazenda, que estava cheio de mudas de bétula. As ovelhas passaram o dia inteiro ali pastando nas folhas sob a supervisão de Procópio. À noite, ele voltou para a casa da fazenda, mas, como o tempo estava quente, disse às ovelhas que ficassem onde estavam. Acabaram ficando ali por uma semana inteira, durante a qual os outros animais não as viram. Procópio ficava com elas a maior parte do dia. Ele estava, disse ele, ensinando-as a cantar uma nova música, para a qual a privacidade era necessária.

    Foi logo depois que as ovelhas voltaram, numa noite agradável, quando os animais terminaram o trabalho e estavam voltando para os galpões da fazenda, que o relincho aterrorizado de um cavalo soou do pátio. Assustados, os animais pararam. Era a voz de Ariel. Ela relinchou novamente, e todos os animais começaram a galopar e correram para o pátio. Então eles viram o que Ariel tinha visto.

    Era um porco andando nas patas traseiras.

    Sim, era Procópio. Um pouco desajeitado, como se não estivesse acostumado a sustentar seu corpo considerável naquela posição, mas com perfeito equilíbrio, ele estava passeando pelo pátio. E um momento depois, da porta da casa da fazenda veio uma longa fila de porcos, todos andando nas patas traseiras. Alguns fizeram isso melhor do que outros, um ou dois eram até um pouco instáveis e pareciam ter gostado do apoio de uma vara, mas todos eles deram a volta no pátio com sucesso. E, finalmente, houve um tremendo latido de cães e um canto estridente do galo preto, e saiu o próprio Napoleão, majestosamente ereto, lançando olhares altivos de um lado para o outro, e com seus cães saltitando ao seu redor. Ele carregava um chicote.

    Houve um silêncio mortal. Espantados, aterrorizados, amontoados, os animais observavam a longa fila de porcos marchando lentamente pelo pátio. Era como se o mundo tivesse virado de cabeça para baixo. Então chegou um momento em que o primeiro choque passou e, apesar de tudo, apesar do terror dos cães e do hábito, desenvolvido ao longo dos anos, de nunca reclamar, nunca criticar, não importa o que acontecesse.

Poderiam lançar uma palavra de protesto. Porém, exatamente nesse instante, como se obedecessem a um sinal combinado, as ovelhas em uníssono, estrondaram num espetacular balido:

"Quatro pernas, bom, duas pernas, melhor! Quatro pernas bom, duas pernas, melhor! Quatro pernas bom, duas pernas, melhor!"

Baliram por cinco minutos sem parar. E quando as ovelhas se aquietaram, a chance de proferir qualquer protesto havia passado, pois os porcos marcharam de volta para a casa da fazenda.

Benjamin sentiu um nariz acariciando seu ombro. Ele olhou em volta. Era Ariel. Seus velhos olhos pareciam mais escuros do que nunca. Sem dizer nada, ela puxou delicadamente sua crina e o levou até o final do grande celeiro, onde os Sete Mandamentos estavam escritos. Por um minuto ou dois eles ficaram olhando para a parede alcatroada com suas letras brancas.

— Minha visão está falhando — ela disse finalmente. Mesmo quando eu era jovem eu não poderia ter lido o que estava escrito lá. Mas parece-me que aquela parede está diferente. Os Sete Mandamentos são os mesmos de antigamente, Benjamin?

Pela primeira vez Benjamin consentiu em quebrar sua regra, e ele leu para ela o que estava escrito na parede. Não havia nada lá agora, exceto um único Mandamento dizendo:

TODOS OS ANIMAIS SÃO IGUAIS, MAS ALGUNS ANIMAIS SÃO MAIS IGUAIS QUE OUTROS

Depois disso não pareceu estranho quando, no dia seguinte, os porcos que supervisionavam o trabalho da fazenda carregavam chicotes em suas patas. Não pareceu estranho saber que os porcos haviam comprado um aparelho sem fio, estavam providenciando a instalação de um telefone e haviam feito assinaturas de jornais e revistas. Não pareceu estranho quando Napoleão foi visto passeando no jardim da fazenda com um cachimbo na boca — não, nem mesmo quando os porcos tiraram as roupas do Sr. Jones dos armários e as vestiram, o próprio Napoleão aparecendo em um casaco preto e calças de couro, enquanto sua porca favorita aparecia no vestido de seda que a Sra. Jones costumava usar aos domingos.

Uma semana depois, à tarde, várias carroças chegaram à fazenda. Uma delegação de fazendeiros vizinhos foi convidada a fazer uma visita de inspeção. Toda a granja lhes foi mostrada e eles expressaram admiração por tudo quanto viram, especialmente pelo moinho de vento. Os animais estavam capinando o campo de nabo. Trabalhavam diligentemente, mal levantando o rosto do chão e sem saber se tinham mais medo dos porcos ou dos visitantes humanos.

Naquela noite, risadas altas e explosões de canto vieram da casa da fazenda. E de repente, ao som das vozes misturadas, os animais foram tomados de curiosidade. O que estaria acontecendo lá dentro, agora que, pela primeira vez, encontravam-se em termos de igualdade os animais e os seres humanos? Pensando todos a mesma coisa, dirigiram-se para o jardim da casa.

No portão eles pararam, meio assustados, mas Ariel foi na frente. Eles foram nas pontas dos pés até a casa, e os animais que eram altos o suficiente espiaram pela janela da sala de jantar. Ali, ao redor da longa mesa, estava sentada meia dúzia de fazendeiros e meia dúzia de porcos mais eminentes, o próprio Napoleão ocupando o lugar de honra na cabeceira da mesa. Os porcos pareciam completamente à vontade em suas cadeiras. O grupo estava desfrutando de um jogo de cartas, mas havia parado no momento, evidentemente para fazer um brinde. Um grande jarro circulava e as canecas estavam sendo reabastecidas com cerveja. Ninguém notou os rostos curiosos dos animais que olhavam pela janela.

Sr. Pilkington, de Foxwood, levantou-se com a caneca na mão. Em um momento, disse ele, pediria ao grupo que fizesse um brinde. Mas antes de fazê-lo, havia algumas palavras que ele queria dizer.

Foi uma grande satisfação para ele, disse — e, ele tinha certeza, para todos os outros presentes — sentir que um longo período de desconfiança e mal-entendidos havia chegado ao fim. Houve um tempo — não que ele, ou qualquer membro da empresa atual, compartilhasse tais sentimentos — mas houve um tempo em que os respeitados proprietários da Fazenda dos Animais eram vistos, ele não diria com hostilidade, mas talvez com uma certa medida de apreensão, por seus vizinhos humanos.

Incidentes infelizes haviam ocorrido, ideias equivocadas haviam circulado. Achava-se que a existência de uma fazenda de propriedade e gerida por porcos era algo anormal e suscetível de ter um efeito perturbador na vizinhança. Muitos fazendeiros haviam assumido, sem a devida investigação, que em tal fazenda prevaleceria um espírito de indisciplina. Eles estavam nervosos com os efeitos sobre seus próprios animais, ou mesmo sobre seus empregados humanos. Mas todas essas dúvidas foram agora dissipadas. Hoje ele e seus amigos visitaram a Fazenda dos Animais e inspecionaram cada centímetro dela com seus próprios olhos, e o que encontraram? Não apenas os métodos mais atualizados, mas uma disciplina e uma ordem que devem ser um exemplo para todos os agricultores em todos os lugares. Ele acreditava que estava certo ao dizer que os animais inferiores da Fazenda dos Animais trabalhavam mais e recebiam menos comida do que qualquer animal do condado. De fato, ele e seus colegas visitantes hoje observaram muitos recursos que pretendiam introduzir imediatamente em suas próprias fazendas.

Ele terminaria suas observações enfatizando mais uma vez os sentimentos de amizade que subsistiam, e deveriam subsistir, entre a Fazenda dos Animais e seus vizinhos. Entre porcos e seres humanos não houve, e não precisa haver, qualquer conflito de interesses. Suas lutas e suas dificuldades eram uma só. O problema trabalhista não era o mesmo em todos os lugares? Aqui ficou claro que o Sr. Pilkington estava prestes a lançar algumas piadas cuidadosamente preparadas para o grupo, mas por um momento ele estava muito dominado pela diversão para ser capaz de pronunciá-las. Depois de muita sufocação, durante a qual seus vários queixos ficaram roxos, ele conseguiu falar:

— Se você tem seus animais inferiores para enfrentar — disse ele —, nós temos nossas classes inferiores!

Essa frase causou sensação na mesa, e o Sr. Pilkington mais uma vez parabenizou os porcos pelas rações baixas, as longas horas de trabalho e a ausência geral de mimos que observara na Fazenda dos Animais.

E agora, disse finalmente, pediria ao grupo que se levantasse e garantisse que seus copos estivessem cheios.

— Senhores — concluiu o Sr. Pilkington —, cavalheiros, faço um brinde: À prosperidade da Fazenda dos Animais!"

Houve aplausos entusiasmados e bater de pés. Napoleão ficou tão satisfeito que deixou seu lugar e deu a volta na mesa para bater sua caneca na do Sr. Pilkington antes de esvaziá-la. Quando os aplausos cessaram, Napoleão, que permanecera de pé, insinuou que ele também tinha algumas palavras a dizer.

Como todos os discursos de Napoleão, foi curto e direto ao ponto. Ele também, disse, estava feliz que o período de mal-entendidos estava no fim. Por muito tempo houve rumores, ele tinha motivos para acreditar, de que houvesse algo subversivo e até revolucionário na visão dele e de seus colegas. Eles foram creditados com a tentativa de incitar a rebelião entre os animais nas fazendas vizinhas. Nada poderia estar mais longe da verdade! Seu único desejo, agora e no passado, era viver em paz e em relações comerciais normais com seus vizinhos. Esta fazenda que ele teve a honra de controlar, acrescentou, era uma empresa cooperativa. Os títulos de propriedade, que estavam em sua própria posse, eram de propriedade conjunta dos porcos.

Não acreditava, disse, que ainda persistisse alguma das velhas suspeitas, mas algumas mudanças haviam sido feitas recentemente na rotina da fazenda que deveriam ter o efeito de aumentar ainda mais a confiança. Até então, os animais da fazenda tinham o costume bastante tolo de se dirigirem uns aos outros como "camaradas". Isso deveria ser reprimido. Havia também um costume muito estranho, cuja origem era desconhecida, de marchar todos os domingos de manhã diante de um crânio de porco pregado a um poste no jardim. Isso também seria suprimido, e o crânio já havia sido enterrado. Seus visitantes também devem ter observado a bandeira verde que tremulava no mastro. Se assim for, eles talvez tenham notado que o casco branco e o chifre com o qual tinha sido marcado anteriormente haviam sido removidos.

Ele tinha apenas uma crítica, disse, a fazer ao discurso excelente e amistoso do Sr. Pilkington. O Sr. Pilkington havia se referido em toda parte à "Fazenda dos Animais". É claro que ele não podia saber — pois ele, Napoleão, só agora o anunciava pela primeira vez — que o nome "Fazenda dos Animais" havia sido abolido. Dali em diante, a fazenda seria conhecida como "Fazenda Solar" — que, segundo ele, era seu nome correto e original.

— Senhores — concluiu Napoleão —, farei o mesmo brinde de antes, mas de uma forma diferente. Encham seus copos até a borda. Cavalheiros, aqui está meu brinde: à prosperidade da Fazenda Solar!

Houve os mesmos aplausos calorosos de antes, e as canecas foram esvaziadas até a última gota. Mas enquanto os animais do lado de fora observavam a cena, parecia-lhes que alguma coisa estranha estava acontecendo. O que foi que mudou nos rostos dos porcos? Os velhos olhos turvos de Ariel passaram de um rosto para outro. Alguns deles tinham cinco queixos, alguns tinham quatro, alguns tinham três. Mas o que parecia estar derretendo e mudando? Então, findos os aplausos, a companhia pegou suas cartas e continuou o jogo que havia sido interrompido, e os animais se afastaram silenciosamente.

Mas eles não tinham andado vinte metros quando pararam. Um alvoroço de vozes vinha da casa da fazenda. Eles correram de volta e olharam pela janela novamente. Sim, uma briga violenta estava em andamento. Houve gritos, enforcamentos na mesa, olhares penetrantes e desconfiados, negações furiosas. A fonte do problema parecia ser que Napoleão e o Sr. Pilkington tinham jogado um ás de espadas simultaneamente.

Doze vozes gritavam de raiva e eram todas iguais. Sem dúvida, agora, era possível entender o que havia acontecido com os rostos dos porcos. As criaturas do lado de fora olhavam de porco para homem, e de homem para porco, e de porco para homem novamente; mas já era impossível dizer qual era qual.

**CONFIRA NOSSOS
LANÇAMENTOS AQUI!**